MAIS UMA VEZ,
o amor

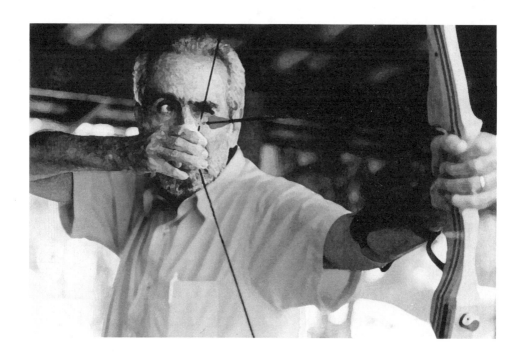

O Arqueiro

GERALDO JORDÃO PEREIRA (1938-2008) começou sua carreira aos 17 anos, quando foi trabalhar com seu pai, o célebre editor José Olympio, publicando obras marcantes como *O menino do dedo verde*, de Maurice Druon, e *Minha vida*, de Charles Chaplin.

Em 1976, fundou a Editora Salamandra com o propósito de formar uma nova geração de leitores e acabou criando um dos catálogos infantis mais premiados do Brasil. Em 1992, fugindo de sua linha editorial, lançou *Muitas vidas, muitos mestres*, de Brian Weiss, livro que deu origem à Editora Sextante.

Fã de histórias de suspense, Geraldo descobriu *O Código Da Vinci* antes mesmo de ele ser lançado nos Estados Unidos. A aposta em ficção, que não era o foco da Sextante, foi certeira: o título se transformou em um dos maiores fenômenos editoriais de todos os tempos.

Mas não foi só aos livros que se dedicou. Com seu desejo de ajudar o próximo, Geraldo desenvolveu diversos projetos sociais que se tornaram sua grande paixão.

Com a missão de publicar histórias empolgantes, tornar os livros cada vez mais acessíveis e despertar o amor pela leitura, a Editora Arqueiro é uma homenagem a esta figura extraordinária, capaz de enxergar mais além, mirar nas coisas verdadeiramente importantes e não perder o idealismo e a esperança diante dos desafios e contratempos da vida.

LISA KLEYPAS

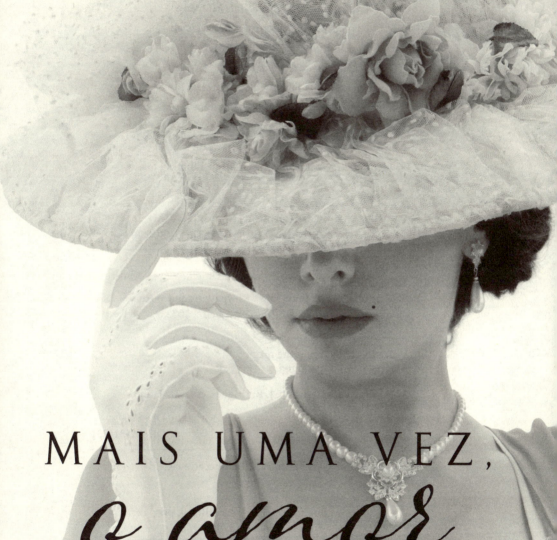

MAIS UMA VEZ,
o amor

Título original: *Again the Magic*

Copyright © 2004 por Lisa Kleypas
Copyright da tradução © 2022 por Editora Arqueiro Ltda.

Todos os direitos reservados. Nenhuma parte deste livro pode ser utilizada ou reproduzida sob quaisquer meios existentes sem autorização por escrito dos editores.

coordenação editorial: Taís Monteiro
produção editorial: Ana Sarah Maciel
tradução: Ana Rodrigues
preparo de originais: Marina Góes
revisão: Camila Figueiredo e Tereza da Rocha
diagramação: Abreu's System
capa: Renata Vidal
imagem de capa: Ilina Simeonova / Arcangel
impressão e acabamento: Lis Gráfica e Editora Ltda.

CIP-BRASIL. CATALOGAÇÃO NA PUBLICAÇÃO
SINDICATO NACIONAL DOS EDITORES DE LIVROS, RJ

K72m

Kleypas, Lisa, 1964-
   Mais uma vez, o amor / Lisa Kleypas ; tradução Ana Rodrigues. – 1. ed. – São Paulo : Arqueiro, 2022.
   304 p. ; 23 cm.

   Tradução de: Again the magic
   ISBN 978-65-5565-293-2

   1. Romance americano. I. Rodrigues, Ana. II. Título.

22-76084
CDD: 813
CDU: 82-31(73)

Meri Gleice Rodrigues de Souza – Bibliotecária – CRB-7/6439

Todos os direitos reservados, no Brasil, por
Editora Arqueiro Ltda.
Rua Artur de Azevedo, 1.767 – Conj. 177 – Pinheiros
05404-014 – São Paulo – SP
Tel.: (11) 2894-4987
E-mail: atendimento@editoraarqueiro.com.br
www.editoraarqueiro.com.br

Capítulo 1

Hampshire, 1832

Um cavalariço não deveria sequer *falar* com a filha de um conde, imagine subir até a janela do quarto dela. Sabe lá Deus o que aconteceria se ele fosse pego. Provavelmente seria chicoteado antes de ser expulso da propriedade.

McKenna escalou uma coluna de apoio, passou os longos dedos ao redor das grades de ferro forjado da varanda do segundo andar e ficou suspenso no ar por um instante antes de jogar as pernas para cima com um grunhido de esforço. Conseguiu pousar um calcanhar no chão da varanda, ergueu o corpo e passou por cima da grade para entrar.

Então se agachou diante das portas francesas e protegeu os olhos com as mãos para tentar enxergar o interior do quarto, onde havia uma única lamparina acesa. Uma moça estava sentada diante da penteadeira, escovando os longos cabelos escuros. A imagem provocou uma onda de prazer em McKenna.

Lady Aline Marsden... a filha mais velha do conde de Westcliff. Era uma jovem simpática, bem-humorada e bonita em todos os sentidos. Os pais lhe haviam concedido liberdade demais. Aline passara a maior parte de sua ainda breve vida vagando pela luxuosa propriedade da família em Hampshire. Lorde e lady Westcliff estavam muito envolvidos com a própria vida social para se dedicar à criação dos três filhos. A situação não era incomum para famílias que moravam em propriedades rurais como Stony Cross Park. Suas vidas eram determinadas pelo tamanho da propriedade, já que as crianças comiam, dormiam e brincavam bem longe dos pais. Além disso, a responsabilidade parental não tinha o efeito de gerar nenhum vínculo entre o conde e a condessa. Nenhum dos dois se sentia muito inclinado a se preocupar com uma criança que era o produto de uma união conveniente e sem amor.

Por uma década inteira, desde o dia em que McKenna fora levado à propriedade, aos 8 anos, ele e Aline tinham sido bons companheiros: subiam em árvores, nadavam no rio e corriam descalços. Ninguém dava muita atenção à amizade dos dois, porque eram crianças. Mas, com o tempo, as coisas começaram a mudar entre eles. Nenhum jovem saudável ficaria apático diante de Aline, que, aos 17 anos, havia se tornado a jovem mais linda do mundo.

Naquele momento, ela já estava pronta para dormir e usava uma camisola de algodão branco enfeitada com babados intrincados. À medida que caminhava pelo quarto, a luz da lamparina destacava as curvas generosas de seus seios e quadris através do tecido fino e deslizava pelos cachos sedosos do cabelo preto. A beleza de Aline era do tipo que fazia o coração parar e a respiração ficar presa no peito. Só aquele tom de pele, que contrastava com os olhos e os cabelos, já garantiria uma grande beleza. Mas além disso os traços dela eram delicados e perfeitos, e pareciam perpetuamente iluminados pelo esplendor de emoções de intensidade incontrolável. E, como se tudo isso não bastasse, a natureza acrescentara um último floreio: um sinalzinho preto no canto da boca. McKenna tinha fantasiado inúmeras vezes beijar aquela marquinha tentadora e deslizar a boca até as curvas exuberantes dos lábios de Aline. Então beijá-la e beijá-la, até deixá-la fraca e trêmula em seus braços.

Em mais de uma ocasião, ele se perguntara como um homem com a aparência comum do conde e uma mulher de beleza mediana como a condessa haviam sido capazes de gerar uma filha como Aline. Por algum capricho do destino, ela herdara a combinação certa de características. O filho deles, Marcus, tinha sido um pouco menos afortunado e era parecido com o pai, com seu rosto largo e de feições duras e a constituição física de um touro. A pequena Livia – supostamente fruto de um dos casos extraconjugais da condessa – até que era bonita, mas não tinha o feitiço radiante da irmã.

Enquanto observava Aline, McKenna refletiu que se aproximava rapidamente o tempo em que não poderiam mais ter relação nenhuma. A familiaridade entre eles logo se tornaria perigosa, se já não era. Ele se recompôs e bateu com delicadeza na vidraça das portas francesas. Aline se virou ao ouvir a batida e não demonstrou surpresa ao vê-lo. McKenna ficou ali de pé, fitando-a com intensidade.

Ela cruzou os braços e o encarou com a testa franzida. *Vá embora*, disse apenas com o movimento dos lábios. McKenna achou graça e, ao mesmo tempo, sentiu-se consternado, perguntando-se o que será que havia feito. Até onde sabia, não tinha se envolvido em nenhuma travessura, não pregara nenhuma peça nem havia discutido com Aline. Como recompensa, naquela tarde fora deixado esperando na beira do rio, sozinho, por duas horas.

McKenna balançou a cabeça teimosamente e permaneceu onde estava. Então se abaixou para sacudir a maçaneta da porta em um aviso sutil. Ambos sabiam que, se fosse descoberto, o peso das consequências recairia sobre ele. E por essa razão – para preservá-lo – Aline destrancou a porta com relutância e abriu-a. McKenna não pôde deixar de sorrir ao constatar o sucesso de seu estratagema, mesmo vendo que ela continuava emburrada.

– Você esqueceu que tínhamos um encontro marcado hoje à tarde? – perguntou ele sem preâmbulos, segurando a beira da porta com uma das mãos.

Ele encostou o ombro no batente de madeira estreito e sorriu ao encarar aqueles olhos castanho-escuros. Mesmo quando McKenna se curvou, Aline precisou erguer bastante a cabeça para encontrar seu olhar.

– Não, eu não esqueci – disse ela, e a voz que normalmente era leve e doce estava carregada de mau humor.

– Então onde você estava?

– Faz alguma diferença?

McKenna inclinou a cabeça e se perguntou brevemente por que as moças gostavam de fazer aquele tipo de joguinho. Como não conseguiu chegar a uma resposta razoável, decidiu aceitar o desafio.

– Eu pedi que me encontrasse no rio porque queria ver você.

– Achei que você tivesse mudado de ideia, já que aparentemente prefere a companhia de outra pessoa.

Ao ver a expressão interrogativa de McKenna, Aline fez um beicinho de impaciência.

– Eu vi você no vilarejo hoje de manhã, quando fui à chapelaria com a minha irmã.

Em resposta, McKenna assentiu com cautela, lembrando-se de que havia sido mandado até o sapateiro pelo chefe dos cavalariços, para deixar algumas botas que precisavam de conserto. Mas por que diabo isso teria deixado Aline tão contrariada?

– Ah, não se faça de tonto! – exclamou ela. – Eu vi você com uma das moças do vilarejo. E você a *beijou*. Bem no meio da rua, para todo mundo ver!

As feições dele se desanuviaram na hora. Era verdade. A moça era Mary, a filha do açougueiro. McKenna havia flertado com ela naquela manhã, como fazia com a maior parte das moças que conhecia, e Mary implicara com ele por uma coisa e outra até que ele começara a rir e roubara um beijo dela. Não havia significado nada nem para ele nem para Mary, e McKenna logo esquecera o incidente.

Então esse era o motivo da irritação de Aline: ciúme. McKenna tentou conter o prazer que essa descoberta lhe provocou, mas continuou a senti-lo como um peso reconfortante dentro do peito. Inferno... Ele balançou a cabeça com pesar enquanto se perguntava como lembrá-la do que ela já sabia: que uma filha da nobreza não deveria se importar nem um pouco com o que ele fazia.

– Aline – disse McKenna, levantando a mão para tocá-la, mas recuando –, o que faço com outras moças não tem nada a ver conosco. Você e eu somos amigos. Nós nunca faríamos... Você não é o tipo de moça que eu... Mas que droga, não preciso lhe explicar o óbvio!

Aline olhou para ele com uma expressão que McKenna nunca vira antes, os olhos castanhos carregados de uma intensidade que fez os pelos na sua nuca se arrepiarem.

– E se eu fosse uma moça do vilarejo? – perguntou ela. – Você faria a mesma coisa comigo?

Foi a primeira vez que McKenna se viu sem palavras. Ele tinha um talento especial para saber o que as pessoas queriam ouvir e geralmente achava vantajoso agradá-las. Seus modos encantadores, que usava com facilidade, já o haviam ajudado muito, fosse para conseguir um pãozinho da esposa do padeiro ou para se livrar de uma repreensão do chefe do estábulo. Mas em relação à pergunta de Aline... responder sim ou não era infinitamente mais perigoso.

Em silêncio, McKenna procurou uma meia verdade que a acalmasse.

– Eu não penso em você dessa maneira – disse ele por fim, forçando-se a encontrar o olhar dela.

– Outros rapazes pensam. – Diante da expressão apática dele, Aline continuou, no mesmo tom: – Na semana passada, quando os Harewoods nos visitaram, o filho deles, William, me encurralou contra o muro de pedra no penhasco e tentou me beijar.

– Aquele arrogantezinho nojento!

McKenna ficou imediatamente furioso ao se lembrar do rapaz atarracado e sardento que não fizera o menor esforço para disfarçar seu fascínio por Aline.

– Vou arrancar a cabeça dele na próxima vez que o vir. Por que você não me contou?

– Ele não foi o único que tentou – declarou Aline, colocando deliberadamente mais lenha na fogueira. – Não faz muito tempo, meu primo Elliot me desafiou para uma disputa de beijos com ele...

Aline deu um leve suspiro quando McKenna a segurou pelo braço.

– Maldito seja o seu primo Elliot – disse ele, ríspido. – Malditos sejam todos eles.

Tocá-la foi um erro. A sensação dos braços de Aline, da pele suave e quente, deu um nó no âmago de McKenna. Ele precisava de mais, precisava chegar mais perto e inebriar os sentidos com o perfume dela... o aroma de sabonete da pele recém-lavada, um leve toque de água de rosas, o sopro íntimo do seu hálito. Todos os instintos de McKenna imploravam que ele a puxasse para mais perto e colasse a boca na curva aveludada daquela nuca. Em vez disso, ele se forçou a soltá-la e deixou as mãos erguidas no ar. Era difícil se mexer, respirar, pensar com clareza.

– Eu não deixei ninguém me beijar – declarou Aline. – Eu quero você... *só você.* – A voz dela agora tinha um tom melancólico. – Mas, nesse ritmo, terei 90 anos antes que você sequer tente me beijar.

McKenna foi incapaz de ocultar o desejo em seus olhos enquanto a encarava.

– Não, Aline. Um beijo mudaria tudo, e não posso permitir que isso aconteça.

Aline estendeu a mão com cautela para tocar o rosto dele com a ponta dos dedos. A mão dela era quase tão familiar para McKenna quanto a sua própria. Ele sabia o que provocara cada pequena cicatriz, cada corte. Na infância, a mão de Aline era gorducha e vivia suja. Agora era esguia e branca, as unhas bem-cuidadas. A tentação de colar os lábios na palma macia beirava o insuportável. Em vez disso, McKenna enrijeceu o corpo para ignorar a carícia dos dedos de Aline em seu maxilar.

– Eu reparei no modo como você passou a me olhar ultimamente – disse Aline, o rubor se intensificando no rosto alvo. – Conheço os seus pensamentos, assim como você conhece os meus. E diante de tudo que sinto por você, de tudo que você significa para mim... não posso ter ao menos um momento de... de... – Ela tentou encontrar a palavra certa. – Ilusão?

– Não – retrucou McKenna. – Porque a ilusão logo acabaria e nós dois estaríamos em uma situação pior.

– Estaríamos mesmo?

Aline mordeu o lábio e desviou os olhos, os punhos cerrados como se pudesse lutar fisicamente contra a verdade desagradável que pairava entre eles.

– Eu prefiro morrer a magoar você – declarou McKenna, em um tom solene. – E se eu me permitisse beijá-la uma vez, haveria uma segunda vez, e mais uma, e logo não haveria como parar.

– Você não tem como saber... – começou Aline.

– Sim, eu tenho.

Os dois se encararam, desafiando-se sem palavras. McKenna permaneceu inexpressivo. Conhecia Aline bem o bastante para ter certeza de que se ela detectasse qualquer vulnerabilidade em sua determinação, o atacaria sem hesitar. Finalmente, Aline deixou escapar um suspiro de derrota.

– Está certo, então – sussurrou ela, como se falasse para si mesma.

E pareceu endireitar o corpo ao retomar o discurso, o tom agora desanimado, resignado.

– Vamos nos encontrar no rio amanhã, ao pôr do sol, McKenna? Podemos jogar pedras na água, conversar e pescar um pouco, o de sempre. É isso que você quer?

Passou-se um tempo antes que McKenna conseguisse responder.

– Isso – disse ele por fim, com cautela.

Aquilo era o máximo o que ele poderia ter dela... e Deus sabia que era melhor do que nada. Um sorriso irônico e afetuoso curvou os lábios de Aline, que o fitava intensamente.

– Agora é melhor você ir embora antes que o vejam. Mas, antes, se abaixe e me deixe arrumar seu cabelo. Está arrepiado no alto.

Se não estivesse tão distraído, McKenna teria argumentado que não havia necessidade de ela cuidar da aparência dele. Afinal, voltaria para seu quarto acima dos estábulos e as cinco dúzias de cavalos alojados lá não se importavam nem um pouco com o cabelo dele. Mas McKenna se curvou automaticamente, satisfazendo o desejo de Aline por pura força do hábito.

Em vez de alisar os cachos negros indisciplinados de McKenna, Aline ficou na ponta dos pés, passou a mão ao redor do seu pescoço e colou a boca à dele.

Foi como ser atingido por um raio. McKenna deixou escapar um som estrangulado e todo o seu corpo ficou subitamente imóvel, dominado por um choque de prazer. Deus do céu, os lábios de Aline, tão sensuais e delicados, explorando os dele com uma determinação desajeitada. Como ela certamente imaginara, nem Deus nem o diabo o fariam se afastar. McKenna sentiu os músculos travarem e ficou parado, passivo, se esforçando para conter a torrente de sensações que ameaçava dominá-lo. Ele amava Aline e a desejava com a ferocidade cega da adolescência. Seu autocontrole trêmulo durou menos de um minuto antes que ele soltasse um gemido de derrota e passasse os braços ao redor da cintura dela.

Implacável, McKenna beijou Aline várias vezes, inebriado pela suavidade daqueles lábios. Ela retribuiu os beijos com a mesma intensidade, ficando na ponta dos pés e emaranhando os dedos nos cabelos curtos dele. O prazer de abraçá-la era forte demais... McKenna não conseguiu evitar aumentar a intensidade dos beijos até os lábios dela se abrirem inocentemente. Ele aproveitou a oportunidade na mesma hora e começou a explorar a umidade aveludada daquela boca. Aquilo a surpreendeu. McKenna sentiu a hesitação dela e sussurrou baixinho até senti-la relaxar. Então deslizou a mão pela nuca de Aline, os dedos moldando a linha dos cabelos enquanto a língua adentrava mais profundamente em sua boca. Aline arquejou e agarrou os ombros dele com força, reagindo com uma sensualidade primitiva e inconsciente que o devastou. McKenna queria beijar e amar cada pedacinho dela, queria fazê-la sentir mais prazer do que era possível suportar. Já havia conhecido o desejo antes e, embora sua experiência fosse limitada, ele não era virgem. Mas nunca havia se deparado com aquela mistura desesperadora de emoção e desejo físico... uma tentação a que jamais poderia se render.

McKenna encerrou o beijo e enfiou o rosto no véu de cabelos sedosos e muito pretos de Aline.

– Por que você fez isso? – perguntou em um gemido.

A risada breve de Aline deixou claro o anseio que sentia.

– Porque você é tudo para mim – disse ela. – Eu te amo. Eu sempre...

– Shhhh.

McKenna a sacudiu ligeiramente para silenciá-la. Segurou-a a certa distância e fitou seu rosto corado e radiante.

– Nunca mais diga isso. Caso contrário, irei embora de Stony Cross.

– Vamos fugir juntos – insistiu ela, ousada. – Para um lugar onde ninguém consiga nos encontrar...

– Meu Deus, você tem ideia de como isso é insano?

– Insano por quê?

– Você acha que eu arruinaria a sua vida dessa maneira?

– Mas eu sou sua – insistiu Aline. – Farei o que for preciso para estar com você.

Ela acreditava no que estava dizendo, McKenna viu isso em seu rosto. Aquilo partiu seu coração, embora também o enfurecesse. Maldição! Aline sabia que as diferenças entre eles eram intransponíveis e precisava aceitar isso. Ele não poderia continuar ali, diante daquela tentação constante, ciente de que ceder seria a ruína de ambos.

McKenna segurou o rosto dela entre as mãos, deixou os dedos tocarem as extremidades das sobrancelhas escuras, passou os polegares por sua pele aveludada. E, como não era capaz de disfarçar a reverência no toque, falou com frieza:

– Você acha que me quer agora, mas vai mudar de opinião. Algum dia vai achar muito fácil se esquecer de mim. Eu sou um ninguém. Um criado, e ainda por cima um criado de baixa categoria...

– Você é o homem da minha vida.

McKenna ficou tão chocado que não soube o que dizer, apenas fechou os olhos. E odiou a reação instintiva às palavras dela, o coração disparando de alegria.

– Aline, por favor. Assim será impossível, para mim, continuar em Stony Cross.

Ela se afastou na mesma hora, a cor se esvaindo de seu rosto.

– Não! Não vá. Desculpe. Não vou falar mais nada. Por favor, McKenna... Você vai ficar, não vai?

McKenna teve uma breve amostra da dor inevitável que algum dia experimentaria, das feridas incuráveis que resultariam do simples ato de deixá-la. Aline tinha 19 anos... Ele teria mais um ano na companhia dela, talvez nem isso. Então o mundo se abriria para a jovem aristocrata e ele se tornaria um risco. Ou, pior, um constrangimento. Aline se obrigaria a esquecer aquela noite. Não gostaria de se lembrar do que dissera a um cavalariço à luz do luar, na varanda de seu quarto. Mas até lá...

– Ficarei o tempo que eu puder – retrucou McKenna, mal-humorado.

A ansiedade cintilou nas profundezas escuras dos olhos dela.

– E amanhã? – lembrou Aline. – Você vai me encontrar amanhã?

– No rio, ao pôr do sol – confirmou McKenna, subitamente cansado do interminável debate interno entre querer e nunca ter.

Aline pareceu ler a mente dele.

– Eu sinto muito.

Seu sussurro angustiado caiu pelo ar com a suavidade de pétalas ao vento enquanto ele descia da varanda.

Depois que McKenna desapareceu nas sombras, Aline voltou para dentro do quarto e tocou os lábios com a ponta dos dedos, tentando fazer a pele macia absorver mais ainda o beijo. A boca dele era surpreendentemente quente, com um sabor doce e intenso, e o hálito tinha o perfume das maçãs que McKenna provavelmente roubara do pomar. Aline havia imaginado milhares de vezes como seria beijá-lo, mas nada poderia tê-la preparado para a sensualidade do que experimentara.

Sua intenção era fazer com que McKenna a reconhecesse como mulher e ela finalmente conseguira isso. Mas, no fim, o momento não fora de triunfo; tinha sentido apenas um desespero tão cortante quanto a lâmina de uma faca. Sabia que McKenna achava que ela não compreendia a complexidade da situação, quando na verdade ela sabia melhor do que ele.

Desde o berço, a ideia de que as pessoas não se aventuravam fora da classe social a que pertenciam lhe fora incutida de forma implacável. Jovens como McKenna seriam sempre proibidos para ela. Todos, do topo à base da pirâmide social, entendiam e aceitavam essa estratificação – era motivo de desconforto universal a mera sugestão de que algum dia as coisas viessem a ser de outra forma. Ela e McKenna poderiam muito bem ser de espécies diferentes, pensou com um humor amargo.

Mas, por algum motivo, Aline não conseguia vê-lo como todos viam. Ele não era um aristocrata, mas também não era um mero cavalariço. Se tivesse nascido em uma família de linhagem nobre, certamente seria o orgulho da nobreza. Era injusto demais que o rapaz tivesse começado a vida com tantas desvantagens. McKenna era bonito, inteligente, trabalhador, mas jamais conseguiria superar as limitações sociais com as quais nascera.

Aline se lembrou do dia em que ele chegara a Stony Cross Park, um menino com o cabelo preto mal cortado e olhos que não eram nem azuis nem verdes, mas de algum tom mágico entre as duas cores. Segundo as fofocas dos criados, era filho bastardo de uma jovem do vilarejo que, ao se ver em uma situação difícil, fugira para Londres e acabara morrendo no parto. O pobre bebê tinha sido mandado de volta para o vilarejo de Stony Cross, onde os avós cuidaram dele até adoecerem. Quando McKenna fez 8 anos, foi enviado para Stony Cross Park e ali passou a trabalhar como faz-tudo. Suas funções eram limpar os sapatos dos criados de posição superior, ajudar as criadas a subir e descer as escadas carregando baldes pesados de água quente e lavar as moedas de prata que chegassem da cidade, para evitar que o conde e a condessa tivessem contato com qualquer vestígio de sujeira das mãos de um comerciante.

Seu nome completo era John McKenna, mas já havia três outros criados na propriedade chamados John. Fora decidido, então, que o menino seria chamado pelo sobrenome até que um novo nome fosse escolhido para ele... mas a ideia acabara esquecida e ele vinha sendo tratado simplesmente como McKenna desde então. A princípio, a maioria dos criados prestou pouca atenção nele, com exceção da governanta, a Sra. Faircloth. Era uma mulher de rosto largo, bochechas rosadas e bom coração, e a coisa mais próxima de uma figura materna que McKenna já conhecera. Na verdade, até Aline e sua irmã mais nova, Livia, preferiam recorrer à Sra. Faircloth a abordar a própria mãe. Por mais ocupada que estivesse, a governanta parecia sempre dispor de um momento para atender uma criança, enfaixar um dedo machucado, admirar um ninho de pássaro vazio encontrado no jardim ou colar um brinquedo quebrado.

Era a Sra. Faircloth quem às vezes dispensava McKenna de seus deveres para que ele pudesse correr e brincar com Aline. Aquelas tardes tinham sido a única fuga do menino da existência anormalmente restrita que levava como uma criança que já trabalhava.

– Seja gentil com ele – ordenou a Sra. Faircloth a Aline quando a menina a procurara para reclamar que McKenna havia quebrado seu carrinho de boneca de vime. – Ele não tem família, nem roupas bonitas para vestir, nem coisas boas para comer no jantar, como você. Na maior parte do tempo, enquanto você está brincando, ele está trabalhando para se sustentar. E se McKenna cometer muitos erros ou for considerado um menino mau, ele pode ser mandado embora e nunca mais o veremos.

Essas palavras tocaram Aline profundamente. Desde então, ela procurara proteger McKenna, assumindo a culpa por qualquer travessura ocasional, compartilhando os doces que o irmão mais velho às vezes trazia da cidade e até mesmo fazendo-o estudar as lições que a governanta lhe passava. Em troca, McKenna a ensinou a nadar, a lançar pedras no lago, a montar a cavalo e a fazer um apito com uma folha de grama esticada entre os polegares.

Ao contrário do que todos – inclusive a Sra. Faircloth – acreditavam, Aline nunca pensara em McKenna como um irmão. O afeto fraterno que sentia por Marcus não tinha nenhuma semelhança com seu relacionamento com McKenna – que era sua contraparte, sua bússola, seu refúgio.

Foi natural que, à medida que se tornava uma jovem mulher, Aline se sentisse fisicamente atraída por ele. E o mesmo devia acontecer com todas as outras mulheres em Hampshire. McKenna se tornara um homem alto, de ossos largos e aparência impressionante, feições fortes, o nariz longo e ousado, a boca larga. O cabelo preto vivia caído sobre a testa, os olhos turquesa singulares eram sombreados por extravagantes cílios escuros. Para aumentar seu poder de atração, ele se portava com um misto de charme descontraído e senso de humor astuto, o que o tornava um queridinho na propriedade e no vilarejo inteiro.

O amor de Aline por McKenna a fazia desejar o impossível – estar sempre com ele, se tornar a família que ele nunca tivera. Em vez disso, teria que aceitar a vida que seus pais escolheram para ela. Embora os casamentos por amor entre as classes superiores não fossem mais tão questionáveis como antes, os Marsdens ainda insistiam na tradição do casamento arranjado. Aline sabia exatamente o que estava reservado para ela. Teria um marido aristocrático indolente, que a usaria para gerar seus filhos e que faria vista grossa quando ela arrumasse um amante com quem se divertiria na ausência dele. Todos os anos, ela passaria a temporada social em Londres, seguida por visitas a casas de campo no verão e caçadas no outono. Ano após ano, veria os mesmos rostos, ouviria as mesmas intrigas. Até mesmo os prazeres da maternidade lhe seriam negados. Os criados cuidariam de seus filhos, que, quando crescessem um pouco, seriam mandados para algum internato, como acontecera com Marcus.

Décadas de vazio, pensou Aline, abatida. E o pior de tudo seria saber que McKenna estaria em algum lugar, confiando a outra mulher todos os seus pensamentos e sonhos.

– Meu Deus, o que devo fazer? – murmurou Aline.

Agitada, deixou-se cair na cama coberta de brocado. Abraçou com força um travesseiro e enterrou o queixo na maciez fofa, enquanto pensamentos inconsequentes ecoavam em sua mente. Não podia perdê-lo. A mera ideia a deixava trêmula, tomada por uma energia insana que lhe dava vontade de gritar.

Aline deixou o travesseiro de lado, deitou-se de costas e ficou olhando cegamente para as dobras escuras do dossel. Como poderia manter McKenna em sua vida? Tentou se imaginar tomando-o como amante depois de casada. A mãe dela tinha casos... assim como muitas damas aristocráticas. E, desde que fossem discretas, ninguém se opunha. Mas Aline sabia que McKenna jamais concordaria com esse tipo de arranjo. Para ele, nada era pela metade; não aceitaria dividi-la. Ele era um criado, sim, mas era tão orgulhoso e possessivo quanto qualquer homem na face da terra.

Aline não sabia o que fazer. Aparentemente, sua única escolha era aproveitar cada momento que pudesse para estar com ele, até que o destino os separasse.

Capítulo 2

Depois de seu 18º aniversário, McKenna começara a mudar fisicamente a uma velocidade surpreendente. Ele crescia tão rápido que a Sra. Faircloth exclamava com uma exasperação cheia de afeto que não adiantava alargar a sua calça, já que teria que fazer a mesma coisa na semana seguinte. Sentia uma fome voraz o tempo todo, mas nenhuma quantidade de comida parecia satisfazer seu apetite ou preencher o corpo magro, de ossos grandes.

– O tamanho do rapaz é uma coisa boa para o seu futuro – comentou a Sra. Faircloth, com orgulho, enquanto conversava sobre McKenna com o mordomo, Salter.

As vozes deles podiam ser ouvidas com clareza do corredor com piso de pedra que levava à varanda do segundo andar, por onde Aline estava passando. Alerta a qualquer menção a McKenna, ela parou e ficou ouvindo atentamente.

– Sem dúvida – disse Salter. – Quase um metro e oitenta de altura, já... Deve atingir facilmente as proporções de um lacaio. Será um bom criado doméstico.

– Talvez ele devesse sair dos estábulos e vir para dentro de casa, começar a trabalhar como aprendiz – sugeriu a Sra. Faircloth em um tom acanhado que fez Aline sorrir.

Ela sabia que por trás da proposta casual da Sra. Faircloth havia um desejo intenso de tirar McKenna da humilde posição de cavalariço e colocá-lo em uma função com mais prestígio.

– Deus sabe – continuou a governanta – que outro par de mãos para carregar carvão, limpar a prataria e polir os espelhos viria bem a calhar.

– Humm...

Houve uma longa pausa.

– Acho que tem razão, Sra. Faircloth – disse Salter. – Vou recomendar ao conde que McKenna se torne aprendiz de lacaio. Se ele concordar, mandarei fazer uma libré para ele – completou, referindo-se ao uniforme dos criados domésticos nas casas nobres.

Apesar do aumento de salário e do privilégio de dormir em um cômodo na casa, McKenna não se sentiu muito grato pela nova posição. Ele gostava de trabalhar com os cavalos e de viver na relativa privacidade dos estábulos. Agora, passava pelo menos metade do tempo na mansão, vestindo uma libré de gala convencional completa – calça preta de veludo, colete mostarda e casaca azul. Ainda mais irritante era o fato de todo domingo ser obrigado a acompanhar a família à igreja, abrir o banco para eles, tirar o pó do assento e posicionar seus livros de orações.

Aline não conseguia evitar achar graça das provocações brincalhonas que McKenna tinha que aguentar dos meninos do vilarejo, que esperavam do lado de fora da igreja. Ver o amigo vestido com a detestável libré era uma oportunidade imperdível de comentarem sobre as pernas dele nas meias brancas. Especulavam alto se a protuberância das panturrilhas era realmente por causa dos músculos ou se eram os enchimentos que os criados às vezes usavam para deixar as pernas mais torneadas. McKenna mantinha uma fachada apropriadamente impassível, mas o olhar que lançava para eles prometia vingança, o que fazia todos uivarem de prazer.

Felizmente, o rapaz ocupava o resto do tempo com jardinagem e a limpeza das carruagens, o que lhe permitia vestir a calça e a camisa branca folgada de sempre. Com o tempo, ficou bem bronzeado e, embora o tom da pele não deixasse dúvida de que pertencia à classe trabalhadora, também realçava o azul-esverdeado intenso dos olhos e fazia seus dentes parecerem ainda mais brancos. Não foi surpresa que McKenna começasse a atrair a atenção das mulheres na propriedade, e uma até havia tentado contratá-lo e levá-lo embora de Stony Cross Park.

Apesar dos esforços da dama para atraí-lo, McKenna recusara a proposta com uma discrição acanhada. Infelizmente, a postura discreta não foi compartilhada pelos demais servos, que implicaram com McKenna até ele ficar da cor de um tomate. Aline o questionou sobre a proposta assim que encontrou uma oportunidade de ficar a sós com ele. Era meio--dia, logo após McKenna ter terminado suas tarefas ao ar livre, e ele tinha alguns preciosos minutos de folga antes de vestir a libré para trabalhar na mansão.

Os dois relaxavam juntos em seu local favorito perto do rio, onde um prado descia até as margens. A grama alta os camuflava enquanto se acomodavam nas pedras planas que haviam sido suavizadas pelo silencioso e persistente fluxo de água. O ar estava denso com os cheiros de alecrim do norte e da urze aquecida pelo sol, uma mistura que Aline considerava relaxante.

– Por que você não foi com ela? – perguntou, puxando os joelhos para debaixo da saia e abraçando as pernas.

McKenna esticou o corpo longo e esguio e se apoiou em um cotovelo.

– Com quem?

Aline revirou os olhos diante da dissimulação dele.

– Com lady Brading... A mulher que queria contratá-lo. Por que recusou a proposta?

O sorriso lento de McKenna quase a cegou.

– Porque aqui é o meu lugar.

– Comigo?

McKenna ficou em silêncio, o sorriso se demorando nos lábios enquanto a olhava nos olhos. Palavras não ditas pairavam entre eles, tão tangíveis quanto o ar que respiravam.

Aline queria se aconchegar ao lado dele como um gato sonolento relaxando sob o sol, ao abrigo do seu corpo, mas resistiu ao impulso.

– Ouvi um dos criados comentando que você poderia ganhar o dobro do que ganha aqui... mas que teria que prestar a ela um tipo de serviço diferente do que está acostumado.

– Deve ter sido James quem falou isso – murmurou McKenna. – Maldita seja aquela língua comprida. O que ele sabe, afinal?

Aline ficou fascinada ao ver um rubor colorir as bochechas e a ponte do nariz dele. E então entendeu. Lady Brading queria contratar McKenna para ocupar a cama dela. Uma mulher com pelo menos o dobro da idade dele. Aline sentiu o rosto ficar quente e deixou o olhar deslizar dos ombros largos de McKenna até a mão grande que repousava sobre o leito verde-escuro de musgo.

– Ela queria que você dormisse com ela – afirmou Aline em vez de perguntar, quebrando um silêncio que se tornara dolorosamente íntimo.

McKenna deu de ombros em um movimento quase imperceptível.

– Duvido que o plano dela fosse dormir.

Aline sentiu o coração bater mais rápido ao se dar conta de que aquela não era a primeira vez que uma coisa assim acontecia com ele. Ela nunca se permitira pensar muito na experiência sexual de McKenna – a perspectiva era incômoda demais. McKenna era *dela*, e era insuportável pensar que recorria a outras pessoas para aliviar as necessidades que ela ansiava por satisfazer. *Se ao menos, se ao menos...*

Sufocada pelo ciúme, Aline fixou os olhos na mão grande e calejada de McKenna. Alguma outra mulher o conhecia mais do que ela jamais viria a conhecer. Outra mulher recebia o peso do corpo dele, era penetrada por ele, saboreava a doçura quente da sua boca, sentia o calor das mãos dele na pele.

Aline afastou lentamente uma mecha de cabelo que caíra nos olhos.

– Quando... quando foi a primeira vez que você...

Ela se viu forçada a parar ao sentir as palavras presas na garganta. Aquela era a primeira vez que perguntava sobre a vida sexual de McKenna – um assunto que ele sempre teve um cuidado escrupuloso de evitar.

McKenna não respondeu. Aline ergueu os olhos e viu que ele parecia perdido na profunda contemplação de um besouro que subia por uma folha comprida de grama.

– Acho que não devemos falar sobre isso – disse ele finalmente, muito baixo.

– Não culpo você por dormir com outras moças. Na verdade, eu esperava que isso acontecesse... Eu só...

Aline balançou ligeiramente a cabeça, aflita e confusa enquanto se obrigava a admitir a verdade.

– Eu só queria que fosse eu – completou com dificuldade, sentindo o bolo na garganta ainda maior.

McKenna inclinou a cabeça e seu cabelo escuro refletiu a luz do sol. Ele suspirou, estendeu a mão e prendeu atrás da orelha a mecha que caíra mais uma vez no rosto dela. A ponta do polegar roçou no sinal perto da boca de Aline, a marquinha escura que sempre o deixara tão fascinado.

– Nunca vai poder ser você – murmurou ele.

Aline assentiu, enquanto uma dor profunda fazia a sua boca se contrair e seus olhos se estreitarem para conter as lágrimas.

– McKenna...

– Não – alertou ele, em uma voz rouca, recolhendo a mão e cerrando o punho. – Não diga isso, Aline.

– Dizendo ou não, não vai mudar o que eu sinto. Preciso de você. Preciso estar com você.

– Não...

– Imagine como você se sentiria se eu dormisse com outro homem – falou ela, a infelicidade deixando-a imprudente –, se soubesse que ele estava me dando o prazer que você não pode me dar, que estava me segurando em seus braços à noite e...

McKenna soltou um grunhido e rolou sobre ela rapidamente, deitando-a no chão duro. O corpo pesado e firme se acomodou melhor sobre o dela quando as pernas de Aline se abriram instintivamente sob as saias.

– Eu mataria esse homem – afirmou McKenna, em um tom implacável. – Não suportaria.

Ele fitou o rosto coberto de lágrimas de Aline, então seu olhar se desviou para o pescoço ruborizado e para o movimento dos seios arfantes. Aline se viu dominada por uma estranha mistura de triunfo e alarme ao ver o ardor sexual no olhar de McKenna e sentir a energia masculina agressiva de seu corpo. Ele estava excitado; podia sentir a rigidez insistente entre suas coxas. McKenna fechou os olhos, esforçando-se para se controlar.

– Eu preciso me afastar de você – disse ele com firmeza.

– Ainda não – sussurrou Aline.

Ela se contorceu um pouco, pressionando os quadris contra os dele, e o movimento causou uma sensação profunda em seu abdômen. Ainda pairando sobre ela, McKenna gemeu e cravou os dedos na densa camada de musgo que cobria o chão.

– *Não.*

Seu tom era um misto de tensão, raiva e... algo mais... algo que parecia empolgação.

Aline se remexeu de novo, tomada por um sentimento peculiar de urgência, desejando coisas para as quais não conseguia encontrar palavras. Queria a boca de McKenna... as mãos... o corpo... queria possuí-lo e ser possuída. Seu corpo parecia inchado e o ponto sensível entre as pernas latejava deliciosamente cada vez que roçava na ponta do membro rígido dele.

– Eu te amo – disse ela, buscando uma forma de convencê-lo da enormidade do que sentia. – E vou te amar para sempre. Você é o único homem que eu quero, McKenna, o único...

As palavras foram abafadas quando McKenna capturou seus lábios em um beijo lento, com a boca aberta. Aline gemeu de satisfação, aceitando com prazer a carícia gentil, a ponta da língua dele deslizando pela parte interna dos lábios. McKenna a beijou como se roubasse segredos de sua boca, devastando-a com uma delicadeza deliciosa. Aline deixou as mãos deslizarem com voracidade pelas costas dele, por baixo da camisa, deliciando-se com a sensação dos músculos flexionados e com a suavidade da pele. O corpo de McKenna era muito firme, os músculos eram rígidos como aço, um corpo tão saudável e perfeito que a deixou assombrada.

A língua dele penetrou mais fundo na boca de Aline, fazendo-a gemer com um prazer que aumentava aos poucos. Os braços dele a envolveram em um gesto protetor e ele ajeitou o peso do corpo para não esmagá-la, sem deixar de devorá-la com beijos maravilhosos que pareciam lhe roubar a alma. A respiração de McKenna estava acelerada e ofegante, como se ele tivesse corrido quilômetros sem parar. Aline pressionou os lábios no pescoço dele, descobrindo que o ritmo acelerado de sua pulsação combinava com o dela. Assim como ela, McKenna sabia que cada momento de intimidade proibida tinha um preço que nenhum dos dois poderia pagar. Excitado além do ponto da cautela, McKenna levou as mãos aos botões da frente do vestido de Aline, então hesitou enquanto se debatia mais uma vez com a própria consciência.

– Continue... – disse ela, com a voz rouca, o coração trovejando no peito.

Ela beijou a linha firme da mandíbula dele, as faces, cada parte do rosto que conseguia alcançar. Ao encontrar um ponto sensível na lateral do pescoço de McKenna, Aline se concentrou ali até sentir todo o corpo dele estremecer.

– Não pare... – sussurrou ela, o tom febril. – Não agora. Ninguém vai nos ver... Por favor... Faça amor comigo...

As palavras pareceram corroer a resistência de McKenna, que deixou escapar um som áspero enquanto abria rapidamente a fileira de botões do vestido. Aline não estava usando espartilho, apenas uma camisa de baixo, e seu tecido fino se colava às curvas dos seios arredondados. Depois de abrir o corpete do vestido, ele puxou a camisa para baixo, expondo as pontas rosadas e macias dos mamilos. Aline olhou fixamente para o rosto tenso dele, deleitando-se com a expressão concentrada, com a forma como os olhos dele se estreitaram de paixão. Ele tocou o seio dela, os dedos comportando seu peso, o polegar roçando delicadamente o bico até deixá-lo rijo. McKenna se inclinou sobre o corpo de Aline e lambeu lentamente o mamilo firme. Ela arquejou de prazer, os pensamentos se incendiando e ardendo até se transformarem em cinzas quando McKenna capturou todo o seio com a boca. Ele chupou e lambeu sem parar, até Aline sentir o calor se espalhando por todo o corpo enquanto aquele ponto entre as coxas latejava com uma intensidade febril. McKenna deixou escapar um suspiro trêmulo e pressionou o rosto na curva nua do seio dela.

Incapaz de se conter, Aline deslizou a mão até o cós da calça dele. A barriga de McKenna era musculosa, a pele lisa como cetim, com exceção apenas dos pelos ásperos abaixo do umbigo. A mão dela tremia enquanto procurava o primeiro botão da calça.

– Quero tocar em você – sussurrou. – Quero sentir você...

– Maldição... *Não* – murmurou McKenna.

Ele segurou os pulsos de Aline e levantou-os acima da cabeça. Os olhos turquesa cintilavam enquanto McKenna lançava um olhar ardente da boca aos seios dela.

– Pelo amor de Deus, Aline! Eu já mal estou conseguindo me controlar. Se você me tocar, não vou conseguir parar.

Impotente, Aline se contorceu embaixo dele.

– É isso que eu quero...

– Eu sei – murmurou McKenna.

Ele se curvou para enxugar o suor da testa com a manga da camisa, ainda segurando os pulsos dela com cuidado.

– Mas não vou fazer isso. Você precisa continuar virgem.

Aline puxou os braços presos, quase com raiva.

– Eu faço o que quiser e que se danem todos!

– Quanta valentia – zombou McKenna com afeto. – Mas eu gostaria de saber o que você diria ao seu marido na noite de núpcias quando ele descobrisse que sua virgindade já foi tomada.

O estranho som da palavra "virgindade" fez com que Aline desse um sorriso sem humor, apesar da tristeza que tudo aquilo lhe causava. Virgindade... a única coisa que o mundo parecia esperar dela. Ela relaxou o corpo embaixo do dele e deixou os pulsos se aquietarem em suas mãos. Então o fitou nos olhos. Teve a sensação de que o mundo inteiro estava coberto por sombras e McKenna era a única fonte de luz.

– Não vou me casar com ninguém que não seja você, McKenna – sussurrou. – E se você não me quiser, passarei o resto da vida sozinha.

Ele abaixou a cabeça sobre a dela.

– Aline – falou com a mesma voz sussurrada que poderia ter usado em uma oração –, eu jamais deixaria você, a menos que me pedisse.

A boca dele se colou aos seios nus dela. Aline elevou o quadril impulsivamente, oferecendo-se sem reservas, gritando quando ele tomou um mamilo novamente na boca. McKenna umedeceu a carne rosada com a língua, acariciando e sugando até Aline gemer de frustração.

– McKenna – disse ela, arquejando e tentando em vão soltar os braços –, eu preciso de você... Por favor, faça alguma coisa, eu não aguento mais e...

Ele afastou o corpo para conseguir levantar a saia de Aline. Seu membro muito rijo se destacava contra o tecido da calça quando ele pressionou o quadril dela. Aline desejava tocá-lo, explorar o corpo dele com a mesma ternura com que McKenna estava tratando o dela, mas ele não permitiu. McKenna enfiou a mão por baixo das camadas de musselina e da barra de renda da camisa de baixo e encontrou o cós da calçola. Então desamarrou com habilidade suas fitas e parou para encará-la com intensidade, os olhos semicerrados.

– Eu tenho que parar.

Ele pousou a mão quente na barriga dela, por cima da calçola.

– Isso é muito perigoso, Aline...

Ele pressionou a testa contra a dela, até seus suores se misturarem e o hálito de um encher a boca do outro em arquejos quentes e ternos.

– Meu Deus do céu... Como eu te amo – disse ele por fim, a voz rouca.

O peso da mão dele fez Aline estremecer. Ela abriu as pernas e elevou os quadris instintivamente, tentando guiar os dedos de McKenna para onde precisava que estivessem. Com muito cuidado, ele passou a mão por baixo do tecido de algodão fino e tocou no meio das pernas abertas. Acariciou os pelos e deixou a ponta dos dedos deslizar com delicadeza até a elevação mais abaixo. Aline arquejou, a boca ainda colada à dele. Logo sentiu a carne latejante sendo explorada até os dedos de McKenna encontrarem a abertura de seu corpo. Ela se sentia arder de vergonha e de desejo na mesma medida, e virou o rosto para o lado enquanto ele seguia delicadamente.

McKenna estava familiarizado com as complexidades do corpo feminino e, como sabia exatamente onde era a parte mais sensível, deslizou a ponta dos dedos com incrível leveza até o ponto latejante no sexo dela. Os dedos calosos arranhavam a pele úmida de Aline, provocando uma sensação tão deliciosa, delicada e ao mesmo tempo enlouquecedora que Aline soltou um grito trêmulo.

– Shhhhh – murmurou McKenna, acariciando gentilmente o ponto do sexo que despertara, e ergueu os olhos para ver se havia alguém na campina, além da grama alta. – Alguém pode ouvir.

Aline mordeu o lábio enquanto se esforçava para obedecer, embora gemidos baixinhos continuassem a lhe escapar da garganta. McKenna continuou inspecionando a presença de alguma companhia indesejada, o olhar alerta percorrendo os terrenos da propriedade nos limites da campina. Certo de que estavam a sós, sentiu o dedo médio esbarrar na barreira da virgindade e massageou-a até sentir a carne mais macia. Aline fechou os olhos para evitar o brilho do sol e não ofereceu qualquer resistência quando McKenna usou os joelhos para abrir mais suas pernas, até o interior das coxas estar estendido e tenso. Ele a penetrou com o dedo, parando ao sentir que a havia assustado. Então colou a boca à testa de Aline e sussurrou contra a pele úmida e sedosa:

– Meu bem... eu não vou machucar você.

– Eu sei, é só que...

Ela se forçou a permanecer deitada passivamente embaixo de McKenna enquanto sentia o dedo dele deslizar mais para dentro de seu corpo. Sua voz saiu rouca quando continuou:

– É tão estranho...

McKenna penetrou-a com quase toda a extensão do dedo, acariciando as paredes internas e sentindo o corpo dela se contrair instintivamente em resposta à invasão gentil. Ele gemeu ao sentir a pulsação frenética da carne dela e ajustou a palma da mão contra o ponto mais sensível do sexo de Aline, que continuava a vibrar. Então começou a fazer um movimento lento e oscilante com o dedo, penetrando mais fundo enquanto a palma da mão a massageava ritmicamente.

– Humm...

Aline não conseguia evitar projetar o corpo para cima em uma obediência servil às provocações da mão dele.

– Hummm... McKenna...

Ele deslizou o braço livre por baixo das costas dela, levantando seus seios para voltar a beijá-los, a língua brincando com os mamilos. Uma onda de sensações a envolveu e então recuou, deixando-a gemendo de desejo. McKenna não se deteve, e continuou a acariciá-la com determinação, cravando os dentes com cuidado nos mamilos até deixá-los mais vermelhos, mais duros. Aline se concentrou no dedo que deslizava profundamente, no movimento ritmado, no prazer concentrado que subia pelo ventre, pela coluna, até não ter consciência de mais nada além das mãos de McKenna, de sua boca, do corpo pesado em cima do dela. Aline imaginou o sexo dele arremetendo dentro dela, preenchendo-a... e de repente não conseguiu mais se mover, dominada pelos espasmos voluptuosos que a envolveram... ondas de alívio tão intensas que a fizeram gemer alto. McKenna cobriu os lábios dela rapidamente para abafar o som. Estremecendo e arquejando, Aline se entregou ao prazer até o clímax. Quando recobrou a consciência, sentiu que McKenna retirava os dedos escorregadios de dentro dela.

Ele a abraçou e acariciou, murmurando baixinho, até o corpo de Aline ficar mole sob o dele, os membros pesados e quentes. Ele começou a afastar a mão do sexo encharcado dela, mas Aline manteve-a onde estava.

– Eu quero você dentro de mim – disse ela, em um sussurro. – Eu quero você, McKenna. Por favor...

– Não – disse ele entre dentes.

McKenna rolou para longe com um gemido, cravando os dedos na terra úmida e arrancando grandes punhados de musgo.

– Ajeite sua roupa, Aline. Não posso mais tocar em você, senão não vou conseguir me conter...

McKenna se interrompeu, deixando escapar um som trêmulo que traiu quão perto ele estava de possuí-la.

– Abaixe a saia. Por favor.

– Eu quero você... – repetiu ela, ofegante.

– *Agora*. Estou falando sério, Aline.

Diante do tom cortante na voz dele, ela não se atreveu a desobedecer. Com um suspiro, Aline se esforçou para ajeitar as roupas. Depois de algum tempo, McKenna se virou para observá-la. Parecia ter recuperado o controle, embora seus olhos ainda brilhassem com um desejo que não tivera alívio. Aline balançou a cabeça com um sorriso melancólico.

– Ninguém nunca vai me olhar do jeito que você me olha. Como se me amasse com cada parte de você.

Ele estendeu a mão lentamente e colocou uma mecha de cabelo atrás da orelha dela.

– É assim que você me olha também.

Aline pegou a mão dele e beijou a superfície áspera dos dedos.

– Por favor, prometa que vamos ficar juntos para sempre.

Mas McKenna permaneceu em silêncio, pois ambos sabiam que era uma promessa que ele não podia fazer.

⁓

Aline sabia que o mais seguro seria fingir que aqueles minutos de paixão à beira do rio nunca existiram. Mas era impossível. A simples presença de McKenna fazia seu corpo inteiro vibrar. As emoções pareciam jorrar de dentro dela, deixando a atmosfera tão eletrizada que ela temeu que mais alguém pudesse sentir. Aline não se atrevia a olhar para McKenna na frente dos outros, temendo que a sua expressão a denunciasse. McKenna se saía muito melhor em manter uma fachada impassível, mas alguns criados, entre eles a Sra. Faircloth, comentaram que ele parecera atipicamente quieto na última semana. Estava claro para quem o conhecia bem que algo o incomodava.

– Imagino que seja a idade – comentou a Sra. Faircloth com Salter, o mordomo. – Na idade dele, os rapazes estão muito animados e travessos em um dia, e tristes e rebeldes no outro.

– Bem, seja lá qual for seu estado de espírito, é melhor que McKenna faça bem o trabalho – retrucou Salter com severidade. – Caso contrário, será mandado de volta aos estábulos para sempre, e será um criado de classe inferior pelo resto da vida.

Quando Aline repetiu o comentário para McKenna certa tarde, ele fez uma careta e riu. Estava ocupado polindo os painéis laqueados de uma carruagem. Sentada em um balde virado, Aline o observava. A garagem coberta estava vazia e silenciosa, a não ser pelos relinchos e pela agitação dos cavalos nas baias além do pátio.

O esforço do trabalho deixara McKenna suando tanto que o tecido da camisa branca estava colado nas costas musculosas. Seus ombros se curvaram, os músculos se flexionando enquanto ele aplicava uma camada de cera à laca preta e polia até que estivesse brilhando. Aline se ofereceu para ajudá-lo, mas ele recusou veementemente e pegou o pano da mão dela.

– É o meu trabalho – falou bruscamente. – Fique aí sentada, olhando.

Aline obedeceu com prazer, deleitando-se com a graciosidade masculina dos movimentos dele. Como tudo o mais que fazia, McKenna executou a tarefa meticulosamente. Ele havia sido ensinado desde a infância que o bom trabalho era em si uma recompensa; isso, somado à absoluta falta de ambição, o tornava o criado perfeito. Este era o único defeito que Aline conseguia encontrar nele: a aceitação automática do destino, uma resignação tão intrínseca que nada parecia capaz de alterá-la. Na verdade, pensou Aline, sentindo-se culpada, se não fosse por ela, McKenna estaria muito feliz com o próprio destino. Ela era a única coisa que ele sempre quis e que jamais poderia ter. E, por mais que tivesse consciência de como era egoísta da sua parte mantê-lo tão firmemente ligado a ela, Aline não conseguia se obrigar a abrir mão dele. Precisava tanto de McKenna quanto de água, comida e ar.

– Você não quer ser um subalterno para sempre, quer? – pressionou ela, obrigando-se a voltar os pensamentos novamente para a conversa.

– Eu gostaria de algo mais do que trabalhar dentro de casa e ter que usar libré – retrucou ele.

– A Sra. Faircloth acha que você poderia chegar a mordomo algum dia, ou até mesmo a valete.

Aline preferiu não mencionar que a governanta também acrescentara com pesar que, embora McKenna tivesse talento para ser um valete maravilhoso, suas chances eram muito pequenas, por causa da beleza. Nenhum patrão gostaria de um valete cujos porte e aparência superassem os seus. Era bem melhor para eles manter alguém como McKenna vestido em uma libré, um uniforme que claramente o marcava como criado.

– Você seria mais bem remunerado.

– Eu não me importo com isso – murmurou ele, e aplicou mais cera na porta da frente da carruagem. – Para que preciso de mais dinheiro?

Aline franziu a testa, pensativa.

– Para algum dia poder comprar um pequeno chalé e cultivar seu próprio terreno.

McKenna se deteve e olhou por cima do ombro com um brilho malicioso nos olhos verde-azulados.

– E quem iria morar comigo no meu chalé?

Aline encontrou o olhar dele e sorriu, enquanto uma fantasia cálida tomava a sua mente.

– Eu, é claro.

McKenna pareceu pensar a respeito enquanto pendurava o pano de encerar no gancho do lampião da carruagem e se aproximava dela lentamente. Aline sentiu um frio na barriga ao encará-lo.

– Eu teria que ganhar muito bem para isso – murmurou. – Sustentar você seria uma empreitada cara.

– Ora, eu não daria tanta despesa assim – protestou Aline, indignada.

Ele fitou-a com uma expressão cética.

– Só o valor das suas fitas de cabelo me deixaria na miséria, esposa.

A palavra "esposa", pronunciada naquele tom baixo, fez com que Aline tivesse a sensação de ter engolido uma colherada de uma calda muito doce.

– Vou compensá-lo de outras maneiras – respondeu ela.

Sorrindo, McKenna se abaixou e ajudou-a a ficar de pé. Ele deixou as mãos correrem levemente pela lateral do corpo de Aline, demorando-se logo abaixo dos braços, a base das mãos roçando em seus seios. Seu aroma almiscarado e o brilho da pele suada a fizeram engolir em seco. Aline tirou da manga um pequeno lenço com rosas bordadas e enxugou a testa dele. McKenna pegou o tecido delicado e examinou o bordado de fios de seda verde e cor-de-rosa com um sorriso.

– Foi você quem bordou? – perguntou, passando o polegar nas flores. – É lindo.

Aline enrubesceu de prazer com o elogio.

– Sim, eu trabalhei nele durante algumas noites. Uma dama nunca deve ficar sentada com as mãos ociosas.

McKenna enfiou o lenço na cintura da calça e olhou rapidamente em volta. Quando se certificou de que os dois estavam sozinhos, passou os braços ao redor de Aline e deixou as mãos deslizarem pelas costas e pelos quadris dela, fazendo uma pressão deliciosa nos lugares certos, ajustando a proximidade entre eles com uma precisão sensual.

– Você estaria esperando por mim todas as noites, no nosso chalé? – perguntou ele, baixinho.

Aline assentiu e colou mais o corpo ao dele. McKenna fechou os olhos, os cílios pretos e longos projetando sombras em seu rosto.

– E você vai esfregar as minhas costas quando eu estiver cansado e sujo do trabalho no campo?

Aline imaginou o corpo grande e poderoso se abaixando em uma banheira de madeira... o suspiro de prazer ao sentir o calor da água... as costas bronzeadas reluzindo à luz do fogo.

– Vou – sussurrou. – Você vai poder ficar relaxando na banheira enquanto eu coloco a panela de ensopado no fogo e conto sobre a discussão que tive com o moleiro, que não me deu farinha suficiente porque a balança estava adulterada.

McKenna riu baixinho enquanto roçava delicadamente a ponta do dedo ao longo do pescoço dela.

– Esse trapaceiro – murmurou, os olhos brilhando. – Vou falar com ele amanhã... Ninguém tenta roubar a minha esposa impunemente. Mas agora vamos para a cama. Quero abraçar você a noite inteira.

A ideia de estar acomodada em uma cama aconchegante com ele, os corpos nus entrelaçados, fez Aline tremer de desejo.

– Você provavelmente vai adormecer assim que pousar a cabeça no travesseiro – provocou ela. – O trabalho na terra é pesado... você estará exausto.

– Nunca estarei cansado demais para amar você.

McKenna deslizou os braços ao redor dela e se curvou para acariciar o contorno do seu rosto. Seus lábios eram como veludo quente enquanto ele sussurrava contra a pele dela.

– Eu vou beijar você da cabeça aos pés e não vou parar até que esteja implorando. E então vou lhe dar prazer até deixar você sem forças.

Aline passou os dedos ao redor da nuca de McKenna e guiou a boca dele até a dela. Os lábios foram se moldando com suavidade até permitirem que a língua dele explorasse mais fundo. Ela queria a vida que ele acabara de descrever... queria infinitamente mais do que o futuro que a aguardava. No entanto, essa vida pertencia a outra mulher. A mera ideia de outra compartilhando os dias e noites dele, seus segredos e sonhos, a encheu de desespero.

– McKenna – falou Aline com um gemido, afastando a boca da dele –, me prometa...

Ele a abraçou com força, acariciando suas costas, esfregando o rosto em seu cabelo.

– Qualquer coisa. Qualquer coisa.

– Se você se casar com outra, prometa que sempre me amará mais do que a ela.

– Ah, minha egoistazinha querida – murmurou ele com ternura. – Você sempre será a dona do meu coração... Você me arruinou para o resto da vida.

Aline passou novamente os braços ao redor do pescoço dele.

– Você se ressente de mim por isso? – perguntou ela, a voz abafada contra o ombro dele.

– Eu deveria. Se não fosse por você, eu teria me contentado com coisas comuns. Com uma moça comum.

– Sinto muito – falou Aline, abraçando-o com força.

– Sente mesmo?

– Não – admitiu ela.

McKenna riu e puxou a cabeça dela para trás, para beijá-la. Sua boca era firme e exigente, e a língua deslizava com uma sensualidade implacável. Ao sentir as pernas bambas, Aline colou mais o corpo ao dele até não restar mais nem um centímetro de espaço entre os dois. McKenna sustentou o peso dela com facilidade, apoiando-a entre as coxas, a mão grande ao redor da nuca delicada. A pressão dos lábios dele se alterou quando McKenna lambeu a parte interna da boca de Aline, uma brincadeira erótica que arrancou um suspiro rouco dela. Quando já estava achando que se derreteria no chão em uma poça de felicidade, McKenna se afastou abruptamente.

– O que foi? – resmungou ela, em uma voz lenta.

McKenna pediu silêncio pousando o dedo indicador sobre os seus lábios, e olhou fixamente para a porta da garagem, os olhos semicerrados.

– Pensei ter ouvido algo.

Aline franziu a testa, subitamente preocupada, e ficou observando enquanto ele andou rapidamente até o arco de entrada. McKenna olhou de um lado para o outro do pátio vazio. Como não viu ninguém, deu de ombros e voltou para perto de Aline.

Ela passou os braços ao redor da cintura estreita.

– Me beije de novo...

– Nada disso – disse ele com um sorriso enviesado. – Você vai voltar para casa... Não consigo trabalhar com você aqui.

– Eu fico quieta – garantiu Aline, projetando o lábio inferior para a frente, em um beicinho rebelde. – Você nem vai notar que estou aqui.

– Sim, eu vou.

McKenna baixou os olhos para o sinal claro de que estava excitado e encarou-a com um olhar irônico.

– E é difícil para um homem conseguir trabalhar nessa condição.

– Vou ajudar você com isso – sugeriu Aline, em uma voz sedutora, deixando a mão deslizar até a protuberância fascinante da ereção dele. – Só me diga o que fazer...

McKenna soltou uma gargalhada que era também um gemido, roubou um beijo rápido e quente dos lábios dela e afastou-a.

– Eu já disse o que você vai fazer: voltar para casa.

– Você vai subir até o meu quarto hoje?

– Talvez...

Aline lhe lançou um olhar de ameaça fingida e McKenna abriu um largo sorriso enquanto voltava a se dedicar à carruagem, ainda balançando a cabeça.

Embora ambos estivessem cientes da necessidade de cautela, aproveitavam todas as oportunidades para uma escapada juntos. Encontravam-se na floresta, ou no lugar de sempre à beira do rio, ou à noite na varanda de Aline. McKenna se recusava terminantemente a cruzar a soleira do quarto, dizendo que não se responsabilizaria por suas ações caso se encontrasse perto de uma cama com ela. O autocontrole dele era muito maior do que o dela, embora Aline estivesse bem ciente do esforço que aquilo lhe custava e de quanto ele a desejava. McKenna deu prazer a ela mais duas vezes, beijando-a, abraçando-a e fazendo carícias até deixá-la sem forças de tanta satisfação. Então, no final de uma tarde, quando estavam deitados juntos na beira do rio, ele finalmente permitiu que Aline aliviasse seu desejo. Aquela, sem dúvida, seria para sempre a experiência mais erótica da vida dela. Ver McKenna ofegante, gemendo seu nome, a carne rígida e sedosa deslizando ao longo do aperto ardente da mão dela, o corpo poderoso entregue ao seu toque. Aline desfrutou mais do clímax dele do que do próprio, amando o fato de ser capaz de fazer McKenna alcançar o mesmo êxtase que ele lhe proporcionara.

No entanto, se aqueles eram seus dias felizes, o tempo que tinham era muito curto. Aline sabia que seu caso de amor com McKenna, naqueles termos, não duraria muito. Mesmo assim, não esperava que acabasse tão rápido, nem de maneira tão brutal.

O pai chamou Aline em seu escritório certa noite, depois do jantar, algo que nunca acontecera antes. Nunca houvera nenhuma razão para que o conde falasse em particular com ela ou com Livia. Marcus era o único filho a quem o conde dava atenção... e nenhuma das moças invejava o irmão mais velho por isso. O conde era especialmente crítico com o herdeiro; exigia perfeição a todo tempo e preferia usar o medo, em vez de elogios, como motivação. Mesmo assim, apesar do tratamento severo que recebera, Marcus era um rapaz gentil e de boa índole. Aline torcia para que o irmão não se tornasse como o pai algum dia, mas a verdade é que ainda havia muitos anos da disciplina implacável do conde reservados para ele.

Enquanto Aline se encaminhava ao escritório do conde, teve a impressão de que seu estômago se transformara em um bloco de gelo. O nervosismo gelado se espalhou por seus membros até chegar às pontas dos dedos das mãos e dos pés. Não havia qualquer dúvida em sua mente sobre o motivo daquela convocação incomum do pai. O conde provavelmente descobrira de algum modo o seu envolvimento com McKenna. Se fosse qualquer outra coisa, ele teria feito com que a esposa ou a Sra. Faircloth falassem com ela. O fato de estar se dando o trabalho de se comunicar diretamente com a filha indicava que o assunto era importante. E os instintos de Aline alertavam-na de que o confronto que se aproximava seria realmente feio. Desesperada, ela tentou pensar em como reagir, qual seria a melhor forma de proteger McKenna. Faria qualquer coisa, prometeria qualquer coisa para salvá-lo da ira do conde.

Suando frio, Aline entrou no cômodo, com seu interior de painéis escuros e a enorme escrivaninha de mogno onde grande parte dos negócios da propriedade era conduzida. A porta estava aberta e havia uma lamparina acesa lá dentro. Ela encontrou o pai de pé ao lado da escrivaninha. O conde não era um homem bonito; suas feições eram largas e duras demais, como se tivessem sido feitas por um escultor apressado para refinar os golpes profundos do cinzel. Se o conde possuísse certa dose de cordialidade ou de humor, ou o mínimo resquício de gentileza, aquelas feições poderiam ter se tornado um pouco atraentes. Infelizmente, ele era um homem sem qualquer senso de humor, que, mesmo com todas as vantagens que lhe haviam sido dadas por Deus, encarava a vida como uma amarga decepção. O conde não sentia prazer em nada, especialmente no que dizia respeito à família, que parecia ser pouco mais do que um fardo para ele. A única aprovação que já mostrara a Aline fora um orgulho relutante pela beleza física dela, que amigos e estranhos elogiavam tantas vezes. Quanto aos pensamentos da filha, seu caráter, seus medos e esperanças, ele não sabia nada e não se importava com coisas tão intangíveis. O conde havia deixado claro que o único propósito na vida de Aline era fazer um bom casamento.

Já diante do pai, Aline se perguntou como era possível ter tão poucos sentimentos pelo homem que a havia gerado. Uma das muitas afinidades entre ela e McKenna era o fato de nenhum dos dois jamais ter experimentado a sensação de ser amado pela mãe ou pelo pai. A Sra. Faircloth era o único meio de os dois terem alguma noção do que era o amor materno.

Ao perceber o desprezo intenso no olhar do pai, Aline se deu conta de que era assim que ele sempre olhava para Livia. Pobre Livia, que, sem ter culpa alguma, era fruto da relação da condessa com um de seus amantes.

– O senhor me chamou, papai? – murmurou ela, em uma voz sem expressão.

A luz da lamparina projetava sombras irregulares no rosto do conde de Westcliff enquanto ele a encarava com frieza.

– Nunca estive tão certo quanto neste momento – observou ele – de que as filhas são uma maldição do inferno.

Aline manteve o rosto inexpressivo, embora a respiração saísse acelerada em virtude dos pulmões contraídos.

– Você foi vista com o rapaz do estábulo – continuou o conde. – Aos beijos, com as mãos um no outro...

O conde fez uma pausa, a boca se contorcendo brevemente antes de conseguir controlar suas feições.

– Parece que o sangue da sua mãe finalmente prevaleceu. Ela tem um gosto semelhante pelas classes inferiores... Embora até ela tenha tido o discernimento de não se entregar a criados, enquanto você parece ter concentrado seu interesse em nada melhor do que a escória do estábulo.

Essas palavras encheram Aline de um ódio quase letal, tamanha a intensidade. Sua vontade era estapear o rosto zombeteiro do pai, agredi-lo, magoá-lo no fundo da alma... se ele tivesse uma. Aline se concentrou em um pequeno quadrado do painel na parede e se obrigou a permanecer totalmente imóvel, estremecendo apenas de leve quando o pai estendeu a mão e segurou seu queixo. Os dedos dele apertaram cruelmente os pequenos músculos da região.

– Ele tirou a sua virtude? – bradou.

Aline encarou fixamente os olhos cor de obsidiana.

– Não.

Ela viu que ele não acreditou. O aperto doloroso em seu rosto ficou mais forte.

– E se eu chamar um médico para examiná-la, ele vai confirmar isso?

Aline não piscou, apenas encarou-o, desafiando-o em silêncio.

– Vai – disse, a palavra saindo em um sussurro. – Mas se dependesse da minha vontade, minha virgindade já estaria perdida há muito tempo. Eu a ofereci livremente a McKenna... Gostaria que ele tivesse aceitado.

O conde a soltou com um som enfurecido e a esbofeteou no mesmo instante, a palma da mão estalando em sua face. A força do tapa deixou a pele de Aline ardendo e jogou sua cabeça para o lado. Atordoada, ela levou a mão à face inchada e olhou fixamente para o pai, com os olhos arregalados.

O espanto e a dor na expressão da filha pareceram acalmar um pouco o conde. Ele soltou um suspiro profundo, foi até a cadeira e se sentou com uma graça altiva. Seus olhos negros cintilaram ao encontrar os dela.

– O rapaz já terá partido da propriedade pela manhã. E você vai se certificar de que ele nunca mais se atreva a se aproximar de você. Porque eu vou descobrir se isso acontecer... e vou usar todos os meios à minha disposição para acabar com ele. Você sabe que tenho o poder e a determinação para fazer isso. Não importa aonde ele vá, mandarei caçá-lo e o encontrarei. E terei o maior prazer em assegurar que a vida dele chegue a um fim miserável e torturante. Ele não merece menos por macular a filha de um Marsden.

Até ali, Aline não havia verdadeiramente entendido que, para o pai, ela era apenas uma propriedade, que seus sentimentos não significavam nada para ele. Ela sabia que o conde estava falando sério; ele esmagaria McKenna como um roedor infeliz sob seus pés. Aquilo não podia acontecer. McKenna precisava ser protegido da vingança do conde e ter seu sustento garantido. Aline não podia permitir que ele fosse punido simplesmente porque ousara amá-la. Sentindo o medo envolver seu coração, Aline falou, em uma voz frágil que não parecia a dela:

– McKenna não vai voltar se acreditar que eu quero que ele se vá.

– Então, pelo bem dele, faça-o acreditar.

Aline não hesitou em responder:

– Eu quero que o futuro de McKenna seja garantido. Um futuro decente, que ele se torne aprendiz em algum lugar, que possa crescer na vida.

O pai pareceu surpreso com a ousadia da exigência.

– O que lhe dá a audácia de acreditar que eu faria isso por ele?

– Eu ainda sou virgem – disse Aline em um tom exageradamente suave. – Por enquanto.

Os olhares dos dois se encontraram e permaneceram imóveis por um longo momento.

– Entendo – murmurou o conde. – Você vai ameaçar se deitar com o primeiro homem que aparecer na sua frente, seja ele um indigente ou um criador de porcos, se eu não atender ao seu pedido.

– Exatamente.

Não foi necessário nenhum talento dramático para que Aline o convencesse. Ela estava sendo sincera. Depois que McKenna fosse embora para sempre, nada mais teria valor para ela. Nem sequer o próprio corpo.

A audácia da filha pareceu despertar o interesse do conde na mesma medida em que o irritou.

– Talvez você tenha um pouco do meu sangue, afinal – murmurou ele. – Embora isso seja, como sempre, muito questionável, levando-se em consideração as atitudes da sua mãe. Pois bem, vou encontrar uma ocupação para o bastardo insolente. E você fará a sua parte: vai garantir que Stony Cross se livre dele.

– Tenho a sua palavra em relação a isso? – insistiu Aline, em voz baixa, os punhos cerrados junto ao corpo.

– Sim.

– Então o senhor tem a minha em troca.

Um sorriso de desprezo distorceu as feições do conde.

– Eu não exijo a sua palavra, filha. Não por confiar em você, porque garanto que não é esse o caso, mas porque aprendi que a honra de uma mulher tem menos valor do que a poeira que cobre o chão.

Como nenhuma resposta lhe foi exigida, Aline ficou parada onde estava, o corpo rígido, até o conde mandá-la sair, em um tom ríspido. Entorpecida e desorientada, ela foi até o quarto, onde esperaria que McKenna aparecesse. Pensamentos se agitavam freneticamente em sua mente. Uma coisa era certa: nenhum poder na terra manteria McKenna longe dela enquanto ele acreditasse que ela ainda o amava.

Capítulo 3

McKenna tivera um dia de trabalho longo e duro, ajudando os assistentes do jardineiro a construir um muro ao redor do pomar. Os músculos tremiam depois de horas de esforço levantando pedras pesadas. Com um sorriso triste, ele pensou que não seria de grande utilidade para Aline por um ou dois dias; estava tão dolorido que mal conseguia se mover. Mas talvez ela o deixasse deitar a cabeça em seu colo e cochilar por alguns minutos, envolto no perfume e na suavidade dela. Ele descansaria, então, enquanto ela acariciasse seus cabelos com os dedos gentis... A ideia o encheu de expectativa.

No entanto, antes que pudesse ir até Aline, teria que ver a Sra. Faircloth, que havia deixado ordens para que ele a procurasse imediatamente. Depois de se banhar na velha banheira de ferro que todos os criados usavam, McKenna foi até a cozinha com o cabelo ainda molhado. Sua pele cheirava ao sabonete cáustico que era usado para limpar o chão e lavar a roupa, e que também era dado aos criados para as suas necessidades pessoais.

– O faz-tudo disse que a senhora queria me ver – falou McKenna sem preâmbulos.

Quando olhou para a governanta, ele ficou intrigado com a expressão consternada em seu rosto.

– Lorde Westcliff quer vê-lo – disse a Sra. Faircloth.

De repente, a enorme cozinha perdeu seu calor reconfortante, e o aroma doce e delicioso de uma panela de geleia fervendo no fogão já não despertava mais o apetite sempre voraz de McKenna.

– Por quê? – perguntou em um tom cauteloso.

A Sra. Faircloth balançou a cabeça. O calor da cozinha colara as mechas de seu cabelo grisalho nas laterais do rosto.

– Não faço nem ideia. Nem Salter. Você se meteu em alguma encrenca, McKenna?

– Em nenhuma encrenca.

– Bem, que eu saiba, você fez o seu trabalho e se comportou da melhor maneira possível para um rapaz da sua idade – disse a governanta, e franziu a testa, pensativa. – Talvez o patrão queira elogiá-lo ou mandar que se encarregue de alguma tarefa especial.

Mas os dois sabiam que isso era improvável. O conde nunca convocaria um criado de categoria inferior por um motivo desse. Cabia ao mordomo cuidar dos elogios ou da disciplina, ou delegar novas responsabilidades.

– Vá vestir a sua libré – pediu a Sra. Faircloth. – Você não pode comparecer diante do patrão usando roupas comuns. E seja rápido... Ele não vai querer ficar esperando.

– Inferno... – resmungou McKenna, estremecendo diante da ideia de vestir a odiada libré.

A governanta fingiu uma expressão severa e ergueu uma colher de pau ameaçadoramente.

– Mais uma blasfêmia na minha presença e vou bater nos seus dedos.

McKenna baixou a cabeça e tentou mostrar uma expressão dócil, o que a fez rir.

– Sim, senhora.

Ela deu uma palmadinha no rosto dele com a mão quente e roliça. Seus olhos eram como duas poças de mel e ela sorria.

– Vá logo, e, depois de ver o conde, estarei esperando por você com pão fresco e geleia.

Quando saiu da cozinha para obedecê-la, o sorriso de McKenna desapareceu e ele deixou escapar um suspiro longo e tenso. Nada de bom poderia resultar daquela convocação. O relacionamento dele com Aline era a única razão possível para aquilo. Uma sensação ligeiramente nauseante o dominou. McKenna não temia nada exceto a possibilidade de ser mandado para longe dela. A ideia de dias, semanas, meses se passando sem que ele pudesse vê-la era inconcebível... Era como receber a ordem de tentar viver debaixo d'água. McKenna estava aflito com a necessidade de encontrá-la *imediatamente*, mas não havia tempo. Quando o conde mandava chamar alguém, era melhor que a pessoa não demorasse.

Ele vestiu rapidamente a libré de veludo bordada em ouro, calçou as meias brancas e os sapatos pretos apertados, e foi ao escritório onde lorde Westcliff o esperava. A casa parecia estranhamente quieta, carregada com o silêncio que costumava preceder uma execução. Ele usou o nó de dois dedos para bater cautelosamente na porta, como Salter lhe ensinara.

– Entre – disse o patrão.

O coração de McKenna batia com tanta força que se sentiu tonto. Depois de compor o rosto em uma expressão neutra, entrou no escritório e esperou junto à porta. Era um cômodo despojado e simples, revestido com painéis de cerejeira reluzentes e com janelas retangulares de vitrais ocupando uma das paredes. A mobília era pouca: estantes de livros, cadeiras de encosto duro e uma grande escrivaninha atrás da qual lorde Westcliff estava sentado. McKenna obedeceu ao breve gesto do conde, entrou no cômodo e parou diante da escrivaninha.

– Milorde – disse em um tom humilde, esperando pelo golpe.

O conde fitou-o com os olhos semicerrados.

– Estive pensando no que fazer com você.

– Como assim, senhor? – perguntou McKenna, sentindo o estômago se revirar.

Ele encarou os olhos duros de Westcliff e logo desviou o olhar instintivamente. Nenhum criado jamais ousava sustentar o olhar do patrão. Era uma atitude terrivelmente insolente.

– Seus serviços não são mais necessários em Stony Cross Park – disse o conde, sua voz atingindo McKenna como um golpe. – Você será dispensado imediatamente. Eu me comprometi a garantir outra ocupação para você.

McKenna assentiu em silêncio.

– Conheço um construtor naval em Bristol – continuou Westcliff –, o Sr. Ilbery, que concordou em contratá-lo como aprendiz. Sei que é um homem honrado e acredito que será um patrão justo, embora exigente...

Westcliff disse mais alguma coisa, mas McKenna só ouviu partes do que era dito. Bristol... Ele não sabia nada sobre o lugar, a não ser que era um importante porto comercial, uma cidade montanhosa, rica em carvão e metal. Pelo menos não era muito longe, ficava em um condado vizinho...

– Você não está autorizado a retornar a Stony Cross – alertou o conde, fazendo com que McKenna voltasse a prestar atenção no que ele falava. – Não é mais bem-vindo aqui, por motivos que não desejo discutir. E já aviso que, se tentar voltar, vai se arrepender amargamente.

McKenna compreendeu o que estava sendo dito. Nunca se sentira tão à mercê de outra pessoa. Era um sentimento ao qual um criado deveria estar bem acostumado, mas pela primeira vez na vida ele se ressentia daquilo. Tentou engolir a hostilidade em ebulição, mas o sentimento continuou a arder no fundo da garganta. *Aline...*

– Providenciei para que você seja levado ainda esta noite – disse Westcliff friamente. – A família Farnham está transportando mercadorias para serem vendidas no mercado de Bristol, e estão dispostos a permitir que você viaje na parte de trás da carroça. Arrume seus pertences imediatamente e leve-os para a casa dos Farnhams na aldeia, que é de onde você partirá.

O conde enfiou a mão em uma gaveta da escrivaninha, pegou uma moeda e jogou-a para McKenna, que a agarrou em um movimento de reflexo. Uma coroa, o equivalente a cinco xelins.

– Seu salário do mês, embora ainda faltem alguns dias para completar as quatro semanas – falou Westcliff. – Para que não diga que não sou generoso.

– Certo, milorde – respondeu McKenna, quase em um sussurro.

Aquela moeda, somada às escassas economias em seu quarto, equivaleria a aproximadamente duas libras. McKenna teria que fazer a quantia durar, pois seu trabalho como aprendiz provavelmente não seria remunerado a princípio.

– Pode ir agora. Deixe a sua libré, já que não vai mais precisar dela.

O conde voltou a atenção para alguns papéis na escrivaninha, ignorando McKenna completamente.

– Sim, milorde.

McKenna estava profundamente confuso quando deixou o escritório. Por que o pai de Aline não fizera nenhuma pergunta? Por que não exigira saber exatamente até onde havia chegado o breve affair entre ele e sua filha? Talvez o conde não quisesse saber. Era provável que Westcliff presumisse o pior, que Aline realmente havia tomado McKenna como amante. Ela seria punida por isso?

McKenna não estaria ali para descobrir. Não poderia protegê-la nem confortá-la... Estava sendo removido da vida dela com precisão cirúrgica. Mas maldito fosse se não a visse novamente. O estupor que o dominava desapareceu e, de repente, a respiração pareceu queimar na garganta e no peito, como se ele tivesse inalado fogo.

Aline quase se contorceu de agonia ao ouvir os sons pelos quais esperava... Os movimentos silenciosos de McKenna subindo até a varanda. Sentiu o estômago nauseado e apertou o punho cerrado contra o abdômen. Sabia o que precisava fazer. E sabia que, mesmo sem a manipulação do pai, sua presença na vida de McKenna só resultaria em infelicidade para ambos. McKenna estaria melhor se recomeçasse a vida sem as amarras de qualquer coisa ou pessoa do passado. Ele encontraria alguém que fosse livre para amá-lo como ela jamais seria. E, sem dúvida, muitos corações femininos seriam arrebatados por um homem como ele.

Aline só desejava que existisse alguma forma de deixá-lo livre sem causar tanto sofrimento a ambos. Ela o viu na varanda, uma grande sombra atrás da cortina de renda. A porta tinha sido deixada entreaberta. McKenna a empurrou com o pé, mas, como sempre, não se atreveu a passar da soleira.

Aline acendeu com cuidado uma vela ao lado da cama e observou seu próprio reflexo ganhar vida nas vidraças, sobrepondo-se à silhueta escura de McKenna, antes de a porta se abrir mais e a imagem se desfazer.

Ela se sentou na extremidade da cama que ficava mais perto da varanda, pois não confiava em si mesma para se aproximar dele.

– Você falou com o conde – disse ela em um tom neutro, sentindo uma gota de suor descer pelas costas tensas.

McKenna permaneceu imóvel, reparando na rigidez da postura dela, em como se retraía em relação a ele. Normalmente, àquela altura Aline já estaria em seus braços.

– Ele me disse...

– Sim, eu sei o que ele disse – interrompeu Aline gentilmente. – Você está indo embora de Stony Cross Park. Na verdade, é melhor assim.

McKenna balançou a cabeça lentamente, confuso.

– Eu preciso abraçar você – sussurrou.

Pela primeira vez, deu um passo para entrar no quarto dela, mas se deteve quando Aline levantou a mão.

– Não faça isso – disse ela, e sentiu a respiração presa na garganta antes de conseguir continuar: – Está tudo acabado, McKenna. A única coisa a fazer agora é dizer adeus e ir embora para sempre.

– Vou encontrar um jeito de voltar – garantiu ele, a voz rouca, os olhos assombrados. – Farei tudo o que você pedir...

– Isso não seria sensato. Eu...

Aline sentiu uma onda de aversão por si mesma enquanto se forçava a continuar.

– Eu não quero que você volte. Não quero ver você nunca mais.

Confuso, McKenna recuou um passo e a encarou.

– Não diga isso – murmurou ele. – Não importa aonde eu vá, nunca vou deixar de amar você, Aline. Por favor, me diga que sente o mesmo. Meu Deus... Não posso viver sem ao menos essa migalha de esperança.

Mas essa migalha seria justamente a ruína dele. Se McKenna tivesse esperanças, voltaria para ela e seria destruído pelo conde. A única forma de salvá-lo era afastá-lo para sempre... Era extinguir qualquer fé que ele tivesse no amor dela. Se Aline não conseguisse fazer isso, nenhum poder na terra seria suficiente para mantê-lo afastado dali.

– Eu pedi desculpas ao meu pai – disse Aline em uma voz leve e aguda. – Pedi a ele que se livrasse de você, para me poupar do constrangimento. Ele ficou com raiva, é claro... Disse que eu deveria ao menos ter concentrado a minha atenção em algum lugar um pouco mais elegante do que os estábulos. E estava certo. Da próxima vez, vou escolher com mais critério.

– Próxima vez? – repetiu McKenna, que parecia ter levado um soco.

– Você me distraiu por algum tempo, mas já estou entediada novamente. Imagino que seja melhor tentarmos nos separar como meros amigos... afinal, você não passa de um criado. Portanto, vamos acabar com isso sem maiores confusões. Será melhor para nós dois se você for embora antes que eu seja forçada a dizer coisas que nos deixarão ainda mais desconfortáveis. Vá embora, McKenna. Eu não quero mais você.

– Mas Aline... você me ama...

– Eu só estava me divertindo. Agora que já aprendi tudo que podia com você, preciso encontrar um *cavalheiro* para praticar o que sei.

McKenna ficou em silêncio, encarando-a com a expressão de um animal mortalmente ferido. Desesperada, Aline não sabia quanto tempo mais conseguiria aguentar.

– Como eu poderia amar alguém como você? – perguntou ela, cada palavra causando uma pontada de agonia em sua garganta. – Você é um bastardo, McKenna... Não tem família nem qualquer linhagem ou posses... O que você teria a me oferecer que eu não pudesse obter de qualquer outro homem de classe inferior? Vá, por favor.

Suas unhas deixaram marcas de sangue nas palmas das mãos quando ela repetiu:

– *Vá.*

O silêncio se estendeu. Aline abaixou a cabeça e esperou, trêmula, pedindo a um Deus impiedoso que McKenna não se aproximasse. Se ele a tocasse, se falasse mais alguma coisa, ela desmoronaria, tamanha era sua angústia. Aline se obrigou a inspirar e expirar, forçando os pulmões a trabalhar, torcendo para que o coração continuasse a bater. Depois de um bom tempo, abriu os olhos e viu a varanda vazia.

Ele se fora.

Ela se levantou da cama, conseguiu alcançar o lavatório e agarrou a bacia de porcelana com as mãos. A náusea explodiu em espasmos cruéis, e Aline cedeu com um suspiro infeliz até estar com o estômago vazio e os joelhos sem qualquer capacidade de funcionar. Tropeçando e rastejando até a varanda, ela se encolheu contra a grade e agarrou as barras de ferro.

Aline viu a silhueta distante de McKenna trilhando o caminho à frente da mansão... O caminho que conectava a propriedade à estrada que levava ao vilarejo. Ele estava de cabeça baixa e foi embora sem olhar para trás. Aline observou avidamente através das grades pintadas, sabendo que nunca mais voltaria a vê-lo.

– McKenna... – sussurrou.

E continuou ali até vê-lo desaparecer ao dobrar em uma curva da estrada que o levaria para longe dela. Então pressionou o rosto frio de suor contra a manga do vestido e chorou.

Capítulo 4

A Sra. Faircloth chegou à porta do gabinete de Aline, uma pequena antecâmara do quarto da jovem. A saleta minúscula viera originalmente de um castelo construído no início do século XVII. O conde e a condessa haviam comprado o gabinete abobadado durante uma viagem ao exterior alguns anos antes. A estrutura tinha sido embalada em caixotes – painéis, quadros, teto e chão – e fora completamente reconstruída em Stony Cross Park. Gabinetes como aquele eram raros na Inglaterra, mas comuns na França. Eram cômodos nos quais a classe alta costumava divagar, estudar, escrever ou conversar em privacidade com algum amigo.

Aline estava encolhida em uma espreguiçadeira posicionada contra a janela de vidro antigo, olhando para o nada. O peitoril estreito sob as vidraças estava coberto de pequenos objetos: um cavalinho de metal pintado... dois soldadinhos de chumbo, um deles sem um braço... um botão de madeira barato de uma camisa de homem... uma pequena faca dobrável com o cabo de chifre de veado esculpido. Todos aqueles itens eram fragmentos do passado de McKenna que Aline havia colecionado. Os dedos dela envolviam a lombada de um livro de versinhos, rimas sem sentido, usadas para ensinar às crianças as regras gramaticais e ortográficas. A Sra. Faircloth se lembrou de mais de uma ocasião em que havia visto Aline e McKenna lendo a cartilha juntos quando crianças, as cabeças bem próximas enquanto Aline tentava obstinadamente ensinar ao amigo as lições que aprendia. E, mesmo relutante, McKenna a ouvira, embora estivesse claro que teria preferido correr pelo bosque como uma criatura selvagem.

A Sra. Faircloth franziu a testa e pousou uma bandeja com sopa e torradas no colo de Aline.

— Está na hora de você comer alguma coisa — disse ela, disfarçando com uma voz severa a preocupação que sentia.

No mês que se passara desde a partida de McKenna, Aline não havia conseguido comer ou dormir. Abatida e desanimada, ela passava a maior parte do tempo sozinha. Quando recebia ordem de se juntar à família para jantar, ficava sentada sem tocar na comida, estranhamente silenciosa. O conde e a condessa optaram por considerar o abatimento da filha como uma birra de criança. Mas a Sra. Faircloth não compartilhava dessa opinião e não entendia como os dois conseguiam ignorar com tanta facilidade o profundo apego entre Aline e McKenna. A governanta tentou deixar a preocupação de lado, dizendo a si mesma que os dois não passavam de crianças e, portanto, criaturas resistentes. Ainda assim... perder McKenna parecia ter transtornado Aline.

— Eu também sinto falta dele — disse a governanta, a garganta apertada de saudade. — Mas pense no que é melhor para McKenna, não para você. Sei que não gostaria que ele continuasse aqui, atormentado por tudo o que nunca poderia ter. E não vai lhe fazer bem algum ficar arrasada desse jeito. Você está pálida e magra, e seu cabelo está seco como a cauda de um cavalo. O que McKenna pensaria se a visse desse jeito?

Aline ergueu os olhos sem vida para ela.

— Ele acharia que é o que mereço por ser tão cruel.

— Um dia ele vai entender. Vai pensar a respeito e se dará conta de que você só fez o que fez pelo bem dele.

— Acha mesmo? — perguntou Aline sem parecer muito interessada.

— É claro — afirmou a Sra. Faircloth com firmeza.

— Eu não acho.

Aline pegou o cavalinho de metal no parapeito da janela e ficou observando o objeto, sem emoção.

— Acho que McKenna vai me odiar pelo resto da vida.

A governanta pensou naquelas palavras, cada vez mais convencida de que se algo não fosse feito logo para tirar a jovem daquele sofrimento, poderia haver danos permanentes à saúde dela.

— Talvez seja melhor eu contar a você... Recebi uma carta de McKenna — disse a Sra. Faircloth, embora tivesse tido a intenção de guardar essa informação para si.

Ela não podia prever como Aline reagiria às notícias. E se o conde soubesse que a governanta permitira que Aline visse a carta, logo haveria mais um cargo a ser preenchido em Stony Cross Park: o dela. Os olhos escuros de Aline se acenderam subitamente, cheios de um ardor frenético.

– Quando?

– Agora de manhã.

– O que McKenna escreveu? Como ele está?

– Eu ainda não li... Você sabe como está a minha vista. Preciso de luz para enxergar... E não sei onde coloquei os meus óculos...

Aline empurrou a bandeja para o lado e se esforçou para se levantar da espreguiçadeira.

– Onde está a carta? Quero vê-la imediatamente... Ah, por que a senhora esperou tanto para me contar isso?

Assustada com o rubor febril que coloriu o rosto da jovem, a Sra. Faircloth tentou acalmá-la.

– A carta está no meu quarto e você não vai colocar os olhos nela até terminar de comer tudo o que está nessa bandeja – disse a governanta com firmeza. – Que eu saiba, você não coloca nada na boca desde ontem. Você provavelmente desmaiaria antes mesmo de chegar à escada.

– Santo Deus, como a senhora pode falar em comida? – perguntou Aline, desesperada.

A Sra. Faircloth se manteve firme e sustentou o olhar desafiador da jovem sem piscar, até Aline jogar as mãos para o alto com um resmungo furioso. Ela estendeu a mão para a bandeja, pegou um pedaço de pão e mordeu com raiva.

A governanta fitou-a, satisfeita.

– Muito bem, então. Vá me encontrar quando terminar. Estarei na cozinha. Depois iremos até o meu quarto para pegar a carta.

Aline comeu com tanta pressa que quase se engasgou com o pão. Ela se saiu um pouco melhor com a sopa, mas a colher tremia tão violentamente em sua mão que poucas gotas chegavam à boca. Tinha a mente confusa, caótica. Parecia incapaz de se concentrar em um único pensamento. Sabia que não haveria palavras de perdão ou de compreensão na carta de McKenna, que não haveria nenhuma menção a ela. Mas não importava. Só o que queria era alguma garantia de que ele estava vivo e bem. Deus do céu, estava tão ansiosa por notícias dele!

Atrapalhando-se com a colher, Aline jogou-a com impaciência no canto e calçou os sapatos. O fato de não ter pensado em pedir à Sra. Faircloth para se corresponder com McKenna era um sinal claro de como estivera estupidamente autocentrada. Embora fosse impossível para Aline se comunicar com ele, através da governanta ela poderia ao menos manter um vínculo frágil. A ideia lhe causou uma pontada ardente de alívio, descongelando o muro de alienação que a envolvia havia semanas. Ansiosa pela carta, por ver as marcas que a mão de McKenna deixara no pergaminho, Aline saiu correndo da saleta.

Ao chegar à cozinha, recebeu olhares enviesados da copeira e das duas cozinheiras assistentes, e Aline se deu conta de que seu rosto devia estar muito vermelho. Sentia o corpo inteiro arder de empolgação e foi difícil manter a calma enquanto contornava a enorme mesa de madeira para chegar até onde estavam a Sra. Faircloth e a cozinheira, perto do forno de tijolos sobre a lareira. O ar estava carregado com o cheiro de peixe frito, um aroma rico e gorduroso que ameaçava coalhar o conteúdo do estômago de Aline. Ela lutou contra uma onda de náusea, engoliu em seco várias vezes e foi até a governanta, que fazia uma lista com a cozinheira.

– A carta – sussurrou Aline no ouvido dela.

A Sra. Faircloth sorriu.

– Sim. Só mais um momento, milady.

Aline assentiu com um suspiro impaciente. Ela se virou para o fogão, onde uma das assistentes tentava desajeitadamente virar o peixe. O óleo espirrava da panela a cada pedaço virado, e o líquido fervente se derramava na cesta de ferro, cheia de carvão ainda não usado. Aline ergueu as sobrancelhas diante a inépcia da moça e cutucou o corpo rechonchudo da governanta com o cotovelo.

– Sra. Faircloth...

– Sim, estamos quase terminando – murmurou a governanta.

– Eu sei, mas o fogão...

– Só preciso dar mais uma palavrinha com a cozinheira, milady.

– Sra. Faircloth, acho que a assistente da cozinheira não deveria...

Aline foi interrompida por uma chocante explosão de calor acompanhada por um estrondo explosivo quando a cesta de ferro com os carvões, encharcada de óleo, pegou fogo. As labaredas subiram até o teto e se espalharam para a panela de peixe, transformando o fogão em um inferno. Atordoada, Aline sentiu a assistente da cozinheira cair contra ela e perdeu o fôlego quando suas costas se chocaram contra a borda da mesa pesada.

Arquejando para tentar recuperar o fôlego, Aline estava apenas vagamente ciente dos gritos de horror das criadas, encobertos pelos gritos agudos da Sra. Faircloth para que alguém pegasse um saco de sais de bicarbonato na despensa, para abafar o fogo. Aline se virou para escapar do calor e da fumaça, mas parecia cercada. De repente, seu corpo foi envolvido por uma dor mais lancinante do que qualquer coisa que ela já imaginara ser possível. Ao se dar conta de que suas roupas estavam pegando fogo, Aline foi tomada pelo pânico e correu instintivamente, mas não havia como escapar das chamas que a devoravam viva. A jovem viu de relance o rosto horrorizado da Sra. Faircloth, então alguém a derrubou violentamente no chão... Ela ouviu a voz de um homem praguejando... e sentiu golpes violentos em suas pernas e por todo o corpo enquanto ele batia em suas roupas em chamas. Aline gritou e se debateu, mas já não conseguia mais respirar, pensar ou enxergar, então afundou na escuridão.

Capítulo 5

Doze anos depois

— Parece que os americanos chegaram – comentou Aline com indiferença.

Aline voltava com a irmã, Livia, para a mansão depois de uma caminhada matinal quando parou ao lado da fachada de pedras cor de mel para dar uma boa olhada nos quatro veículos muito ostentosos que estavam parados diante da mansão. Os criados corriam pelo grande pátio em frente à casa, indo de um lado a outro, dos estábulos aos aposentos dos criados. Os convidados haviam chegado com uma grande quantidade de malas e baús para a estadia de um mês em Stony Cross Park.

Livia parou ao lado da irmã. Era uma jovem atraente de 24 anos, com cabelos castanho-claros, olhos castanho-esverdeados e um corpo esguio e pequeno. A julgar por seus modos joviais, era de imaginar que não tinha qualquer preocupação no mundo. Mas qualquer um que olhasse em seus olhos via claramente que a jovem pagara um preço alto pelos raros momentos de felicidade que havia conhecido.

– Criaturas tolas – disse Livia, em um tom leve, referindo-se aos convidados. – Não aprenderam que não se chega assim tão cedo na casa de alguém?

– Parece que não.

– Bastante pomposos, não? – murmurou Livia, observando as molduras douradas e os painéis pintados nas laterais das carruagens.

Aline sorriu.

– Quando os americanos gastam dinheiro, gostam que isso fique aparente.

As duas riram e trocaram olhares travessos. Aquela não era a primeira vez que o irmão delas, Marcus, agora lorde Westcliff, recebia americanos em seu famoso evento de caça e tiro. Ali em Hampshire parecia ser sempre a estação para alguma coisa... Tetrazes em agosto, perdizes em setembro, faisões em outubro, gralhas na primavera e no verão, e coelhos durante o ano todo. A tradicional caçada acontecia duas vezes por semana, com as damas ocasionalmente cavalgando atrás dos cães farejadores. Todo tipo de transação era conduzida durante esses eventos, que muitas vezes duravam semanas e incluíam entre os convidados figuras políticas influentes ou homens de negócios ricos. Durante aquelas visitas, Marcus persuadia habilmente certas pessoas a ficarem do seu lado em uma questão ou outra, ou a concordarem com alguma negociação que serviria aos seus interesses.

Os americanos que frequentavam Stony Cross geralmente eram novos ricos... Donos de fortunas construídas através de negócios de navegação e imobiliários, ou de fábricas que produziam coisas como sabão em flocos ou rolos de papel. Aline sempre achara os americanos bastante interessantes. Ela gostava do bom humor deles e ficava comovida com sua ânsia por serem aceitos. Por medo de parecerem excessivamente preocupados com a moda, usavam roupas sempre uma ou duas estações atrás do estilo em voga. No jantar, pareciam muitíssimo ansiosos para saber se haviam sido acomodados em lugares menos nobres ou se tinham sido agraciados com as posições de maior prestígio na mesa, perto do anfitrião. E geralmente se preocupavam com a qualidade de tudo, deixando claro que preferiam porcelana de Sèvres, escultura italiana, vinho francês... e amigos ingleses. Os americanos também eram famosos por desejarem realizar casamentos transatlânticos, usando suas fortunas ianques para conquistar inglesas de sangue azul empobrecidas. E nenhum sangue era mais exaltado do que o dos Marsdens, detentores de um dos condados mais antigos da aristocracia.

Livia gostava de fazer piada sobre o *pedigree* da família, alegando que a renomada linhagem Marsden poderia fazer até uma ovelha negra como ela parecer atraente para um americano ambicioso.

– Já que nenhum inglês decente me aceitaria, talvez eu devesse me casar com um desses ianques ricos e agradáveis e atravessar o Atlântico com ele – comentara certa vez.

Aline sorrira e a abraçara com força.

– Você não se atreveria – dissera num sussurro, a boca bem junto ao cabelo da irmã. – Eu sentiria muito a sua falta.

– Que dupla nós formamos – dissera Livia com uma risada melancólica.

– Você está ciente de que vamos terminar duas velhas solteironas, vivendo com uma horda de gatos, certo?

– Que Deus não permita – falara Aline com um gemido risonho.

Recordando agora aquela conversa, Aline passou o braço ao redor dos ombros da irmã.

– Muito bem, minha cara – disse, em um tom despreocupado –, eis a oportunidade para você conquistar um americano ambicioso com bolsos cheios. Exatamente o que você esperava.

Livia bufou em desdém.

– Você sabe muito bem que eu estava brincando. Além do mais, como pode ter certeza de que há cavalheiros interessantes nesse grupo?

– Ontem à noite, Marcus me falou um pouco sobre os convidados. Você já ouviu falar dos Shaws de Nova York? É uma família rica há três gerações, o que para a América é uma *eternidade*. O chefe da família é o Sr. Gideon Shaw, que é solteiro e, ao que parece, muito bonito.

– Bom para ele – retrucou Livia. – Mas não tenho interesse em caçar um marido, por mais atraente que ele seja.

Aline apertou mais o braço ao redor dos ombros estreitos da irmã. Desde a morte do noivo, lorde Amberley, Livia havia jurado nunca mais se apaixonar. No entanto, estava claro que ela precisava ter a própria família. Sua natureza era afetuosa demais para ser desperdiçada em uma vida de solteirona. A medida da profundidade do amor de Livia por Amberley se via no fato de que, dois anos após sua morte, ainda estava de luto. Amberley, que era o mais bondoso dos rapazes, com certeza jamais teria desejado que Livia passasse o resto da vida sozinha.

– Nunca se sabe – disse Aline. – É possível que você encontre um homem a quem ame tanto quanto amava lorde Amberley, quem sabe até mais.

Os ombros de Livia se enrijeceram.

– Santo Deus, espero que não. Dói demais amar alguém assim. Você sabe disso tão bem quanto eu.

– Sei.

Aline tentou afastar as lembranças que se agitaram atrás de uma porta invisível em sua mente. Eram imagens tão incapacitantes que ela precisava ignorá-las para conseguir manter a sanidade.

As duas irmãs ficaram paradas em silêncio, cada uma compreendendo as tristezas não declaradas da outra. Era muito estranho, pensou Aline, que a irmã mais nova, que ela sempre considerara um incômodo, acabasse se tornando a sua amiga e companheira mais querida. Ela suspirou e se voltou para uma das quatro torres que resguardavam o corpo principal da mansão.

– Venha – apressou-se a dizer –, vamos pela entrada dos criados. Não quero encontrar nossos convidados assim, empoeirada da nossa caminhada.

– Nem eu – disse Livia, seguindo ao lado da irmã. – Aline, você nunca se cansa de fazer o papel de anfitriã para os convidados de Marcus?

– Não, na verdade eu não me importo. Gosto de receber pessoas e é sempre agradável saber notícias de Londres.

– Na semana passada, o velho lorde Torrington comentou que você tem um modo todo especial de fazer os outros se sentirem mais inteligentes e interessantes do que realmente são. Ele disse que você é a anfitriã mais talentosa que ele já conheceu.

– Ele disse isso? Por essas palavras gentis, vou colocar uma dose extra de conhaque no chá de lorde Torrington na próxima vez que ele nos visitar.

Sorrindo, Aline fez uma pausa na entrada da torre e olhou por cima do ombro para a comitiva de convidados e seus criados. Todos se aglomeravam no pátio enquanto vários baús eram carregados de um lado para outro. Parecia ser um grupo turbulento, aquele do Sr. Gideon Shaw.

Enquanto Aline ainda observava o pátio, seu olhar foi atraído por um homem mais alto do que os outros, mais até do que os criados. Era grande, de cabelos pretos, ombros largos e um jeito tão confiante e masculino de andar que era quase arrogante. Como os outros americanos, usava um terno bem cortado, mas meticulosamente conservador. O homem parou para uma troca de palavras amigáveis com outro convidado, o perfil firme parcialmente escondido.

A visão deixou Aline inquieta, como se o habitual autocontrole a tivesse subitamente abandonado. Àquela distância, não conseguia ver as feições dele com clareza, mas sentia sua força. Estava nos movimentos, na autoridade inata da postura, na inclinação arrogante da cabeça. Ninguém poderia duvidar de que era um homem importante... Seria o Sr. Shaw?

Livia entrou em casa.

– Você vem, Aline? – perguntou por cima do ombro.

– Sim, eu...

Aline se interrompeu, mas não deixou de observar a figura distante. A vitalidade que vibrava abaixo de sua superfície fazia com que todos os outros homens ao redor parecessem pálidos. Depois de encerrar a breve conversa, o homem caminhou em direção à entrada da mansão. No entanto, ao colocar o pé no primeiro degrau, ele parou... como se alguém tivesse gritado seu nome. Seus ombros pareceram ficar tensos sob o paletó preto. Aline o observou, hipnotizada pela repentina imobilidade. O homem se virou devagar, então, e olhou diretamente para ela. O coração de Aline deu um pulo doloroso e ela entrou correndo na torre antes que seus olhares se encontrassem.

– O que houve? – perguntou Livia com um toque de preocupação na voz. – Você ficou toda afogueada de repente.

Ela se adiantou e pegou a mão de Aline, puxando-a com impaciência.

– Venha, vamos molhar o seu rosto e os pulsos com água fria.

– Ah, estou perfeitamente bem – respondeu Aline, embora sentisse o estômago estranho, vibrando. – É que eu vi um cavalheiro no pátio...

– O de cabelo preto? Sim, eu também reparei. Por que os americanos são sempre tão altos? Talvez tenha algo a ver com o clima... Faz com que eles cresçam como ervas daninhas.

– Nesse caso, nós duas deveríamos passar uma estadia prolongada lá – brincou Aline, sorrindo.

Tanto ela quanto Livia eram de baixa estatura. O irmão, Marcus, também não passava da média, mas tinha um corpo tão musculoso e robusto que representava uma perigosa ameaça física para qualquer homem tolo o bastante para desafiá-lo.

As irmãs seguiram conversando tranquilamente até alcançarem seus aposentos na ala leste. Aline sabia que teria que se trocar e cuidar da aparência bem rápido, já que a chegada precoce dos convidados sem dúvida deixara a casa em polvorosa. Os americanos desejariam comer alguma coisa, mas não havia tempo para preparar um desjejum completo. Teriam de se contentar com um lanche rápido até que o almoço fosse servido no meio da manhã.

Aline repassou rapidamente uma lista mental do conteúdo da despensa. Decidiu que serviriam morangos e framboesas em tigelas de cristal, pães e bolos acompanhados de potes de manteiga e geleia. Um pouco de salada de aspargos e bacon grelhado também seria bom, e Aline diria à Sra. Faircloth para servir o suflê de lagosta frio que havia sido planejado como um prato do jantar daquela noite. Poderiam servir outra coisa no jantar, talvez algumas postas de salmão com molho de ovos, ou molejas com talos de aipo...

– Bem – disse Livia tranquilamente, interrompendo as especulações da irmã –, tenha um bom dia. Vou me isolar, como de costume.

– Não há necessidade disso – retrucou Aline, franzindo a testa diante daquele comentário.

Livia vivia praticamente escondida depois das consequências escandalosas de seu trágico caso de amor com lorde Amberley. Embora fosse vista com compaixão de um modo geral, ela ainda era considerada uma dama "arruinada" e, assim, uma companhia inadequada para pessoas mais sensíveis. Livia nunca era convidada para eventos sociais de qualquer tipo e, quando um baile ou sarau acontecia em Stony Cross Park, ela permanecia no quarto para evitar ser vista. No entanto, depois de dois anos assistindo ao exílio social da irmã, Marcus e Aline concordaram que já bastava. Talvez Livia nunca conseguisse recuperar o status de que desfrutava antes do escândalo, mas os irmãos estavam decididos a fazer com que não fosse forçada a passar o resto da vida reclusa. Gentilmente a trariam de volta ao convívio da alta sociedade e, em algum momento, encontrariam um marido respeitável e com uma fortuna adequada.

– Você já cumpriu sua penitência, Livia – declarou Aline com firmeza. – Marcus diz que qualquer pessoa que não deseja ser vista com você simplesmente terá que deixar a propriedade.

– Não evito as pessoas por temer sua desaprovação – protestou Livia. – A verdade é que ainda não estou pronta para voltar ao centro das atividades sociais.

– Talvez você nunca se sinta pronta – retrucou Aline. – Só que, mais cedo ou mais tarde, você simplesmente terá que retornar.

– Que seja mais tarde, então.

– Mas eu me lembro de como você adorava dançar, participar de jogos de salão, cantar ao piano e...

– Aline – interrompeu Livia gentilmente. – Prometo que um dia vou dançar, brincar e cantar novamente, mas isso terá que ser quando *eu* escolher, não você.

Aline cedeu com um sorriso contrito.

– Não tive a intenção de parecer autoritária. Só quero que você seja feliz.

Livia pegou a mão dela e apertou-a com carinho.

– Já eu gostaria que você estivesse tão preocupada com a sua felicidade quanto está com a de todos os outros, querida.

Eu sou feliz, Aline sentiu vontade de responder, mas as palavras ficaram presas na garganta.

Livia suspirou e a deixou parada no corredor.

– Nos vemos à noite.

Aline girou a maçaneta de porcelana pintada, entrou no quarto e arrancou o *bonnet* da cabeça. Os cabelos em sua nuca estavam molhados de suor. Ela tirou os grampos que prendiam as longas mechas de um castanho cor-de-chocolate, deixou-os em cima da penteadeira e pegou uma escova prateada. Então escovou o cabelo, saboreando a pressão relaxante das cerdas de javali.

Aquele mês de agosto fora excepcionalmente quente até então e o condado fervilhava de famílias elegantes que não seriam pegas desprevenidas em Londres durante os meses de verão. Marcus havia dito que o Sr. Shaw e seu sócio ficariam indo e vindo entre Hampshire e Londres, ao passo que o restante da comitiva permaneceria entrincheirada em Stony Cross Park. Ao que parecia, o Sr. Shaw planejava montar um escritório em Londres para os novos negócios da família, além de garantir direitos de atracação, uma medida crucial para que seus navios descarregassem nas docas.

Embora a família Shaw já fosse rica por sua atuação no mercado imobiliário e pela especulação em Wall Street, recentemente eles haviam se lançado no ramo de produção de locomotivas, que estava em um momento de rápida expansão. Parecia que a ambição deles não era apenas fornecer motores, vagões e peças às ferrovias americanas, mas também exportar seus produtos para a Europa. De acordo com Marcus, não faltariam investidores dispostos a apostar no novo empreendimento de Shaw – e Aline percebeu que o irmão estava interessado em se tornar um deles. Com aquele objetivo em mente, ela pretendia garantir que o Sr. Shaw e seu sócio tivessem uma estadia extremamente agradável em Stony Cross.

Cheia de planos, Aline escolheu um vestido de verão leve, de algodão branco estampado com flores de lavanda. Não chamou uma criada para ajudá-la. Ao contrário das outras damas em sua posição, ela quase sempre se vestia sozinha, solicitando ajuda apenas da Sra. Faircloth quando necessário. A governanta era a única pessoa autorizada a ver Aline tomando banho ou se vestindo, além de Livia.

Aline fechou a fileira de pequenos botões de pérola na frente do corpete do vestido e parou diante do espelho. Então trançou e arrumou habilmente o cabelo escuro em um coque na nuca. Quando prendeu o último grampo no penteado, viu pelo reflexo no espelho que algo havia sido deixado em cima da cama, sobre a colcha de tecido num forte tom adamascado... Uma luva ou liga perdida, talvez. Aline franziu a testa com curiosidade e foi investigar.

Ela estendeu a mão e pegou o objeto em cima do travesseiro. Era um lenço antigo, com o bordado de seda tão desbotado que mal se viam os tons, e muitos fios já gastos. Perplexa, Aline passou a ponta do dedo pelos botões de rosa. De onde viera aquilo? E por que tinha sido deixado em cima da cama dela? A estranha vibração voltou a agitar seu estômago, e a ponta do dedo ficou imóvel sobre a delicada trama do bordado.

Ela mesma fizera aquilo, doze anos antes.

Seus dedos se fecharam em torno do pedaço de tecido e ela o apertou na palma da mão. De repente, sentiu a pulsação latejar nas têmporas, orelhas, garganta, peito.

– McKenna – sussurrou.

E se lembrou do dia em que dera o lenço a ele... Ou, mais exatamente, do dia em que ele o havia tirado dela, na garagem das carruagens, ao lado dos estábulos. Só McKenna poderia ter devolvido a ela aquele fragmento do passado. Mas aquilo não era possível. McKenna havia deixado a Inglaterra anos antes, depois de romper seu contrato de aprendiz com o construtor naval de Bristol. Ninguém nunca mais o havia visto ou ouvira falar dele.

Aline passara toda a sua vida adulta até então tentando não pensar em McKenna, nutrindo a esperança fútil de que o tempo suavizasse as lembranças daquele amor tão doloroso. No entanto, McKenna permanecera com ela como um fantasma, enchendo seus sonhos de todas as esperanças abandonadas que ela se recusava a admitir durante o dia. Aline passara todos aqueles anos sem saber se ele estava vivo ou morto. Qualquer uma das possibilidades era dolorosa demais para ser contemplada.

Ainda segurando o lenço, Aline saiu do quarto. E se esgueirou até a ala leste da casa como um animal ferido, usando a entrada dos criados para sair da mansão. Não havia privacidade lá dentro e ela precisava de alguns minutos a sós para se recompor. Um pensamento gritava acima de todos os outros em sua mente... *Não volte, McKenna... Vê-lo agora me mataria. Não volte, não...*

Marcus, lorde Westcliff, recebeu Gideon Shaw em sua biblioteca. Havia conhecido Shaw em uma visita que o americano fizera anteriormente à Inglaterra e acabara desenvolvendo grande apreço por ele.

A verdade era que Marcus estivera predisposto a não gostar de Shaw, um membro conhecido da chamada aristocracia americana. Mas, apesar de uma vida inteira de doutrinação social, Marcus não acreditava em nenhum tipo de aristocracia. Ele teria renunciado ao próprio título se isso fosse legalmente possível. Não que a responsabilidade o incomodasse, ou que tivesse aversão ao dinheiro herdado. A questão era que nunca fora capaz de aceitar o conceito da superioridade inata de um homem sobre outro. A ideia era basicamente injusta, para não dizer ilógica, e Marcus não tolerava a falta de lógica.

No entanto, Gideon Shaw não era nada parecido com os aristocratas americanos que ele havia conhecido até então. Na verdade, Shaw parecia ter prazer em ver sua família nova-iorquina se encolher de vergonha diante das referências animadas que ele fazia ao bisavô, um mercador marítimo rude e franco que havia acumulado uma fortuna impressionante. As gerações subsequentes de Shaws refinados e bem-educados teriam preferido esquecer o ancestral vulgar... mas Gideon não permitia isso.

Shaw entrou na sala com um passo leve e ágil. Era um homem elegante, de cerca de 35 anos. O cabelo louro e brilhoso era cortado em camadas curtas, e tinha a pele bronzeada e o rosto bem barbeado. Sua aparência era tipicamente americana... louro, olhos azuis, ar irreverente. Mas havia um lado sombrio sob a superfície dourada, um cinismo e uma insatisfação que haviam gravado rugas profundas ao redor dos olhos e nos cantos da boca.

A reputação de Gideon era a de um homem que trabalhava com afinco e se divertia com mais vontade ainda – havia rumores de bebedeiras e devassidão que Marcus desconfiava serem totalmente verdadeiros.

– Milorde – murmurou Shaw, trocando um firme aperto de mãos com o anfitrião –, é um prazer estar finalmente aqui.

Uma criada chegou trazendo um serviço de café de prata, e Marcus indicou com um gesto que ela deixasse a bandeja em cima da escrivaninha.

– Como foi a travessia? – perguntou Marcus.

Um sorriso franziu os cantos dos olhos azul-acinzentados de Shaw.

– Sem contratempos, graças a Deus. Posso perguntar pela condessa? Ela está bem?

– Muito bem, obrigado. Minha mãe me pediu que expressasse seu pesar por não poder estar presente nesta ocasião, pois está visitando amigos no exterior.

Marcus parou diante da bandeja com o café e se perguntou por que Aline ainda não aparecera para cumprimentar os convidados. Sem dúvida estava ocupada ajustando os planos para compensar a chegada antecipada do grupo.

– Aceita um café?

– Sim, por favor.

Shaw acomodou a forma esguia na cadeira ao lado da mesa, sentando-se com as pernas ligeiramente abertas.

– Creme ou açúcar?

– Só açúcar, por favor.

Quando Shaw pegou a xícara e o pires, Marcus reparou em suas mãos trêmulas, que fizeram a porcelana chacoalhar. Eram os tremores inconfundíveis de um homem que ainda não havia se recuperado da bebedeira da noite da véspera.

Sem se fazer de rogado, Shaw pousou a xícara na mesa, retirou uma garrafinha de prata de dentro do paletó bem-cortado e despejou uma quantidade generosa de bebida alcoólica no café. Bebeu o conteúdo da xícara de uma só vez, sem o apoio do pires, fechando os olhos enquanto o líquido quente misturado com álcool descia por sua garganta. Depois de tomar todo o café, Shaw estendeu a xícara sem comentários, e Marcus, de boa vontade, voltou a enchê-la. O ritual da garrafinha foi repetido.

– Seu sócio é bem-vindo para se juntar a nós – disse Marcus, educado.

Shaw se recostou na cadeira enquanto tomava mais lentamente a segunda xícara de café.

– Obrigado, mas creio que no momento ele esteja ocupado dando instruções aos nossos criados – explicou Shaw, e um sorriso irônico surgiu em seus lábios. – McKenna tem aversão a sentar-se no meio do dia. Ele está em constante movimento.

Marcus, que acabara de se sentar atrás da escrivaninha, parou com a xícara de café a meio caminho dos lábios.

– McKenna – repetiu baixinho.

Era um nome comum. Mesmo assim, soou como um alerta.

Shaw deu um sorrisinho.

– Ele é chamado de "Rei" McKenna em Manhattan. E foi inteiramente graças aos esforços dele que as fundições Shaw começaram a produzir motores de locomotivas em vez de máquinas agrícolas.

– O que é visto por alguns como um risco desnecessário – comentou Marcus. – Vocês já estão se saindo tão bem com a produção de máquinas agrícolas... Em particular com as ceifadeiras e semeadoras de grãos. Por que se aventurar na fabricação de locomotivas? As principais empresas ferroviárias já fazem seus próprios motores e, ao que parece, atendem às próprias necessidades de forma bastante eficiente.

– Não por muito tempo – comentou Shaw com tranquilidade. – Estamos convencidos de que as demandas das empresas ferroviárias em breve excederão a sua capacidade de produção e... elas serão forçadas a depender de fabricantes externos para fechar a conta. Além disso, as coisas na América são diferentes. Lá, a maior parte das ferrovias depende do fornecimento de fabricantes particulares, como eu, para obter motores e peças. A competição é feroz e isso exige produtos melhores, com preços mais competitivos.

– E o que o leva a crer que as fundições inglesas, que são de propriedade das nossas ferrovias, não serão capazes de manter um ritmo aceitável de produção?

– McKenna poderá fornecer todos os números de que precisar – garantiu Shaw.

– Estou ansioso para conhecê-lo.

– Acredito que já o conheça, milorde.

O olhar de Shaw não se desviou do de Marcus enquanto ele continuava a falar com uma despreocupação estudada.

– Parece que McKenna já trabalhou aqui em Stony Cross Park. Você talvez não se lembre, já que ele era apenas um cavalariço na época.

Marcus não demonstrou qualquer reação ao comentário, mas pensou consigo mesmo: *Maldição!* Então aquele McKenna era realmente o mesmo a quem Aline amara tanto tempo antes. Marcus sentiu a mais absoluta urgência de falar com a irmã. Precisava prepará-la de alguma forma para a notícia de que McKenna havia retornado.

– Ele era aprendiz de lacaio – corrigiu Marcus, ainda tranquilo. – Pelo que me lembro, McKenna se tornou criado doméstico pouco antes de partir.

A expressão nos olhos azuis de Shaw era enganosamente inocente.

– Espero que não lhe cause desconforto receber um antigo criado como hóspede.

– Pelo contrário, admiro as realizações de McKenna. E não hesitarei em dizer isso a ele.

Aquilo era uma meia-verdade. O problema era que a presença de McKenna em Stony Cross certamente causaria desconforto a Aline. E, nesse caso, ele teria que encontrar um modo de lidar com a situação. As irmãs significavam mais para Marcus do que qualquer outra coisa na terra e ele jamais permitiria que nenhuma delas se magoasse.

Shaw sorriu ao ouvir a resposta do anfitrião.

– Vejo que o meu julgamento a seu respeito foi correto, lorde Westcliff. Você é tão justo e de mente tão aberta quanto eu suspeitava.

– Obrigado.

Marcus se concentrou em mexer uma colher de açúcar que acrescentara ao café enquanto se perguntava, preocupado, onde estaria Aline.

Aline se pegou caminhando rapidamente, quase correndo, em direção ao seu lugar favorito, perto do rio, um prado de flores silvestres que se estendia em direção à relva alta, onde revoavam muitas borboletas marrons e brancas. Ela nunca levara ninguém ali, nem mesmo Livia. Era um lugar que havia compartilhado apenas com McKenna. E, depois que ele fora embora, era onde ela chorava sozinha.

A perspectiva de vê-lo novamente era a pior coisa que poderia acontecer.

Ainda segurando o lenço bordado, Aline se sentou sobre um trecho gramado e tentou se acalmar. O sol batia na água, produzindo reflexos brilhantes, enquanto pequenos besouros negros rastejavam ao longo de talos espinhosos de tojo. O aroma pungente do cardo aquecido pelo sol e da calêndula do brejo se misturava ao cheiro fecundo do rio. Entorpecida, Aline ficou observando a água, acompanhando o progresso de um mergulhão-de-crista em seu percurso determinado, com um maço de ervas daninhas preso no bico.

Vozes de muito tempo atrás sussurravam em sua mente...

"Não vou me casar com ninguém que não seja você, McKenna. E se você não me quiser, passarei o resto da vida sozinha."

"Aline... Eu jamais deixaria você, a menos que me pedisse isso..."

Aline balançou a cabeça bruscamente, desejando afastar as lembranças torturantes. Ela amassou o lenço em uma bola e levantou o braço para jogar a peça delicada na correnteza suave do rio. O movimento foi interrompido por uma voz baixa:

– Espere.

Capítulo 6

Aline fechou os olhos, sentindo a palavra remexer gentilmente sua alma, que pareceu se encolher ao toque. A voz *dele*... Havia se tornado mais profunda e rica, a voz de um homem, não mais de um menino. Embora ouvisse o som dos pés dele se aproximando, esmagando a relva da charneca, Aline se recusou a olhar. Naquele momento, precisava de toda a energia que possuía apenas para continuar respirando. Sentia-se paralisada por algo que parecia medo, um calor incapacitante que era bombeado em seu corpo a cada batida frenética do coração.

O som da voz de McKenna pareceu inaugurar toda uma gama de sensações dentro dela.

– Se você vai jogá-lo no rio, eu o quero de volta.

Quando Aline tentou soltar o lenço, ele simplesmente caiu de seus dedos rígidos. Ela se virou lentamente para fitar McKenna, que se aproximava. Era realmente o homem de cabelos negros que ela vira no pátio. E era ainda maior e mais imponente do que parecera à distância. Suas feições eram marcadas, fortes, o nariz, ousado e de ponte alta em simetria com maçãs do rosto bem definidas. McKenna era másculo demais para ser considerado verdadeiramente bonito. Um escultor teria tentado suavizar suas feições muito duras; mas, por algum motivo, essa dureza era a estrutura perfeita para aqueles olhos impressionantes, com um brilho azul-esverdeado sombreado pelos cílios negros cheios. Ninguém no mundo tinha olhos assim.

– McKenna... – disse Aline em uma voz rouca.

Ela procurou qualquer semelhança entre o homem diante de si e o menino magro e apaixonado que havia conhecido. Não encontrou nenhuma.

McKenna era um estranho, um homem sem nenhum traço de juventude. Era esguio e elegante em suas roupas bem ajustadas, o cabelo preto brilhante cortado em camadas curtas que domavam uma tendência aos cachos. Quando ele se aproximou, ela reparou em outros detalhes: a sombra da barba cerrada, o brilho da corrente de um relógio de ouro no colete, o volume brutal de músculos em seus ombros e coxas quando ele se sentou em uma pedra próxima.

– Não esperava encontrar você aqui – murmurou McKenna, o olhar o tempo todo fixo no dela. – Eu queria dar uma olhada no rio... já faz muito tempo desde a última vez que o vi.

O sotaque dele era estranho, suave e prolongado, com vogais extras em lugares desnecessários.

– Você soa como um americano... – sussurrou Aline, desejando que o aperto que sentia na garganta cedesse.

– Moro em Nova York há muito tempo.

– Você desapareceu sem dizer uma palavra a ninguém. Eu...

Aline fez uma pausa, mal conseguindo respirar.

– Eu fiquei preocupada com você.

– Ficou?

McKenna deu um sorrisinho, embora a sua expressão permanecesse fria.

– Tive que deixar Bristol às pressas. O construtor naval de quem eu era aprendiz, o Sr. Ilbery, se revelou um pouco severo demais em sua disciplina. Depois de uma surra que me deixou com algumas costelas quebradas e o crânio rachado, decidi ir embora e recomeçar em outro lugar.

– Sinto muito por isso...

Aline empalideceu e, enquanto lutava contra uma onda de mal-estar, se obrigou a perguntar:

– Como você conseguiu pagar a passagem para a América? Deve ter sido cara.

– Cinco libras. Mais de um ano de salário.

O toque de ironia em sua voz deixava claro que a soma, tão desesperadamente necessária na época, não era nada para ele agora.

– Eu escrevi para a Sra. Faircloth, que me enviou as economias dela.

Aline baixou a cabeça e seus lábios tremeram quando ela se lembrou do dia em que a carta dele havia chegado... O dia em que o mundo desmoronara e ela mudara para sempre.

– Como ela está? – perguntou McKenna. – Ainda trabalha aqui?

– Ah, sim. Ela ainda trabalha aqui e está muito bem.

– Ótimo.

McKenna se abaixou com cuidado e pegou o lenço descartado no chão, parecendo não reparar no modo como Aline se enrijeceu com a proximidade. Ele endireitou o corpo, voltou a se sentar na pedra e examinou-a.

– Como você é linda – comentou McKenna em um tom distante, como se admirasse uma pintura ou uma paisagem impressionante. – Ainda mais do que eu me lembrava. Vejo que não usa aliança.

Aline agarrou com força as pregas da saia.

– Não. Nunca me casei.

A declaração provocou nele um olhar de estranhamento. Uma expressão taciturna e sombria nublou o azul-esverdeado vívido de seus olhos, como um céu de verão se enchendo de fumaça.

– Por que não?

Aline se esforçou para esconder a agitação com um sorriso calmo e supostamente despreocupado.

– Acredito que não era o meu destino. E você? Chegou a se...

– Não.

A notícia não deveria ter feito o coração dela acelerar de tal modo que pareceu prestes a sair pela boca. Mas foi o que aconteceu.

– E Livia? – perguntou McKenna, com gentileza. – O que aconteceu com ela?

– Também continua solteira. Eu e ela moramos aqui com Marcus e... Bem, você provavelmente não a verá muito.

– Por quê?

Aline procurou palavras que explicassem a situação da irmã mas que não fizessem McKenna julgá-la com severidade.

– Livia não frequenta muito a sociedade, prefere não se misturar com os convidados daqui. Houve um escândalo há dois anos. Ela estava prometida a lorde Amberley, um jovem por quem era muito apaixonada, mas ele morreu em um acidente de caça.

Aline fez uma pausa para afastar um besouro que pousou em sua saia.

A expressão de McKenna permaneceu impassível.

– E onde está o escândalo nisso?

– Pouco tempo depois do acidente, Livia teve um aborto espontâneo e todos ficaram sabendo que ela e Amberley haviam...

Ela fez uma pausa, com uma expressão triste.

– Livia cometeu o erro de confiar esse infortúnio a uma de suas amigas, uma jovem incapaz de guardar um segredo mesmo que a sua vida dependa disso. Embora Marcus e eu tenhamos tentado conter os boatos, logo todo o condado estava em polvorosa e a história se espalhou até Londres.

Aline encarou McKenna com uma expressão desafiadora.

– Na minha opinião, Livia não fez nada de errado. Ela e Amberley estavam apaixonados e iam se casar. Mas é claro que há quem tente torná-la uma pária, e Livia se recusa a sair do luto. Minha mãe ficou mortificada com a situação e, desde o ocorrido, passa a maior parte do tempo no exterior. Fico feliz por meu pai não estar mais vivo, porque, sem dúvida, ele também teria condenado Livia.

– Coisa que seu irmão não fez?

– Exato. Marcus não é nada parecido com o nosso pai. É um homem tão respeitável quanto, mas ao mesmo tempo muito compassivo e de mente muito aberta.

– Um Marsden de mente aberta – repetiu McKenna, parecendo achar a frase contraditória.

O brilho de divertimento em seus olhos de alguma forma acalmou Aline e ela finalmente conseguiu respirar fundo.

– Você vai concordar comigo, depois que conhecer Marcus melhor.

Estava claro que o abismo entre eles era ainda maior do que na infância. Seus mundos eram, como sempre, tão diferentes que não havia qualquer possibilidade de intimidade entre os dois. Mas, naquele momento, podiam interagir como estranhos educados, sem perigo de se magoarem. O antigo McKenna não existia mais, assim como a menina que Aline já fora. Ela olhou para a terra coberta de musgo, o fluxo lento do rio, o azul diluído do céu, antes de finalmente conseguir encontrar o olhar dele. E ficou muito grata pela sensação de descolamento da realidade que lhe permitiu fazê-lo sem desmoronar.

– É melhor eu voltar para casa – disse ela, ficando de pé. – Tenho muitas responsabilidades...

McKenna também se levantou, a silhueta do corpo moreno e gracioso delineada contra o fluxo do rio atrás dele.

Aline se obrigou a quebrar o silêncio excruciante:

– Você precisa me contar sobre como começou a trabalhar para um homem como o Sr. Shaw.

– É uma longa história.

– Estou ansiosa para ouvir. O que aconteceu com o menino que não se importava em chegar a lacaio principal?

– Ele ficou com fome.

Aline o encarou fixamente com um misto de pavor e fascínio, sentindo a complexidade contida naquela simples declaração. Ela queria saber de cada detalhe, entender o que tinha acontecido com McKenna e descobrir as facetas do homem que ele se tornara.

McKenna parecia incapaz de desviar o olhar do dela. Por algum motivo, suas maçãs do rosto ficaram avermelhadas, como se ele tivesse passado muito tempo ao sol. McKenna chegou mais perto de Aline com uma cautela exagerada, como se a proximidade dela representasse alguma ameaça. Quando parou a menos de meio metro de distância, Aline foi inundada por outra onda de calor paralisante. Ela inalou rapidamente, e o ar pareceu precioso e pesado em seus pulmões.

– Me permite? – perguntou ele, oferecendo o braço.

Era uma cortesia comum que qualquer cavalheiro teria feito... Mas Aline hesitou tocá-lo e seus dedos pairaram sobre a manga do paletó como as asas de uma mariposa prateada.

– Obrigada.

Ela mordeu o lábio e pousou a mão no braço dele, sentindo o contorno dos músculos pesados sob as camadas de tecido macio. A realidade de tocá-lo, depois de anos de um anseio desesperado por fazê-lo, a deixou ligeiramente tonta, e ela apertou um pouco mais o braço dele para tentar se firmar. O ritmo da respiração de McKenna foi interrompido bruscamente, como se ele tivesse engasgado com alguma coisa. Mas ele logo recobrou o autocontrole e os dois seguiram pela suave inclinação que levava até a casa. Sentindo a intensidade da força que o corpo dele emanava, Aline se perguntou o que McKenna teria feito para adquirir tamanha potência física.

– Trabalhei como barqueiro, transportando passageiros entre Staten Island e a cidade – disse ele, parecendo ler os pensamentos dela. – Vinte e cinco centavos ida e volta. Foi assim que conheci Shaw.

– Ah, e ele era um dos passageiros? – perguntou Aline.

Quando ele assentiu, ela lhe lançou um olhar de curiosidade.

– Mas como esse encontro casual se transformou em uma sociedade?

A expressão dele se tornou cautelosa.

– Uma coisa levou à outra.

Aline sorriu diante da explicação evasiva.

– Vejo que terei de usar todas as minhas habilidades para trazer seu lado falante à tona.

– Eu não tenho um lado falante.

– É responsabilidade do convidado oferecer entretenimento – informou ela.

– Ah, irei entretê-la – murmurou ele. – Só não vou falar enquanto estiver fazendo isso.

O comentário acabou com a compostura dela, como certamente fora a intenção dele. Aline enrubesceu e deixou escapar uma risada melancólica.

– Vejo que você não perdeu o talento para os comentários maliciosos. Lembre-se de que está na companhia de uma discreta dama inglesa.

McKenna não olhou para ela quando respondeu:

– Sim, eu sei disso.

Eles se aproximaram dos alojamentos dos solteiros, um pequeno anexo reservado para hóspedes que desejassem mais privacidade do que a oferecida na casa principal. Marcus dissera a Aline que o Sr. Shaw havia solicitado especificamente que a casa de solteiro ficasse apenas para ele, embora o lugar pudesse acomodar mais três hóspedes. Ainda não havia sinal de sua presença ali, mas Aline viu dois criados carregando baús e malas para dentro da casa.

McKenna parou, os olhos vívidos captando a luz do sol enquanto observava a construção.

– Nos despedimos aqui? Irei até a mansão em breve, mas primeiro quero dar uma olhada nos arredores.

– Sim, é claro.

Aline supôs que devia ser difícil para ele retornar a Stony Cross, com lembranças espreitando em cada canto e cada trilha.

– McKenna – disse ela, hesitante –, foi coincidência que o Sr. Shaw tenha aceitado o convite do meu irmão para esta visita? Ou você organizou as coisas propositalmente para poder voltar?

McKenna se voltou para fitá-la, os ombros largos pairando acima dela.

– Que motivo eu teria para voltar?

Aline encontrou seu olhar insondável mais uma vez. Não havia nada em sua expressão ou seus modos que sugerisse raiva, mas ela sentiu a tensão retesada dentro dele como uma mola de relógio. Então entendeu o que

McKenna estava escondendo com tanto cuidado... o que ninguém teria percebido a menos que já o tivesse amado. Ódio. Ele havia voltado para se vingar – e não iria embora até puni-la de mil maneiras pelo que ela lhe fizera.

Ah, McKenna, pensou Aline, atordoada, sentindo uma curiosa simpatia por ele mesmo enquanto seus instintos a alertavam para fugir do perigo iminente. *Ainda dói tanto assim?*

Ela desviou o olhar e franziu a testa, pensando que seria necessário muito pouco para que McKenna conseguisse aniquilá-la. Forçando-se a olhar para o rosto moreno dele, Aline falou com muito cuidado:

– Quantas coisas você conquistou, McKenna. Parece ter conseguido tudo o que sempre quis. Mais ainda, até.

Virando-se, ela se afastou com passos tranquilos, recorrendo a todo o seu autocontrole para não sair correndo.

– Nem tudo – disse ele baixinho, os olhos acompanhando-a com cautela até Aline desaparecer de vista.

McKenna andou pela casa reservada aos solteiros, ignorando os criados que organizavam os pertences de Shaw. A mobília era pesada e autenticamente jacobina, de linhas fortes e imponentes. As paredes eram cobertas por exuberantes painéis de jacarandá e as janelas, por cortinas de veludo que anulavam qualquer vestígio de luz. Aquilo era bom. Na maior parte do tempo, a luz do sol era um anátema para Gideon Shaw.

McKenna sabia exatamente por que Gideon precisava da privacidade daquele anexo de hóspedes. Sempre cavalheiro, o sócio evitava escrupulosamente fazer cenas ou parecer fora de controle. Na verdade, McKenna nunca o tinha visto bêbado. Gideon apenas se trancava silenciosamente em um quarto com uma ou duas garrafas e reaparecia dois ou três dias depois, pálido e cambaleante, mas bem-arrumado e com a mente ágil. Nada em particular parecia estimular aqueles episódios – era simplesmente o padrão de vida dele. Os irmãos de Shaw haviam confidenciado que o ritual ocasional de se embebedar começara pouco antes de ele e McKenna se conhecerem, quando o filho mais velho da família, Frederick Shaw III, morrera em virtude de problemas de coração.

McKenna observou enquanto o valete de Gideon colocava uma caixa envernizada de charutos em cima de uma escrivaninha com inúmeras gavetas e escaninhos. Embora raramente fumasse, e nunca àquela hora do dia, McKenna se viu estendendo a mão para a caixa. Pegou um charuto de folhas oleosas e aroma pungente. Na mesma hora, o valete bem treinado sacou um pequeno cortador, incrivelmente afiado, e McKenna aceitou-o com um aceno de agradecimento. Ele cortou a ponta do charuto, esperou que o valete o acendesse, então sugou de forma ritmada até extrair uma baforada forte da fumaça relaxante. E percebeu, com certo distanciamento, o tremor dos próprios dedos.

O choque de ver Aline novamente tinha sido ainda maior do que previra. Ao notar que McKenna parecia abalado, o valete fitou-o com preocupação.

– Posso lhe servir mais alguma coisa, senhor?

McKenna balançou a cabeça.

– Se Shaw chegar, diga a ele que estou na varanda dos fundos.

– Sim, senhor.

Assim como a casa principal, o anexo para os hóspedes solteiros tinha sido construído perto de um penhasco, com vista para o rio. Era um terreno densamente arborizado com pinheiros, e os sons da água corrente abafavam o canto dos pássaros. McKenna tirou o paletó, sentou-se em uma das cadeiras da varanda coberta e fumou sem muita destreza até recuperar o mínimo de autocontrole. Mal notou quando o valete trouxe um prato de cristal para receber a cinza do charuto. Sua mente estava completamente tomada pela imagem de Aline à beira do rio, os lindos cabelos presos no alto da cabeça, as linhas bem-feitas do corpo, do pescoço.

O tempo só tornara a beleza dela mais eloquente. Seu corpo estava maduro e plenamente desenvolvido, era uma mulher em seu auge. Com a maturidade, o rosto parecia esculpido com mais delicadeza; o nariz, mais fino; os lábios, antes de um rosa profundo, agora tinham o tom pálido do interior de uma concha. E havia aquele maldito sinal, que ele jamais esquecera, a pintinha escura e encantadora que atraía a atenção para o canto macio da boca. A visão de Aline fez com que um resquício de humanidade se agitasse dentro de McKenna, lembrando-o de que um dia já tivera a capacidade de sentir alegria – algo que desaparecera havia muito tempo. Ele levara anos para alterar o curso obstinado do próprio destino e havia sacrificado a maior parte da alma para isso.

McKenna apagou o charuto ainda pela metade e se inclinou para a frente, os antebraços apoiados nas coxas. Ficou olhando para um espinheiro próximo, em plena floração, enquanto se perguntava por que Aline permanecera solteira. Talvez, como o pai, ela tivesse uma natureza essencialmente fria e as paixões da juventude tivessem sido substituídas por interesses autocentrados. Qualquer que fosse o motivo, não importava. Ele iria seduzi-la. Seu único pesar era que o velho lorde Westcliff não estaria por perto para descobrir que McKenna tinha finalmente conseguido ter prazer entre as coxas brancas como lírios de sua filha.

Subitamente, a atenção de McKenna foi capturada pelo rangido do piso e pelo som de cubos de gelo em um copo. Ele se recostou na cadeira e ergueu o olhar quando Gideon Shaw cruzou a soleira da varanda coberta.

Ao se voltar para encarar McKenna, Gideon apoiou o corpo no parapeito da varanda e envolveu frouxamente uma coluna de apoio com o braço livre. McKenna o encarou com firmeza. A amizade entre os dois era complexa, e estranhos a consideravam puramente baseada em um interesse comum em ganhos financeiros. Embora aquela fosse uma faceta inegável da relação, não era de forma alguma sua motivação exclusiva. Como acontece com a maioria das amizades sólidas, cada um possuía características que faltavam ao outro. McKenna era de origem humilde e extremamente ambicioso, enquanto Gideon era refinado, sutil e sereno. McKenna havia muito reconhecera que não podia se dar o luxo de ter escrúpulos. Gideon, por sua vez, era um homem de honra impecável. McKenna tinha se envolvido de forma implacável nas batalhas diárias da vida, já Gideon escolhera permanecer apartado delas.

A sombra de um sorriso curvou os lábios de Gideon Shaw.

– Encontrei lady Aline quando ela voltava para casa. Uma linda mulher, como você descreveu. Ela está casada?

– Não.

McKenna ficou olhando, carrancudo, através do véu de fumaça no ar.

– Isso torna as coisas mais fáceis para você, então.

Os ombros largos de McKenna se contraíram quase imperceptivelmente.

– Não importaria de uma forma ou de outra.

– Está querendo dizer que uma banalidade como um marido não o impediria de conseguir o que quer? – perguntou Gideon, ostentando naquele momento um sorriso de admiração. – Santo Deus, você é um desgraçado implacável, McKenna.

– É por isso que você precisa de mim como sócio.

– Isso é verdade. Mas a constatação de que existe tamanha ausência de moral entre nós... me faz desejar uma bebida.

– O que não faz? – brincou McKenna, pegando o copo da mão do amigo.

Ele levou o copo aos lábios e bebeu todo o conteúdo em poucos goles, acolhendo com prazer a queimação agradável do bourbon gelado.

O olhar aguçado de Gideon notou a instabilidade da mão de McKenna, que fez com que o gelo tilintasse no copo.

– Você não acha que está levando essa vingança um pouco longe demais? Não tenho dúvida de que terá sucesso com lady Aline, mas não acredito que isso lhe trará paz.

– Não é uma vingança – murmurou McKenna.

Ele deixou o copo de lado e seus lábios se curvaram em um sorriso amargo ao acrescentar:

– É um exorcismo. E não espero ter paz depois disso. Eu só quero...

McKenna não se permitiu completar a frase. Como sempre, sentia-se dominado por uma ânsia voraz, que havia começado doze anos antes quando fora lançado em uma vida que nunca havia imaginado para si. Na América, um paraíso para um oportunista, ele se tornara um sucesso além de qualquer sonho que pudesse ter tido. Mas ainda não era o suficiente. Nada poderia satisfazer a fera dentro dele.

As lembranças de Aline o atormentavam o tempo todo. Certamente ele não a amava; aquela ilusão desaparecera havia muito tempo. McKenna não acreditava mais no amor, nem queria acreditar. Mas precisava satisfazer aquela ânsia furiosa que nunca lhe permitira esquecê-la. Vira os olhos de Aline, sua boca, a curva do seu maxilar no rosto de mil estranhas. Quanto mais tentava ignorar a lembrança dela, maior a persistência com que ela parecia persegui-lo.

– E se ela se magoar durante esse suposto exorcismo? – perguntou Gideon.

Seu tom não carregava qualquer nota de julgamento. Esta era uma das melhores qualidades de Gideon, sua capacidade de olhar as coisas sem filtrá-las pelo prisma da moralidade.

McKenna enfiou a mão no copo, pescou um pedaço de gelo, colocou-o na boca e esmagou-o entre os dentes fortes.

– Talvez eu queira magoá-la.

A frase foi um eufemismo. McKenna não pretendia apenas magoar Aline. Ele a faria sofrer, chorar, gritar, implorar. Pretendia deixá-la de joelhos. Arrasá-la. E aquilo seria só o começo.

Gideon fitou-o com uma expressão cética.

– Essa é uma atitude bastante estranha, vinda de um homem que já amou a mulher em questão.

– Não era amor. Era uma mistura de paixão animal, juventude e idiotice.

– Uma mistura gloriosa – comentou Gideon com um sorriso carregado de lembranças. – Não me sinto assim desde que tinha 16 anos e me apaixonei pela governanta da minha irmã. Era uma mulher mais velha, de cerca de 20 anos...

Ele fez uma pausa; seu sorriso perdeu o brilho e seus olhos azuis escureceram. McKenna pegou outro pedaço de gelo dentro do copo de bourbon.

– O que aconteceu com ela?

– Nós tivemos um *affair*. E parece que a engravidei, embora ela nunca tenha me falado nada a respeito. Acho que a criança era mesmo minha, já que não havia razão para pensar o contrário. Mas ela foi a um médico charlatão, do tipo que "consertava" essas coisas no quarto dos fundos da casa dele, e sangrou até a morte. Foi uma pena, pois a minha família a teria compensado financeiramente pela criança, se ela tivesse contado a respeito. Nós, Shaws, sempre cuidamos dos nossos bastardos.

Embora sua postura estivesse relaxada como de costume, Gideon não conseguiu esconder a tristeza no olhar.

– Você nunca mencionou essa moça antes – comentou McKenna.

Ele olhava fixamente para o amigo. Os dois se conheciam havia mais de dez anos, e ele achava que sabia de todos os segredos de Gideon.

– Não?

Gideon pareceu se recuperar, se levantou e limpou uma poeira imaginária das mãos.

– Bem, algo neste lugar está me deixando sentimental. É pitoresco demais.

Gideon indicou a porta com um aceno de cabeça.

– Vou tomar outra dose. Quer se juntar a mim?

McKenna sacudiu a cabeça e também ficou de pé.

– Tenho algumas coisas para resolver.

– Sim, é claro. Você vai querer andar por aí... Sem dúvida alguns criados ainda se lembram de você – disse Gideon, e um sorriso zombeteiro surgiu em seus lábios. – Stony Cross é um lugar adorável. Estou curioso para saber quanto tempo levará para que os moradores se deem conta de que deixaram a serpente entrar no paraíso.

Capítulo 7

Sem dúvida, o cômodo mais perfumado da mansão de Stony Cross Park era o depósito, um câmara anexa à cozinha, onde a Sra. Faircloth armazenava barras de sabão, velas, flores cristalizadas e acepipes sofisticados, como frutas em calda. Naquele dia, a governanta estava extraordinariamente ocupada, com a casa cheia de convidados e criados. Ela saiu do depósito com os braços carregados de pesadas barras de sabão recém-feitas. Assim que as deixasse na despensa, uma dupla de criadas usaria um barbante para cortar o sabão em pedaços manuseáveis.

Preocupada com a quantidade de tarefas a realizar, a Sra. Faircloth percebeu vagamente a presença de um lacaio corpulento que a seguia ao longo do estreito corredor.

– James – pediu, distraída –, seja um bom rapaz e leve essas coisas para a despensa, sim? Preciso de um par de braços fortes. E se Salter reclamar, diga a ele que eu pedi que me ajudasse.

– Sim, senhora – foi a resposta obediente.

A voz não era de James.

Enquanto a Sra. Faircloth hesitava, confusa, o fardo foi tirado de suas mãos, e ela percebeu que tinha acabado de dar ordens a um dos convidados do patrão. As roupas bem-cortadas deixavam claro que aquele era um homem de posses... e ela acabara de ordenar que ele carregasse barras de sabão para ela. Criados, mesmo os de categoria superior, já haviam sido demitidos por menos.

– Senhor, me perdoe... – balbuciou ela, aflita.

O cavalheiro de cabelos escuros, no entanto, seguiu até a despensa, carregando sem dificuldade as pesadas barras de sabão. Ele deixou as barras no tampo de ardósia da mesa, deu as costas às criadas que o fitavam boquiabertas e encarou a Sra. Faircloth com um sorrisinho enviesado.

– Eu deveria ter imaginado que a senhora começaria a me dar ordens antes mesmo de eu ter a chance de dar bom-dia.

A Sra. Faircloth olhou fixamente para os olhos verde-azulados cintilantes, levou as mãos ao peito, como se para conter a ameaça de um ataque apoplético, e piscou para afastar as súbitas lágrimas de espanto.

– McKenna? – exclamou, estendendo os braços em um impulso. – Ah, meu bom Deus...

Ele a alcançou em duas passadas, puxando o corpo robusto da Sra. Faircloth e levantando-a brevemente do chão como se ela fosse uma moça franzina. A risada rouca de McKenna foi abafada pelos cachos grisalhos da mulher.

Perplexas diante da governanta normalmente tão severa envolvida em uma cena emotiva, as criadas saíram para o corredor. Foram seguidas por uma copeira boquiaberta, pela assistente da cozinheira e pela própria cozinheira, que trabalhava na mansão havia apenas cinco anos.

– Achei que nunca mais veria você – falou a Sra. Faircloth com a voz embargada.

McKenna abraçou-a com mais força, deleitando-se com o conforto maternal da presença da governanta, que jamais esquecera. Ele se lembrou das incontáveis vezes que a Sra. Faircloth havia guardado comida extra para ele – as côdeas de pão, os biscoitos que sobravam do chá, os restos saborosos da panela de ensopado. A Sra. Faircloth tinha sido uma fonte de delicadeza necessária na vida de McKenna... alguém que sempre acreditara no que havia de melhor nele.

Ela era muito menor do que McKenna se lembrava e seu cabelo agora estava todo branco. Mas o tempo fora gentil com a governanta, acrescentando apenas algumas rugas suaves em seu rosto rosado e uma inclinação quase imperceptível nas linhas antes retas de seus ombros e coluna.

A Sra. Faircloth ergueu a cabeça coberta com uma touca de renda e fitou McKenna com nítida incredulidade.

– Meu Deus, você se tornou um Golias! Eu dificilmente o teria reconhecido se não fosse pelos olhos.

Ao se dar conta de que havia uma plateia, a governanta soltou o rapaz grande que também a segurava e lançou um olhar de advertência às criadas reunidas.

– Arrumem logo uma ocupação, vocês. Não há necessidade de ficarem aí paradas, de olhos esbugalhados.

As criadas assentiram obedientemente e se dispersaram para reassumir seus postos, lançando olhares discretos ao visitante enquanto trabalhavam. A Sra. Faircloth segurou a mão de McKenna entre as suas, pequenas e roliças.

– Venha comigo – pediu.

Em um acordo tácito, os dois seguiram para os aposentos da governanta. Ela destrancou a porta, deixou McKenna entrar, e os cheiros familiares de cravo-da-índia, cera de abelha e linho tingido com chá se fundiram em um aroma de pura nostalgia.

Ele se virou para a Sra. Faircloth e, ao ver que a governanta estava chorando mais uma vez, estendeu a mão para pegar a dela.

– Desculpe – disse ele gentilmente. – Eu deveria ter encontrado uma forma de avisá-la antes de aparecer assim, de repente.

A Sra. Faircloth conseguiu controlar as emoções.

– O que aconteceu com você? – perguntou ela, reparando nas roupas elegantes e nos sapatos pretos engraxados. – O que o trouxe de volta depois de tantos anos?

– Falaremos a respeito disso mais tarde, quando nós dois tivermos mais tempo – disse McKenna.

Ele se lembrava bem da agitação que tomava conta da casa em dias como aquele, quando dezenas de convidados mantinham a maioria dos criados correndo de um lado para outro sem parar.

– A senhora tem uma casa cheia de convidados para cuidar e ainda não vi lorde Westcliff. Mas, antes de ir, eu queria lhe dar isto.

McKenna retirou do bolso do paletó um pacote lacrado com cera.

– O que é? – perguntou a governanta, surpresa.

– O dinheiro que a senhora me deu para comprar a passagem para a América. Eu deveria ter devolvido há muito tempo, mas...

McKenna fez uma pausa, parecendo desconfortável. As palavras eram inadequadas para explicar como, pelo bem da própria sanidade, ele precisara evitar qualquer coisa ou pessoa que tivesse alguma ligação com Aline.

A Sra. Faircloth balançou a cabeça e tentou devolver o pacote para ele.

– Não, McKenna, o dinheiro foi um presente meu para você. Eu só fiquei triste por não ter mais para lhe dar na época.

– Aquelas cinco libras salvaram a minha vida – explicou ele, e, com muito carinho, ajeitou a touca na cabeça dela. – Estou devolvendo o seu presente com juros. Isto aqui são ações de uma novíssima fundição de locomotivas e estão todas em seu nome. A senhora pode descontar o valor imediatamente, se desejar, mas aconselho que as deixe amadurecerem um pouco mais. No próximo ano, provavelmente valerão o triplo.

McKenna não pôde conter um sorriso pesaroso ao ver a perplexidade com que a Sra. Faircloth olhava para o pacote. Ela obviamente não sabia muito a respeito de títulos, participações acionárias e perspectivas de crescimento.

– Não há dinheiro de verdade aqui dentro, então? – perguntou ela.

– É melhor do que dinheiro – garantiu McKenna, temendo que os certificados de ações acabassem sendo usados para embrulhar peixe. – Guarde isso em algum lugar seguro, Sra. Faircloth. Esses papéis que a senhora tem nas mãos valem cerca de cinco mil libras.

Ela empalideceu e quase deixou cair o pacote.

– Cinco mil...

Em vez de demonstrar a empolgação que McKenna imaginara, a governanta parecia totalmente atordoada, como se não estivesse conseguindo assimilar o fato de que acabava de se tornar uma mulher rica. Ela cambaleou um pouco e McKenna rapidamente segurou-a pelos ombros, para firmá-la.

– Quero que a senhora se aposente – disse ele –, compre uma casa e tenha seus próprios empregados e uma carruagem. Depois de tudo o que fez por tantas pessoas, quero que aproveite o resto da sua vida.

– Mas eu não posso aceitar tanto – protestou ela.

McKenna ajudou-a a se sentar perto da lareira, agachou-se diante dela e pousou as mãos nos braços da cadeira.

– Isso é apenas uma gota no oceano. Eu gostaria de fazer mais. Para começar, quero que considere a possibilidade de voltar para Nova York comigo, para que eu possa cuidar da senhora.

– Ah, McKenna... – Os olhos da Sra. Faircloth cintilaram quando ela pousou a mão calejada de trabalho sobre a dele. – Eu nunca poderia deixar Stony Cross! Preciso ficar com lady Aline.

– Lady Aline?

McKenna não conseguiu evitar um olhar de alerta enquanto se perguntava por que a governanta mencionara Aline em particular.

– Ora, ela pode contratar outra governanta.

Os sentidos dele se aguçaram ao ver a expressão cautelosa da mulher à sua frente.

– Você já viu lady Aline? – perguntou a governanta, cautelosa.

McKenna assentiu.

– Conversamos brevemente.

– O destino não foi gentil com nenhuma das filhas de lorde Westcliff.

– Sim, estou ciente disso. Lady Aline me contou sobre o que aconteceu com a irmã.

– Mas não falou nada sobre si mesma?

– Não. O que há para contar?

Não escapou a McKenna a sombra de consternação que cruzou por um instante a expressão dela.

A governanta pareceu escolher as palavras com cuidado.

– Pouco depois de você partir de Stony Cross, ela ficou... bastante doente.

A Sra. Faircloth franziu a testa, criando rugas profundas entre os arcos prateados das sobrancelhas.

– Lady Aline ficou acamada por pelo menos três meses. Embora tenha se recuperado com o tempo, ela... nunca mais foi exatamente a mesma.

Os olhos de McKenna se estreitaram.

– O que aconteceu com ela?

– Não cabe a mim lhe contar. A única razão pela qual estou mencionando isso foi porque a doença a deixou um pouco... frágil.

– De que maneira?

A Sra. Faircloth balançou a cabeça decididamente.

– Não posso dizer.

McKenna se sentou sobre os calcanhares e a encarou fixamente. Então, depois de calcular a maneira mais eficaz de obter as informações que queria, usou um tom gentil e persuasivo.

– A senhora sabe que pode confiar em mim. Não vou contar a ninguém.

– Estou certa de que você não me pediria para quebrar uma promessa – repreendeu ela.

– É claro que eu pediria – retrucou ele, em um tom sarcástico. – Peço às pessoas que quebrem promessas o tempo todo. E se não me atendem, faço com que se arrependam disso.

Ele se levantou em um movimento fluido.

– O que a senhora quer dizer com lady Aline "nunca mais foi a mesma"? Para mim, ela pareceu a mesma maldita de anos atrás.

– Veja como fala!

A governanta estalou a língua em reprovação. Seus olhares se encontraram e McKenna sorriu de repente ao se lembrar de quantas vezes tinha recebido o mesmo olhar em sua infância.

– Não me conte, então. Vou descobrir o que houve pela própria lady Aline.

– Duvido muito. E se eu fosse você, não a pressionaria.

A Sra. Faircloth também se levantou.

– Mas que homem bonito você se tornou! – exclamou. – Há uma esposa lhe esperando na América? Uma namorada?

– Não, graças a Deus – respondeu McKenna, mas seu sorriso desapareceu ao ouvir o que ela disse a seguir.

O tom da Sra. Faircloth estava carregado de pena, ou talvez assombro.

– Ah... Sempre foi ela, não é? Deve ter sido por isso que você voltou.

A expressão de McKenna se fechou.

– Voltei para tratar de negócios, principalmente por causa da probabilidade de Westcliff investir na fundição. A minha presença aqui não tem nada a ver com lady Aline... ou com um passado do qual ninguém se lembra.

– Você se lembra – afirmou a governanta. – E ela também.

– Preciso ir – declarou ele bruscamente. – Ainda tenho que descobrir se Westcliff pretende se opor à minha presença aqui.

– Não creio que será o caso – disse a Sra. Faircloth na mesma hora. – Lorde Westcliff é um cavalheiro. Acredito que vá receber você com a mesma cordialidade que oferece a todos os convidados.

– Então ele é notavelmente *nada* parecido com o pai – comentou McKenna em um tom sarcástico.

– Sim. E desconfio que você vá se dar muito bem com ele, desde que não lhe dê nenhum motivo para temer que possa magoar lady Aline. Ela já sofreu o suficiente sem que você precise piorar a situação.

– Sofreu?

McKenna não conseguiu conter o desprezo que transpareceu em sua voz.

– Eu conheci o verdadeiro sofrimento, Sra. Faircloth... pessoas morrendo por falta de comida e de remédios... se arrebentando de tanto trabalhar... famílias devastadas pela pobreza. Não tente me convencer de que Aline já teve que levantar um único dedo para garantir a própria sobrevivência.

– Essa é uma visão tacanha de sua parte, McKenna – repreendeu gentilmente a governanta. – É verdade que o sofrimento do conde e de suas irmãs é diferente do nosso, mas a dor deles ainda assim é real. E não é culpa de lady Aline que você tenha tido uma vida difícil.

– Nem minha – retrucou ele, baixinho, enquanto sentia o sangue ferver como um caldeirão no inferno.

– Meu Deus, que expressão diabólica – comentou a Sra. Faircloth em voz baixa. – O que você está arquitetando, McKenna?

Ele a encarou, agora sem expressão.

– Absolutamente nada.

A governanta o encarou com descrença evidente.

– Se pretende maltratar lady Aline de alguma forma, vou logo avisando que...

– Não – interrompeu McKenna com gentileza. – Eu jamais faria mal a ela, Sra. Faircloth... A senhora sabe o que Aline significou para mim.

A governanta pareceu relaxar e, como deu as costas, não viu o sorriso sinistro que passou rapidamente pelas feições duras de McKenna. Ele fez uma pausa antes de estender a mão para a maçaneta da porta, e olhou para trás, por cima do ombro.

– Sra. Faircloth, me diga...

– Sim?

– Por que ela permanece solteira?

– Cabe a lady Aline lhe explicar isso também.

– Deve haver um homem – murmurou McKenna.

Jamais faltaria companhia masculina a uma mulher tão deslumbrante quanto Aline.

A Sra. Faircloth respondeu em um tom cauteloso:

– Na verdade, há um cavalheiro que está sempre na companhia dela. Lorde Sandridge, que agora é dono da antiga propriedade de Marshleigh. Ele fixou residência lá há cerca de cinco anos. Imagino que você vá vê-lo no baile amanhã à noite... ele costuma ser convidado com frequência a Stony Cross Park.

– Que tipo de homem ele é?

– Ah, lorde Sandridge é um perfeito cavalheiro e é muito querido pelos vizinhos. Atrevo-me a dizer que você gostará muito dele quando se conhecerem.

– Estou ansioso por isso – comentou McKenna baixinho, e saiu do quarto da governanta.

Aline cumprimentou os convidados mecanicamente. Depois de encontrar o Sr. Gideon Shaw no caminho de volta para a mansão, ela havia conhecido os Chamberlains – irmã e cunhado do Sr. Shaw, e seus amigos abastados de Nova York, os Laroches, os Cuylers e os Robinsons. Como era de imaginar, todos demonstraram a típica admiração americana pela nobreza britânica. O fato de Aline ter perguntado se a travessia do Atlântico fora confortável gerou uma torrente de agradecimentos. A menção ao lanche que logo seria servido foi recebida com a alegria esfuziante que se esperaria de um condenado que acabara de receber perdão por seus crimes. Aline torcia muito para que todos ficassem menos deslumbrados depois de alguns dias vivendo na mansão, sob o mesmo teto que ela.

Depois de pedir licença aos convidados, Aline foi à cozinha em busca da Sra. Faircloth. Por algum motivo, embora tudo parecesse completamente normal, Aline soube, sem que ninguém precisasse lhe dizer, que McKenna havia passado por ali. O ar parecia carregado de energia, como se um raio tivesse acabado de cair bem naquele ponto. Bastou olhar nos olhos da Sra. Faircloth para confirmar a suspeita. Sim, McKenna fora procurar a governanta imediatamente após vê-la. De todos os que ele conhecera ali, foram elas duas que mais o amaram.

McKenna... Os pensamentos rodopiavam na mente de Aline como abelhas em uma colmeia virada. Sentia-se incapaz de ter um único pensamento coerente, uma imagem clara. Parecia impossível que McKenna tivesse retornado a Stony Cross como se atraído por algum ímã mágico, em busca de um desfecho para o passado que os assombrava. Ele queria algo dela... algum resgate de sofrimento, arrependimento ou prazer, que finalmente daria a ele um pouco de paz. Mas Aline não tinha nada a oferecer, embora estivesse disposta a entregar a própria alma em sacrifício voluntário se possível fosse.

Aline queria olhar mais uma vez para McKenna, só para ter certeza de que ele era mesmo de verdade. Ela precisava ouvir o som da voz dele, sentir a sensação do braço forte sob a mão dela, qualquer coisa para confirmar que aquele anseio que nunca a abandonara não a enlouquecera. Aline se esforçou para recuperar o autocontrole e manteve o rosto cuidadosamente sem expressão enquanto se dirigia à longa mesa de madeira. Checou o papel com anotações que estava entre a cozinheira e a Sra. Faircloth e sugeriu calmamente algumas mudanças nos cardápios. Quando as decisões finais foram acordadas, Aline considerou se juntar aos convidados para o lanche do meio da manhã, mas sentiu-se dominada por uma onda de exaustão. Não queria comer, sorrir nem conversar com tantos estranhos empolgados. E ter que fazer isso com McKenna ali, assistindo... seria impossível. Mais tarde naquela noite, ela já teria se recomposto e seria a perfeita anfitriã de sempre. Naquele momento, ela só queria ir para algum lugar tranquilo e pensar. *E se esconder*, acrescentou uma vozinha interna zombeteira. Sim, e se esconder. Não queria ver McKenna de novo até que tivesse conseguido se recompor.

– O conde quer vê-la – avisou a Sra. Faircloth.

A governanta afastou-se com ela para a entrada da cozinha e encarou fixamente o rosto pálido de Aline com uma expressão carinhosa e preocupada.

É claro. Marcus queria se certificar de que a irmã não estava perturbada, ou em lágrimas, ou profundamente abalada de alguma outra forma pela súbita chegada de um homem a quem amara.

– Vou procurá-lo – garantiu Aline. – E aproveitarei para dizer a Marcus que ele terá que entreter os convidados sem a minha ajuda agora de manhã. Estou me sentindo um pouco... cansada.

– Naturalmente – concordou a Sra. Faircloth. – E você vai querer estar bem disposta para o baile de hoje à noite.

McKenna sendo convidado para um baile em Stony Cross Park... Aquilo era algo que Aline nunca ousara imaginar.

– A vida é estranha, não é? – murmurou. – Que ironia ele finalmente voltar.

Obviamente a Sra. Faircloth sabia a que "ele" Aline se referia.

– Ele ainda tem sentimentos por você.

As palavras fizeram Aline estremecer, como se sua coluna tivesse sido puxada pela corda no arco de um arqueiro.

– Ele disse isso?

– Não... mas vi no rosto dele quando mencionei seu nome.

Aline respirou fundo antes de perguntar:

– A senhora não contou...

– Eu jamais trairia o seu segredo – garantiu a governanta.

Aline segurou discretamente a mão quente e calejada da Sra. Faircloth na sua, macia e fria. E sentiu-se confortada pelo toque da governanta quando os dedos das duas se entrelaçaram com força.

– Ele jamais poderá saber – sussurrou Aline. – Eu não suportaria.

Aline encontrou Marcus e Livia juntos na sala de estar da família, um lugar privado onde os irmãos às vezes se encontravam para discutir assuntos de especial urgência. O que parecia ser o caso naquele momento. Embora estivesse devastada intimamente, Aline sorriu ao ver a expressão soturna e preocupada do irmão e o rosto tenso da irmã.

– Não precisam me olhar como se eu fosse me atirar pela janela – disse a eles. – Garanto que estou absolutamente tranquila. Estive com McKenna, conversamos cordialmente e ambos concordamos que o passado é irrelevante.

Marcus se adiantou e pousou as mãos grandes nos ombros dela.

– O passado nunca é irrelevante – declarou o conde em sua voz muito grave. – E agora, dadas as circunstâncias... Eu não quero que você se magoe de novo.

Aline tentou tranquilizá-lo com um sorriso.

– Eu não vou me magoar, Marcus. Não sobrou nada dos sentimentos que já nutri por McKenna. Eu era apenas uma jovem confusa, e também estou convencida de que ele não sente nada por mim agora.

– Então por que ele está aqui? – perguntou Marcus, com um olhar duro.

– A negócios junto ao Sr. Shaw, é claro. E para discutir um eventual investimento seu nas fundições deles...

– Desconfio de que isso não passa de um esquema para esconder o verdadeiro propósito de McKenna.

– Que seria...?

– Finalmente conquistar você.

– Ora, Marcus, você sabe como isso soa absurdo, não sabe?

– Eu pratico esportes – disse ele categoricamente. – Cacei durante a maior parte da minha vida e... sei reconhecer uma caçada.

Aline se afastou do irmão e o encarou com uma expressão zombeteira.

– Eu deveria ter imaginado que você reduziria a situação a isso. Mas a vida é mais do que caça e conquista, Marcus.

– Para uma mulher, talvez. Não para um homem.

Aline suspirou e lançou um olhar significativo para Livia, pedindo silenciosamente seu apoio. A irmã mais nova obedeceu na mesma hora.

– Se Aline diz que não está incomodada com a presença de McKenna, então acho que também não devemos fazer objeções.

A expressão de Marcus não se suavizou.

– Ainda estou pensando em pedir a ele que vá embora.

– Santo Deus, você sabe quantos comentários maldosos isso provocaria? – perguntou Aline, impaciente. – Além do mais, por que se dar o trabalho de pedir a minha opinião se já decidiu o que fazer? Simplesmente deixe as coisas como estão, certo? Eu quero que ele fique.

Ela se surpreendeu com a forma como o irmão e a irmã a fitaram, como se tivesse falado em uma língua estrangeira.

– O que foi? – perguntou com cautela.

– Acabei de ver um pouco do seu antigo modo de ser – explicou Marcus. – É uma mudança bem-vinda.

Aline respondeu com uma risada irônica.

– O que está insinuando, Marcus? Que me tornei uma mulher tímida e covarde?

– Retraída é uma expressão melhor – corrigiu ele. – Você se recusa a aceitar as atenções de qualquer homem exceto Sandridge... e é óbvio que nada vai sair *disso*.

Enquanto Aline balbuciava em protesto mais uma vez, Marcus voltou sua atenção para Livia.

– E você não é melhor do que Aline, certo? – declarou em um tom categórico. – Já se passaram dois anos desde que Amberley morreu e é como se você tivesse ido para o túmulo com ele. Está na hora de deixar o luto de lado, Livia. Você precisa voltar a viver. Meu Deus, vocês são as duas mulheres mais bonitas de Hampshire e ambas vivem como freiras. Temo ficar preso a vocês até estar careca e banguela.

Livia lançou um olhar ofendido a Marcus, enquanto Aline começou a rir de repente ao imaginar o irmão, tão viril, como um velho rabugento e careca. Ela foi até ele e lhe deu um beijo afetuoso.

– Somos exatamente o que você merece, seu intrometido arrogante. E me agradeça por eu não estar disposta a lhe dar um sermão sobre os *seus* defeitos, caro irmão *solteiro* de 34 anos cujo único propósito na vida deveria ser gerar um herdeiro...

– Basta – pediu ele com um gemido. – Já ouvi isso milhares de vezes da mamãe. Deus sabe que não preciso ouvir de você também.

Aline lançou um olhar triunfante a Livia, que conseguiu dar um sorriso amarelo.

– Muito bem, vou deixar o assunto de lado por ora *se* você prometer não fazer ou dizer nada em relação a McKenna.

Marcus assentiu, resmungando, e saiu da sala.

Ao encontrar o olhar de Livia, Aline viu como as observações de Marcus a haviam perturbado, e deu um sorriso tranquilizador para a irmã.

– Ele está certo sobre uma coisa – comentou. – Você precisa começar a socializar novamente.

– A socializar com homens, você quer dizer.

– Sim. Você vai se apaixonar de novo algum dia, Livia. Vai se casar com um homem maravilhoso, terá filhos e levará a vida que Amberley desejava para você.

– E quanto a você?

O sorriso de Aline desapareceu.

– Você sabe por que esses sonhos não são mais possíveis para mim.

Livia deixou escapar um suspiro.

– Isso não é justo!

– Não – concordou Aline, em um tom suave. – Mas a questão é que... algumas coisas simplesmente não estão no nosso destino.

Livia abraçou o próprio corpo e olhou para o chão acarpetado, com a testa franzida.

– Aline, tem uma coisa que eu nunca contei... Porque sempre tive vergonha. Mas agora que McKenna voltou e o passado está assombrando os meus pensamentos, não consigo mais ignorar.

– Não, Livia – pediu Aline gentilmente.

Ela intuiu o que a irmã mais nova estava prestes a dizer e viu uma lágrima subitamente deslizar até a curva delicada do queixo de Livia.

– Fui eu que contei ao papai sobre você e McKenna juntos nos estábulos, anos atrás. Eu sei que você desconfiava, é claro, mas como nunca perguntou... Eu queria tanto ter ficado em silêncio... Lamento não ter feito isso. Eu sei que arruinei tudo para você.

– Não foi culpa sua – exclamou Aline, e se adiantou para abraçar a irmã. – Como eu poderia culpá-la por isso? Você era só uma criança e... Não, não chore! Não importa o que você disse ao papai, Livia. O meu relacionamento com McKenna não teria futuro de qualquer modo. Não havia lugar para onde pudéssemos ter ido, nada que pudéssemos ter feito, que tornasse possível ficarmos juntos.

– Ainda assim, lamento muito pelo que fiz.

Aline acalmou a irmã com sussurros carinhosos e deu palmadinhas em suas costas esbeltas.

– "Só um tolo discute com o próprio destino"... era isso que nosso pai sempre dizia, lembra?

– Sim, e isso sempre o fez parecer um completo idiota.

Aline sentiu uma gargalhada subindo pela garganta.

– Talvez você tenha razão. McKenna sem dúvida desafiou o próprio destino, não é?

Livia tirou um lenço da manga, recuou e assoou o nariz.

– Os criados estão comentando – disse ela, a voz abafada pelo tecido de algodão enfiado no rosto. – Parece que o mordomo do Sr. Chamberlain contou a James, o lacaio... que, por sua vez, contou a uma das criadas... que McKenna é chamado de "Rei" McKenna em Nova York, que ele tem uma mansão na Quinta Avenida e que é conhecido por todos em Wall Street.

Aline deu um sorrisinho.

– De cavalariço a rei. Eu não esperaria menos dele.

– Aline, e se McKenna se apaixonar de novo por você?

A pergunta fez Aline estremecer.

– Isso não vai acontecer, Livia. Acredite em mim. Uma vez que a chama de um caso de amor é extinta, não há como revivê-la tanto tempo depois.

– E se ela nunca tiver sido extinta?

– Eu posso garantir que McKenna não passou doze anos ansiando por mim.

– Mas você não... – Livia se deteve abruptamente.

Ao se dar conta do que a irmã estava prestes a perguntar, Aline enrubesceu. Ela foi até a janela e ficou olhando fixamente para uma trilha de arcos de pedra que levava ao jardim leste. Os arcos estavam cobertos de rosas, clematites e madressilvas, formando um túnel aromático que conduzia a um gazebo com paredes de pedra e teto de treliça de madeira. Havia lembranças de McKenna por toda parte naquele jardim... as mãos dele se movendo com cuidado entre as rosas, podando flores mortas... seu rosto bronzeado refletindo a luz do sol filtrada pelas folhas e treliças... o cabelo na nuca brilhando de suor enquanto ele jogava cascalho no caminho ou arrancava ervas daninhas dos canteiros de flores.

– Eu não sei se alguém poderia chamar o que senti de anseio – comentou Aline, passando a ponta dos dedos pela vidraça. – McKenna sempre será uma parte de mim, não importa aonde vá. Dizem que as pessoas que perderam um membro do corpo às vezes sentem como se ainda o tivessem. Quantas vezes senti que McKenna ainda estava aqui e o espaço vazio ao meu lado vibrou com a energia da sua presença...

Aline fechou os olhos e se inclinou para a frente até que sua testa e a ponta do nariz tocassem o vidro frio.

– O amor que sinto por ele vai além do razoável – sussurrou. – McKenna é um estranho para mim agora, mas ao mesmo tempo é tão familiar... Não consigo imaginar uma agonia mais maravilhosa do que tê-lo tão perto.

Muito tempo se passou até que Livia conseguisse dizer alguma coisa.

– Aline... você vai contar a verdade a McKenna, agora que ele voltou?

– Para quê? Isso só o faria ter pena de mim. Prefiro me jogar de um penhasco.

Ela se afastou da janela e esfregou com a manga do vestido a marca embaçada que seu rosto deixara na vidraça.

– É melhor que ele continue me odiando.

– Não sei como você aguenta! – exclamou Livia.

Aline deu um sorriso irônico.

– Bem, há um estranho conforto em pensar que ele não sentiria uma animosidade tão grande agora se não tivesse me amado tanto no passado.

Apesar da insistência de Marcus e Aline, Livia se recusou a comparecer ao baile de boas-vindas. Todas as pessoas importantes do condado haviam sido convidadas.

– Eu preciso de você lá – insistiu Aline, tentando pensar em alguma maneira de convencer a irmã a emergir da sua reclusão autoimposta. – Estou me sentindo insegura hoje, Livia. Ter você ao meu lado seria de grande ajuda e...

– Não.

Livia estava acomodada placidamente na sala de estar da família, com um livro em uma das mãos e uma taça de vinho na outra. Tinha o cabelo arrumado em uma trança solta e os pés enfiados em chinelos de lã macios.

– Não estou com a menor vontade de me misturar com aquele monte de americanos. Além disso, sei exatamente por que você está insegura, e a minha companhia não fará a menor diferença em relação a isso.

– Você não gostaria de rever McKenna, depois de tantos anos?

– Não, Deus me livre!

Os olhos castanho-esverdeados cintilantes de Livia fitaram a irmã por cima da borda da taça enquanto ela tomava um gole de vinho.

– A ideia de enfrentar McKenna depois da bobagem que eu fiz com vocês dois tanto tempo atrás faz com que eu queira me enfiar em um buraco no chão.

– Ele não sabe que foi você.

– Ora, mas eu sei!

Aline franziu a testa e decidiu mudar de assunto.

– E quanto ao Sr. Shaw? Você não está nem um pouco curiosa para conhecê-lo?

– Pelo que Marcus me contou sobre o abominável Sr. Shaw, é melhor que eu fique longe dele.

– Achei que Marcus gostasse de Shaw.

– E gosta, mas não na companhia de nenhuma das irmãs dele.

– Imagino que isso deva fazer do Sr. Shaw alguém muito divertido – comentou Aline, fazendo Livia rir.

– Como ele vai ficar aqui um mês inteiro, provavelmente acabaremos descobrindo. Até lá, desça e se divirta, Aline. Você está tão bonita nesse vestido... Não me disse certa vez que azul era a cor favorita de McKenna?

– Não me lembro.

A cor favorita de McKenna realmente era azul. Naquela noite, Aline não conseguiu evitar escolher um vestido de seda da cor do lápis-lazúli russo. Era um vestido simples, sem babados e sobressaia, apenas com uma meia-cauda atrás e um corpete de decote quadrado. Ela dera duas voltas em um colar de pérolas no pescoço, sendo que a última volta chegava quase até a cintura. Outro fio de pérolas havia sido artisticamente entrelaçado nos cachos de seus cabelos, presos no alto.

– Você está uma deusa – declarou a irmã, animada, erguendo a taça de vinho em um brinde. – Boa sorte, querida. Porque, depois que McKenna a vir com esse vestido, prevejo que você terá dificuldade em mantê-lo longe.

Assim que a parceria comercial entre McKenna e Gideon Shaw fora firmada, Gideon insistira em torná-lo apresentável à sociedade de Nova York. Aquilo exigira um longo e rigoroso período de treinamento e orientações, o que dera a McKenna o refinamento adequado para transitar nos círculos elevados frequentados pelos Shaws. No entanto, McKenna nunca se enganaria pensando que seu verniz era qualquer coisa além de superficial. Ser um verdadeiro membro da classe alta exigia muito mais do que roupas finas e boas maneiras. Era necessária uma atitude de consciência do próprio privilégio, uma confiança intrínseca na própria superioridade e uma elegância de caráter que ele sabia que jamais poderia alcançar.

Felizmente para McKenna, ter dinheiro bastava na América. Por mais exclusiva que fosse a classe alta americana, ainda assim, mesmo de modo relutante, ela abria espaço para alpinistas sociais de fortuna. Um homem com dinheiro novo, geralmente conhecido como *swell*, logo descobria que a maioria das portas estava aberta para ele. As mulheres não eram tão afortunadas. Se a família de uma herdeira não fosse bem-estabelecida, por mais bem-dotada financeiramente que fosse a jovem, jamais seria aceita pela Velha Nova York. Isso a obrigaria a caçar um marido em Paris ou Londres.

Acostumado ao clima tenso dos bailes de Nova York, McKenna ficou agradavelmente surpreso com a descontração daquele evento. Quando comentou isso com Gideon, o amigo riu baixinho.

– É sempre assim na Inglaterra – disse Gideon. – Os ingleses não têm nada a provar. Como ninguém pode tirar os títulos deles, são livres para fazer e dizer o que quiserem. Já em Nova York, a condição social é um status bastante precário. A única maneira de ter certeza da própria posição é sendo incluído em uma maldita lista ou outra. Listas de comitês, listas de convidados, listas de membros, listas de visitas...

– Há alguma lista em que você não esteja? – perguntou McKenna.

– Deus, não – respondeu Gideon com uma risada autodepreciativa. – Eu sou um Shaw. Todos me querem.

Eles estavam em uma extremidade de um salão de baile que parecia ter hectares de piso de parquete. O ar estava denso com o aroma de rosas, íris e lírios colhidos nos jardins da propriedade e habilmente dispostos em vasos de cristal. Os nichos nas paredes tinham pequenos bancos estofados de veludo, onde as viúvas e as moças que não eram tiradas para dançar se reuniam em grupos compactos. A música descia de um balcão no andar de cima, tocada por uma pequena orquestra parcialmente escondida por caramanchões de vegetação luxuriante. Embora aquele baile não se aproximasse da extravagância de alguns eventos da Quinta Avenida a que McKenna havia comparecido, ainda assim humilhava os opulentos bailes americanos. Havia uma diferença entre qualidade e mera ostentação, pensou ele. E aquela impressão foi reforçada na mesma hora pelo surgimento de lady Aline.

Ela estava deslumbrante, com fios de pérolas brancas entremeados nos cabelos brilhosos, o corpo voluptuoso envolto em um vestido azul que delineava firmemente os seios protuberantes. Um *corsage* duplo, de botões de rosa brancos frescos, enfeitava um dos pulsos enluvados. Aline estendeu as mãos em um gesto de boas-vindas quando se aproximou de um grupo de convidados junto à entrada do salão. Seu sorriso foi como um lampejo de magia. Enquanto a observava, McKenna notou algo a respeito dela que não registrara durante o encontro mais cedo naquele dia... O jeito de andar era diferente do que ele se lembrava. Em vez de exibir a graça impetuosa que possuía quando menina, Aline agora se movia com a deliberação lenta de um cisne deslizando sobre um lago tranquilo.

A entrada da anfitriã atraiu muitos olhares, e era óbvio que McKenna não era o único homem que apreciava seu fascínio cintilante. Por mais tranquilo que fosse o semblante, não havia como esconder a sensualidade luminosa por baixo dele. McKenna mal conseguiu conter a vontade de ir até ela e arrastá-la para algum canto escuro e isolado. Queria arrancar as pérolas dos cabelos dela e pressionar os lábios contra os seus seios, queria inalar o cheiro do corpo de Aline até se sentir zonzo.

– Encantadora – comentou Gideon, seguindo o olhar do amigo. – Mas em Nova York você poderia encontrar uma mulher quase tão atraente... para não mencionar um pouco mais jovem.

McKenna reagiu ao comentário com um olhar de desdém.

– Eu sei o que há em Nova York.

E seu olhar voltou compulsivamente para Aline.

Gideon sorriu e rolou a haste de uma taça de vinho entre os dedos longos.

– Embora eu não ache que as mulheres sejam todas iguais, posso dizer com alguma autoridade que todas possuem o mesmo equipamento básico. O que torna essa tão infinitamente preferível? O simples fato de que você não pôde tê-la?

McKenna nem se deu ao trabalho de responder tal tolice. Seria impossível fazer com que Shaw – ou qualquer outra pessoa – entendesse. A triste realidade era que ele e Aline nunca haviam se separado. Os dois poderiam viver em lados opostos da terra, e ainda assim estariam unidos em um emaranhado de desgraça. Não tê-la? Ele jamais deixara de tê-la... Aline havia sido seu tormento perpétuo. E ela sofreria por isso, como ele havia sofrido durante mais de uma década.

Os pensamentos de McKenna foram interrompidos quando lorde Westcliff se aproximou. Como os outros homens presentes, Westcliff usava um smoking de lapelas elegantemente largas e retas e uma calça solta muito bem-cortada. Ele tinha a constituição forte de um esportista e seus modos eram mais objetivos do que calculistas. Sua semelhança com o velho conde, no entanto, provocou uma pontada de animosidade em McKenna que ele não conseguiu ignorar. Por outro lado, poucos nobres receberiam um antigo criado como um convidado bem-vindo e McKenna foi obrigado a reconhecer isso.

Quando Westcliff os cumprimentou, sua expressão era agradável, mesmo que não exatamente simpática.

– Boa noite – murmurou. – Estão aproveitando a noite, cavalheiros?

– Bastante – respondeu Shaw com cordialidade, erguendo a taça em aprovação. – Um ótimo Bordeaux, milorde.

– Excelente. Vou providenciar para que um pouco dessa safra particular seja estocada na casa de hóspedes para a sua conveniência. – O olhar de Westcliff se voltou para McKenna. – E o senhor? O que está achando do seu primeiro baile em Stony Cross Park?

– Parece diferente visto pelo lado de dentro – respondeu McKenna com franqueza.

Aquilo arrancou um sorriso relutante de Westcliff.

– É uma longa distância dos estábulos até o salão de baile – reconheceu. – E poucos homens seriam capazes de atravessá-la.

McKenna mal ouviu a observação do conde. Sua atenção havia se voltado para Aline, que cumprimentava um recém-chegado.

Ao que parecia, o convidado chegara sozinho. Era um homem atraente, que não devia ter mais de 30 anos e exibia uma bela aparência loira, comparável à de Gideon Shaw. No entanto, enquanto Gideon era dourado e castigado pelo tempo, aquele homem era como uma brisa de inverno – o cabelo de um loiro-pálido, os olhos penetrantes. Ele e Aline juntos, luz e escuridão, formavam uma imagem surpreendentemente atraente.

Westcliff seguiu o olhar de McKenna e avistou o par.

– Lorde Sandridge – murmurou. – Um amigo da família e muito estimado por lady Aline.

– É o que parece – comentou McKenna.

Reparando no ar de intimidade entre os dois, ele sentiu o ciúme se espalhar por suas veias como uma maré venenosa.

Westcliff continuou a falar em um tom casual.

– Eles são amigos há pelo menos cinco anos. Minha irmã tem uma afinidade incomum com Sandridge, o que me agrada muito, pois desejo a felicidade dela acima de tudo.

O conde, então, fez uma mesura para os dois homens à sua frente e, antes de se retirar, disse:

– Às suas ordens, senhores.

– Esse nosso Westcliff é um estrategista habilidoso – murmurou Gideon, sorrindo ao ver o conde partir. – Parece ter alertado você de que fique longe de lady Aline, McKenna.

McKenna lançou um olhar de raiva para o amigo, embora estivesse bastante acostumado ao prazer perverso de Gideon em cutucar seu autocontrole.

– Westcliff que vá para o inferno – grunhiu McKenna. – Ele e Sandridge.

– Você não tem medo da concorrência, então? – perguntou Gideon, baixinho.

McKenna arqueou uma sobrancelha e respondeu com desdém:

– Depois de cinco anos de amizade, Sandridge ainda não reivindicou Aline para si. Isso não é o que eu chamaria de concorrência, em qualquer sentido da palavra.

– Não a reivindicou publicamente – corrigiu Gideon.

McKenna meneou a cabeça com um sorrisinho.

– Até onde eu sei, Shaw, essa é a única maneira que conta.

Capítulo 8

Foram poucas as pessoas na vida de Aline em quem ela confiara o bastante para amar. No entanto, amar Adam, lorde Sandridge, fora uma das coisas mais fáceis que já fizera. A amizade deles era pura, sem qualquer nuance de sexualidade. Durante os últimos cinco anos, haviam circulado muitos rumores sobre um caso amoroso entre eles, o que atendia aos propósitos de ambos. Por parte de Aline, significava que menos homens ousavam abordá-la, respeitando seu suposto envolvimento romântico com Adam; e, no que dizia respeito a Adam, ele ficava grato porque tais boatos evitavam outros rumores mais destrutivos que poderiam ter surgido.

Aline nunca se intrometera na vida sexual de Adam, não tinha nada a ver com isso, mas sabia o que poucas pessoas desconfiavam: que o desejo do amigo era dirigido exclusivamente a outros homens. O que um dia tornaria muito afortunado algum camarada que se sentisse da mesma forma. O encanto de Adam, sua inteligência e sua sagacidade refinada já seriam o bastante para torná-lo desejável, independentemente da sua aparência física. Mas, por acaso, ele também era belíssimo, com cabelos cheios, da cor do ouro branco, olhos cinzentos com cílios escuros e um corpo esguio e em boa forma.

Aline sempre se divertia quando estavam juntos. Ele a fazia rir, a fazia pensar e sabia o que ela ia dizer antes mesmo que ela abrisse a boca. Adam era capaz de arrancar Aline de seus eventuais momentos depressivos como ninguém mais conseguia, e ela, de vez em quando, fazia o mesmo por ele.

– Às vezes você me faz querer ser homem – comentara ela uma vez, rindo.

O sorriso que ele deu em resposta revelou o brilho de dentes muito brancos no rosto levemente bronzeado.

– Não, você é perfeita demais como mulher.

– Estou longe de ser perfeita – dissera Aline, ciente das inúmeras cicatrizes que cobriam suas pernas.

Sendo Adam como era, ele não recorreu a banalidades ou mentiras, apenas pegou a mão dela e a segurou por um longo tempo. Pouco depois de se conhecerem, Aline contara a ele sobre o acidente que sofrera e sobre as sequelas em suas pernas. O que era estranho, na verdade, já que ela havia mantido escondido de amigos que conhecia havia anos... Mas era impossível esconder qualquer coisa de Adam. Ela também contara a ele todos os detalhes sobre seu amor proibido por McKenna, e sobre como o mandara embora. Adam havia recebido as confidências com uma compreensão silenciosa e a dose certa de solidariedade.

Com um sorriso agradável, Aline segurou com força as mãos do amigo e falou baixinho:

– Preciso de você, Adam.

Os olhos claros a encararam com intensidade.

– O que houve?

– McKenna – disse Aline com esforço. – Ele voltou.

Adam balançou a cabeça, surpreso.

– Para Stony Cross?

Quando ela assentiu, confirmando, ele juntou os lábios em um assovio silencioso.

– Santo Deus.

Aline deu um sorriso trêmulo.

– Ele está hospedado em nossa casa...Veio com os americanos.

– Pobrezinha – comentou Adam, com uma expressão de lamento. – Parece que a sua sorte não melhorou, não é mesmo? Vamos até o jardim para conversarmos um pouco.

Aline queria aceitar, mas hesitou.

– Preciso ficar e receber os convidados.

– Isso é mais importante – declarou Adam, e colocou a mão dela na curva do seu braço. – Vão ser só alguns minutos... Trarei você de volta antes que sintam a sua falta. Vamos.

Eles seguiram em direção à varanda com piso de pedra e vista para o terraço dos fundos, onde uma fileira de portas francesas fora aberta para permitir a entrada de qualquer brisa. Aline falava rapidamente, contando tudo a Adam, enquanto ele ouvia em um silêncio pensativo. Ele parou diante das portas abertas e olhou para trás, para os convidados aglomerados.

– Quem é? – murmurou ele, apontando para as pessoas.

Aline mal precisou olhar para dentro do salão de baile, tão sintonizada estava com a presença de McKenna.

– Aquele ali, perto do friso dourado, conversando com meu irmão – respondeu ela.

Depois de uma olhadela discreta, Adam se voltou para Aline e comentou com ironia:

– Muito bom para quem gosta de um tipo sombrio e taciturno.

Por mais perturbada que estivesse, Aline não conseguiu conter uma risada zombeteira.

– Há alguém que não goste desse tipo?

– Eu, por exemplo. Pode ficar com o seu Sturm und Drang, minha cara. Prefiro alguém um pouco mais fácil de manejar.

– O que é Sturm und Drang?

– Ah... Vejo que terei de apresentá-la ao melhor da literatura alemã. Significa uma turbulência apaixonada; traduzido literalmente, quer dizer "tempestade e emoção".

– Ora, sim. Não há nada mais emocionante do que uma tempestade, não é mesmo? – perguntou Aline, melancólica.

Adam sorriu e levou-a até um banco próximo.

– Só quando a tempestade está sendo vista de dentro de uma casa bela e aconchegante.

Depois que se sentaram, Adam pegou a mão de Aline e apertou-a carinhosamente.

– Agora me diga, minha cara, o que devemos fazer em relação a esse seu problema?

– Ainda não sei exatamente.

– McKenna já disse o que quer de você? – Mas Adam respondeu à própria pergunta antes que Aline tivesse oportunidade: – Não importa... sei exatamente o que ele quer. A questão é: existe alguma possibilidade de McKenna tentar forçá-la ou coagi-la de alguma forma?

– Não – respondeu Aline de pronto. – Por mais que tenha mudado, ele jamais recorreria a isso.

Adam pareceu relaxar um pouco.

— Bom saber.

— Mas estou com medo, Adam — confessou Aline em um sussurro, e pousou a cabeça no ombro dele. — Não do que vai acontecer agora, ou durante as próximas semanas... Mas quando McKenna for embora de novo. Eu sobrevivi uma vez, mas não sei se conseguirei uma segunda.

Ele a abraçou gentilmente.

— Sim, você vai conseguir... Estarei aqui para ajudá-la.

Seguiu-se uma longa pausa enquanto Adam escolhia com cuidado as próximas palavras.

— Aline, o que estou prestes a dizer pode parecer um tanto fora de propósito... mas tenho considerado uma ideia ultimamente, e este pode ser um bom momento para mencioná-la.

— Sim?

Adam olhou para ela, os narizes dos dois quase se tocando. Ele sorriu, e os olhos cinzentos cintilaram, refletindo a luz do luar.

— Formamos um belo par, querida. Desde que nos conhecemos, há cinco anos, passei a adorá-la mais do que a qualquer outra pessoa na face da terra. Eu poderia passar uma hora inteira enumerando suas incontáveis virtudes, mas você já está bem ciente delas. A minha proposta é a seguinte: acho que devemos continuar a fazer o que temos feito, com uma pequena alteração. Quero me casar com você.

— Você andou bebendo, Adam? — perguntou Aline.

Ele riu.

— Pense nisso... Você seria a senhora de Marshleigh. Seríamos a mais rara de todas as combinações, um marido e uma esposa que realmente gostam um do outro.

Aline o encarou sem entender.

— Mas você nunca iria querer...

— Não. Eu e você encontraríamos um tipo de satisfação no casamento e outro fora dele. A amizade é muito mais duradoura do que o amor, Aline. E sou muito tradicional em um sentido: vejo sabedoria em manter a paixão totalmente separada do casamento. Não a culparei por buscar prazer onde for possível e você não me culpará por fazer o mesmo.

— Não buscarei esse tipo de prazer — murmurou ela. — Qualquer homem que visse as minhas pernas acharia impossível fazer amor comigo.

— Então não deixe que as vejam — disse Adam em um tom tranquilo.

Aline lhe lançou um olhar cético.

– Mas como eu...

– Use a imaginação, minha cara.

O brilho malicioso em seus olhos a fez enrubescer.

– Nunca havia considerado essa possibilidade. Seria estranho, meio constrangedor e...

– É uma simples questão de logística – informou Adam em um tom irônico. – Mas voltando à minha proposta... Promete pensar a respeito?

Aline balançou a cabeça com um sorriso relutante.

– Talvez eu seja um pouco convencional demais para um arranjo desses.

– Ora, que se danem as convenções.

Adam beijou os cabelos dela.

– Quero ajudá-la a curar esse coração partido. Vou massagear suas pernas à noite e abraçá-la como um amigo querido faria. Vou levá-la a lugares lindos quando você se cansar das paisagens inglesas.

Aline sorriu contra o tecido elegante do casaco dele.

– Você me daria algum tempo para considerar essa oferta tão tentadora?

– Todo o tempo do mundo.

Subitamente, Adam endireitou o corpo, embora seus braços permanecessem ao redor de Aline, e falou baixinho no ouvido dela.

– O Sr. Tempestade está vindo para cá, Srta. Emoção. O que você quer que eu faça, que fique ou vá embora?

Aline se afastou.

– Vá – murmurou. – Consigo lidar sozinha com ele.

– Faremos dessa frase a sua epígrafe – disse Adam em um tom brincalhão, e roçou os lábios no rosto dela. – Boa sorte, querida. Grite se precisar de mim.

– Não quer conhecê-lo antes de ir? – perguntou.

– Santo Deus, não! Enfrente seus próprios dragões, milady – falou Adam, e deixou-a, com um sorriso.

Aline levantou os olhos, ainda sentada no banco, enquanto McKenna se aproximava, a silhueta morena pairando acima dela como uma sombra. A referência de Adam a McKenna não fora a mais precisa – McKenna parecia muito mais um demônio do que um dragão, faltando apenas um forçado para completar a imagem. Um demônio alto, taciturno, de olhos ardentes, usando um traje formal de noite, em preto e branco. Que deixou Aline literalmente sem fôlego. Ela ficou chocada com o desejo incontrolável que sentiu de tocá-lo. Era o mesmo anseio que tinha na juventude, o arrebatamento selvagem e vertiginoso que jamais conseguira esquecer.

– McKenna – disse em um arquejo. – Boa noite.

Ele parou diante dela e olhou fixamente para a porta pela qual Adam acabara de sair.

– Quem é aquele? – perguntou, embora Aline desconfiasse que ele já sabia.

– Lorde Sandridge – respondeu baixinho. – Um amigo muito querido.

– Só amigo?

Dez minutos antes, Aline teria respondido "sim" sem hesitar. Agora, depois do pedido de casamento de Adam, ela considerou a pergunta com uma expressão pensativa.

– Ele quer se casar comigo – admitiu.

A expressão de McKenna permaneceu absolutamente contida, embora houvesse um brilho estranho em seus olhos.

– E você vai aceitar?

Aline encarou-o fixamente enquanto ele permanecia de pé diante dela, em parte na sombra, em parte na luz, e sentiu que uma mudança acontecia no próprio corpo, a pele formigava por baixo da seda azul, os bicos dos seios enrijeciam. O calor desceu pelo peito até o ventre, como se alguém estivesse respirando contra a pele dela.

– Provavelmente – ouviu-se sussurrar.

McKenna se aproximou mais e estendeu a mão em um gesto silencioso de comando. Aline permitiu que ele a ajudasse a se levantar e sentiu os longos dedos envolverem seu pulso enluvado, logo abaixo do *corsage* de botões de rosa brancos. Ela não ofereceu qualquer resistência ao toque, e lhe pareceu por um instante que o coração tivesse parado de bater quando o polegar de McKenna deslizou até a palma da sua mão. Os dois estavam usando luvas grossas e, ainda assim, a mera pressão dos dedos dele foi o bastante para fazer a pulsação de Aline disparar.

– McKenna – chamou ela baixinho –, por que você não me avisou de alguma forma antes de voltar para Stony Cross assim tão de repente?

– Achei que não teria importância para você.

A mentira óbvia foi dita sem o menor pudor. Qualquer um teria acreditado, menos ela. *Não teria importância para mim?*, pensou Aline, dividida entre a angústia e uma gargalhada triste. Quantos dias chuvosos e noites solitárias ela havia passado ansiando por ele. No delírio induzido pela febre que a deixara à beira da morte, ela havia chamado o nome dele, implorado por ele, sonhado que ele a abraçava enquanto ela dormia.

– É claro que importa – falou Aline, com uma leveza forçada, deixando de lado as lembranças. – Afinal, já fomos amigos.

– Amigos – repetiu ele sem qualquer inflexão especial.

Em um movimento cauteloso, Aline soltou o pulso que ele segurava.

– Ora, sim. Muito bons amigos. E eu me perguntei inúmeras vezes o que aconteceu com você depois que partiu.

– Agora você sabe. – O rosto dele tinha uma expressão dura e indecifrável. – Eu também me perguntei... o que aconteceu com você depois que fui mandado para Bristol. Ouvi algo sobre uma enfermidade...

– Não vamos falar do meu passado – interrompeu Aline com uma risada rápida e autodepreciativa. – Posso garantir que é bastante tedioso. Estou muito mais interessada em ouvir sobre você. Por favor, me conte tudo. Desde o momento em que colocou os pés em Nova York.

A lisonja astuta no olhar dela pareceu divertir McKenna, como se de algum modo ele compreendesse que ela decidira mantê-lo à distância pelo flerte, evitando assim a possibilidade de conversarem sobre qualquer assunto mais sério.

– Isso não é assunto para uma conversa de salão.

– Ah. Então é assunto para a sala de estar? Para o salão de jogos? Não? Céus, deve ser realmente muito chocante, então... Vamos caminhar um pouco. Até os estábulos. Os cavalos ficarão muito entretidos com a sua história, e eles quase nunca comentam com ninguém as coisas que escutam.

– Você pode deixar os convidados?

– Ah, Westcliff é um anfitrião competente... Ele vai dar conta.

– E quanto a um acompanhante? – perguntou McKenna, embora já a estivesse guiando para uma saída lateral do salão de baile.

O sorriso dela se tornou irônico.

– Mulheres da minha idade não precisam de acompanhantes, McKenna.

Ele a fitou de cima a baixo, enervando-a.

– Talvez você ainda precise.

Eles atravessaram os jardins externos e foram até a entrada dos estábulos.

A casa havia sido construída no estilo europeu, com os estábulos formando uma das alas que cercavam o pátio na frente. Era uma brincadeira conhecida afirmar que os cavalos de lorde Westcliff tinham uma vida muito melhor que a maioria das pessoas, e havia mais do que um pouco de verdade nisso. Já no pátio central dos estábulos, com piso de pedra, havia um grande bebedouro de mármore para os animais. Arcadas levavam ao quarto de selas, a cinco dúzias de baias enfileiradas e à garagem de carruagens, que cheirava fortemente a polidor de metais, couro e cera. Os estábulos não haviam mudado muito desde que McKenna deixara Stony Cross Park. Aline se perguntou se a familiaridade do lugar o agradava.

Pararam no quarto de selas, com suas paredes cheias de freios, cabrestos, peitorais e rédeas, além de selas, é claro. Caixas de madeira cheias de utensílios de limpeza estavam alinhadas organizadamente nas prateleiras. O ar tinha um aroma doce e pungente de cavalos e couro.

McKenna andou lentamente até uma sela e passou a ponta dos dedos sobre a superfície gasta. Inclinou a cabeça e, por um momento, pareceu perdido em lembranças.

Aline esperou até que seu olhar voltasse a encontrar o dela.

– Como você começou a vida em Nova York? – perguntou. – Achei que encontraria algum trabalho com cavalos. Como acabou se tornando um barqueiro?

– O primeiro trabalho que consegui foi como carregador nas docas. Quando não estava levando mercadorias para os barcos, estava aprendendo a me defender em uma briga. Quase sempre os estivadores decidiam a socos quem ficaria com o trabalho.

Ele fez uma pausa e acrescentou com franqueza:

– Em pouco tempo aprendi a usar a violência para conseguir o que queria. Acabei comprando um pequeno veleiro com um calado raso e me tornei o barqueiro que fazia mais rápido o trajeto de ida e volta da Staten Island.

Aline o escutava atentamente, tentando entender o processo gradual que convertera o menino que cuidava de cavalos no homem obstinado que estava diante dela.

– Você teve algum mentor? – perguntou.

– Não, nenhum.

McKenna deixou os dedos correrem pelo contorno de um chicote firmemente trançado.

– Passei um longo período pensando em mim mesmo como um criado... nunca achei que seria mais do que era naquele momento. Mas, depois de algum tempo, percebi que os outros barqueiros tinham ambições muito além das minhas. Eles me contavam histórias sobre homens como John Jacob Astor... Já ouviu falar dele?

– Acredito que não. Ele é contemporâneo dos Shaws?

A pergunta fez McKenna rir de repente, os dentes muito brancos cintilando no rosto moreno.

– Ele é mais rico do que os Shaws, embora nem mesmo Gideon admita isso. Astor era filho de um açougueiro que começou do nada e fez fortuna no comércio de peles. Hoje, ele compra e vende imóveis em Nova York. A fortuna dele é de pelo menos quinze milhões de dólares. Eu conheci Astor... É um tiranozinho canalha, que mal fala inglês, e se tornou um dos homens mais ricos do mundo.

Aline arregalou os olhos. Tinha ouvido falar do crescimento explosivo da indústria na América e da rápida ascensão do valor das propriedades em Nova York. Mas parecia quase impossível para um homem, ainda mais vindo das classes mais baixas, ter conquistado uma fortuna daquele tamanho.

McKenna pareceu seguir a linha dos pensamentos dela.

– Lá, tudo é possível. Você pode ganhar muito dinheiro se estiver disposto a fazer o que for preciso. E dinheiro é tudo o que importa, já que os americanos não se distinguem por títulos ou sangue nobre.

– O que você quer dizer com "se você estiver disposto a fazer o que for preciso"? – perguntou Aline. – O que você teve que fazer?

– Eu tive que tirar vantagem dos outros. Aprendi a ignorar minha consciência e a colocar os meus interesses acima dos de qualquer outra pessoa. Acima de tudo, aprendi que não posso me dar ao luxo de me preocupar com ninguém além de mim mesmo.

– Você não é assim – afirmou Aline.

– Não duvide nem por um minuto, milady – garantiu McKenna, em um tom muito suave. – Não sou nada parecido com o menino que conheceu. Ele morreu quando deixei Stony Cross.

Aline não podia aceitar aquilo. Se não restasse nada daquele menino, uma parte vital do coração dela também morreria. Ela se virou para a parede mais próxima, na tentativa de esconder a tristeza que deixara suas feições tensas.

– Não diga isso.

– É a verdade.

– Isso está soando como um alerta para que eu fique longe de você – disse ela em uma voz rouca.

Aline não percebeu a aproximação de McKenna, mas de repente ele estava bem atrás dela. Seus corpos não se tocavam, mas Aline tinha plena consciência da solidez e do tamanho dele. E, mesmo em meio a uma turbulência interna, aquilo despertou nela o mais puro desejo. Ela se sentiu enfraquecer pela vontade de se recostar contra McKenna e puxar as mãos dele para o seu corpo. Fora uma má ideia ficar sozinha com ele, pensou, e fechou os olhos com força.

– *Isto* é um alerta – disse McKenna em um tom gentil. – Você deveria me dizer para ir embora de Stony Cross. Diga ao seu irmão para me mandar embora, diga que a minha presença aqui a ofende. Então eu irei, Aline... mas só como resultado de uma ação sua.

A boca dele estava muito próxima da orelha dela, o hálito quente roçando a borda externa.

– E se eu não fizer isso?

– Então levarei você para a cama.

Aline se voltou para encará-lo com um olhar perplexo.

– O quê?

– Foi o que ouviu.

McKenna se inclinou para a frente e apoiou as mãos uma de cada lado de Aline, as palmas contra a madeira do estábulo antigo.

– Eu vou possuir você – continuou ele, em um tom levemente ameaçador. – E não será nada como o amor cavalheiresco a que está acostumada com Sandridge.

Um tiro no escuro. McKenna a observou atentamente, para ver se ela contradizia a suposição. Aline se manteve em silêncio ao se dar conta de que revelar o mínimo que fosse da verdade faria com que todos os seus segredos fossem desvendados. Era melhor que McKenna achasse que ela e Adam eram amantes, em vez de se perguntar por que ela permanecera sozinha por tantos anos.

– Você... você não perde tempo com sutilezas, não é?

Aline o encarava com espanto, sentindo uma vibração quente agitar seu estômago.

– Achei justo avisar de antemão.

Ela ficou chocada com a estranha familiaridade do momento, ao mesmo tempo que continuava refém daqueles extraordinários olhos azul-esverdeados. Não era possível que aquilo realmente estivesse acontecendo.

– Você nunca forçaria sua vontade sobre uma mulher – murmurou Aline. – Por mais que tenha mudado.

McKenna respondeu com firmeza enquanto seu olhar percorria cada grau de temperatura entre o fogo e o gelo.

– Se não me mandar embora de Stony Cross até amanhã de manhã, vou aceitar isso como um convite pessoal para a sua cama.

Aline se viu dominada pela mais desconcertante mistura de emoções que se poderia imaginar... irritação, divertimento, consternação... para não mencionar admiração. O menino que nascera para servir havia se tornado um homem absurdamente arrogante, e ela amava aquela autoconfiança em ebulição. Se as circunstâncias fossem diferentes, estaria totalmente disposta a dar a McKenna qualquer coisa que ele desejasse dela. Se ao menos...

Os pensamentos sumiram da mente de Aline quando, de repente, McKenna segurou o cordão duplo de pérolas que ela usava. Ele jogou a maior parte do peso do corpo em uma das pernas enquanto a outra pressionava suavemente o volume da saia dela. Naquele momento de proximidade, mesmo estando totalmente vestida, Aline sentiu o autocontrole ruir. O cheiro da pele dele encheu as suas narinas; as notas de colônia e de sabão de barbear e a essência masculina, limpa e recendendo a sol, que pertenciam só a ele. Aline inspirou profundamente e sentiu seu corpo se sobressaltar de um jeito primitivo.

Com uma calma de movimentos que a surpreendeu, McKenna usou o próprio corpo para prendê-la contra a parede. Aline sentiu a mão livre dele deslizar por seu pescoço, o polegar e o indicador enluvados segurando sua nuca com força. Por alguma razão, não ocorreu a Aline que ela deveria tentar resistir. Ficou apenas parada ali, nas mãos dele, fraca de ansiedade, de desejo e de apreensão.

– Me diga para ir embora – murmurou McKenna.

Ele parecia querer que ela tentasse se desvencilhar. A ausência de resistência parecia inflamá-lo. O hálito quente dele roçou os lábios dela, e Aline sentiu todo o corpo se contrair por dentro.

– Diga – provocou ele, inclinando a cabeça na direção da dela.

E as lembranças de quem e do que eles haviam sido, dos beijos do passado, da saudade angustiante foram consumidas por um estrondo de desejo. Havia apenas o momento presente, o gemido dela preso na boca quente de McKenna, o beijo começando quase como um assalto, mas rapidamente se transformando em uma espécie de adoração arrebatadora e voraz. McKenna deixou a língua invadir a boca de Aline em movimentos fortes e determinados, então ela gemeu de prazer, o som logo sendo abafado pelos lábios dele. McKenna a ensinara a beijar, e ainda se lembrava de todos os truques que a excitavam. Ele fez uma pausa para provocá-la, usando os lábios, os dentes, a língua, então voltou a mergulhar em sua boca com movimentos gloriosamente agressivos. A mão dele deslizou da nuca de Aline até a base da sua coluna, puxando-a com mais força. Aline arqueou o corpo em resposta e gemeu quando a palma da mão de McKenna alcançou a curva das suas nádegas, pressionando-a contra a virilha dele. Mesmo com a saia grossa entre os dois, ela conseguiu sentir a ponta do membro rijo.

O prazer se intensificou a um nível quase assustador. *Sensações intensas demais, rápido demais...*

De repente McKenna deixou escapar um som rouco e se afastou.

Aline o encarou e se apoiou na parede, temendo que as pernas não a sustentassem. Os dois respiraram em arquejos profundos enquanto a paixão frustrada saturava o ar como vapor.

Finalmente McKenna conseguiu falar.

– Volte para a casa – disse, a voz rouca –, enquanto ainda consigo deixar que vá. E pense no que eu disse.

Aline demorou vários minutos para se recompor antes de voltar ao baile. E achou que havia tido sucesso em assumir uma fachada equilibrada, disfarçando a profunda agitação interna; nenhum convidado pareceu reparar em nada de errado enquanto ela cumprimentava, conversava e ria com uma alegria artificial. Apenas Marcus, que estreitou os olhos e, pensativo, encarou-a do meio do salão, a fez perceber que seu rosto estava mais vermelho e quente do que o normal. E Adam, é claro, que apareceu a seu lado e a encarou com uma preocupação discreta.

– Eu pareço bem? – perguntou Aline em um sussurro.

– Além de exibir a beleza estonteante de sempre – respondeu Adam –, está um pouco corada. O que aconteceu? Vocês discutiram?

Fizemos muito mais do que discutir, pensou Aline com tristeza. Aquele beijo... o prazer aniquilador, como nada que ela já sentira antes. Anos de desejo e fantasia destilados em uma descarga de sensações físicas. Parecia impossível se distanciar daquele desejo ardente, ficar de pé quando sentia as pernas fracas. Parecia impossível fingir que tudo estava como deveria ser quando... nada estava.

Aquele beijo carregava uma ânsia mútua de descobrir as mudanças que haviam acontecido ao longo daqueles doze anos em que suas vidas estiveram separadas. McKenna representava um perigo para Aline em todos os sentidos, e ainda assim ela estava certa de que faria escolhas erradas, de que assumiria riscos insanos, tudo na vã tentativa de apaziguar o desejo por ele.

– Adam – murmurou sem olhar para o amigo –, você já desejou tanto algo a ponto de ser capaz de qualquer coisa para tê-lo... mesmo sabendo que isso seria ruim para você?

Eles caminharam lentamente, dando uma volta em torno do salão de baile.

– É claro – respondeu Adam. – Todas as coisas realmente prazerosas da vida são invariavelmente ruins para nós... e são ainda melhores quando feitas em excesso.

– Você não está ajudando – retrucou ela com severidade, se esforçando para conter um sorriso.

– Ah, você quer que alguém lhe dê permissão para fazer o que já decidiu fazer? Isso ajudaria a acalmar sua consciência pesada?

– Para falar a verdade, sim. Mas ninguém pode fazer isso por mim.

– Eu posso.

Ela riu de repente.

– Adam...

– Você tem a minha permissão para fazer o que quiser. Melhor agora?

– Não, estou assustada. E, como meu amigo, você deveria estar fazendo o possível para me impedir de cometer um erro que resultará em grande sofrimento.

– Ora, minha cara, você já sentiu a dor – lembrou Adam. – Agora pode muito bem usufruir do prazer de cometer o erro.

– Meu Deus – sussurrou Aline, e apertou o braço dele com força –, você é uma influência terrível, Adam.

– Eu me esforço para isso – murmurou ele, e sorriu para ela.

Gideon caminhava sem pressa pelos jardins terraceados atrás da mansão, seguindo um caminho de pedras ao longo de uma fileira de teixos artisticamente podados. Ele esperava que o ar externo o distraísse da tentação. A noite ainda era uma criança e ele precisara diminuir um pouco o ritmo em que estava bebendo. Mais tarde, quando os convidados se dispersassem para dormir, poderia soltar as rédeas de sua sede e se embriagar com vontade. Infelizmente, ainda precisaria suportar algumas horas de relativa sobriedade até lá.

Algumas tochas estrategicamente posicionadas garantiam luz suficiente para um passeio noturno. Perambulando sem rumo, ele chegou a uma pequena clareira pavimentada, com uma fonte no meio. Para sua surpresa, avistou uma menina se aproximando da clareira. Parecia estar gostando da música distante que chegava até ali, vinda das janelas abertas do salão de baile. Cantarolando suavemente, a menina deslizava os pés na imitação sonhadora de uma valsa, parando de vez em quando para tomar um gole de vinho. Ao prestar mais atenção em seu perfil, Gideon percebeu que não era uma menina, mas uma jovem com traços comuns, porém belos.

Devia ser uma criada, deduziu, reparando que a jovem usava um vestido gasto e que seu cabelo estava trançado frouxamente nas costas. Talvez uma criada doméstica desfrutando do prazer de uma taça de vinho roubada.

A mulher girava para a frente e para trás como uma Cinderela desorientada cujo vestido de baile tinha desaparecido antes mesmo que ela chegasse à festa. A imagem fez Gideon sorrir. Por um instante, ele se esqueceu do desejo por mais um copo e se aproximou, o gorgolejo da fonte abafando o som dos seus passos.

E então, no meio de um giro lento, a mulher o viu e ficou paralisada.

Gideon parou diante dela, em sua postura ao mesmo tempo elegante e relaxada, encarando-a com um olhar provocador.

A mulher se recompôs rapidamente e devolveu o olhar. Um sorriso triste curvou seus lábios, e seus olhos cintilaram com um brilho suave à luz das tochas. Apesar da ausência de uma beleza clássica, havia algo irresistível nela... uma espécie de animação feminina vibrante que Gideon nunca vira antes.

– Bem – comentou a mulher –, isso é *bastante* constrangedor. Se o senhor tiver piedade, vai esquecer o que acabou de ver.

– Eu tenho a memória de um elefante – retrucou ele com arrependimento fingido.

– Que desagradável da sua parte – disse ela, e caiu na gargalhada.

Gideon foi instantaneamente cativado. Uma centena de perguntas enchia a sua mente. Queria saber quem era ela, por que estava ali, se gostava de açúcar no chá, se subira em árvores quando menina e como tinha sido o seu primeiro beijo...

A curiosidade avassaladora o intrigou. Em geral, ele evitava se importar com alguém por tempo suficiente para querer fazer perguntas pessoais. Como não confiava muito em si mesmo para falar alguma coisa naquele momento, Gideon se aproximou dela com cautela. A mulher enrijeceu ligeiramente o corpo, como se não estivesse acostumada à proximidade de um estranho. Quando chegou mais perto, Gideon viu que as feições dela eram regulares, o nariz um pouco longo demais, a boca parecia macia e tinha um belo contorno. Seus olhos eram de uma cor clara... verde, talvez... olhos brilhantes que continham profundezas inesperadas.

– Valsar é um pouco mais fácil com um parceiro – comentou ele. – Gostaria de experimentar?

A mulher olhou para ele como se de repente se encontrasse em uma terra estranha com um estrangeiro simpático. A música do salão de baile enchia o ar em um fluxo constante e inebriante. Depois de um longo momento, ela balançou a cabeça com um sorriso contrito, procurando uma desculpa para recusar.

– Ainda não acabei de tomar o vinho.

Gideon estendeu a mão lentamente e pegou a taça quase vazia da mão dela. A mulher cedeu sem dizer uma palavra, o olhar ainda preso no dele. Gideon levou a taça aos lábios e bebeu o restante do vinho em um único gole vigoroso que demonstrava sua experiência no assunto. Então pousou o cálice frágil na borda da fonte.

Ela riu, ofegante, e sacudiu o dedo para ele em uma repreensão fingida.

Enquanto olhava para ela, Gideon sentia o peito muito quente, como quando teve crupe e a ama o fez inspirar o vapor revigorante de uma mistura de ervas fervendo. Ele se lembrou do alívio de conseguir respirar depois de horas de quase sufocamento, do movimento voraz dos pulmões inspirando o ar quente e precioso. Estranhamente, tinha mais ou menos a mesma sensação naquele momento... Alívio, embora não soubesse bem de quê.

Ele ofereceu a mão nua a ela, pois havia retirado as luvas e guardado no bolso assim que entrou no jardim. Gideon virou a palma da mão para cima e desejou silenciosamente que a mulher a aceitasse.

Ao que parecia, não era uma decisão fácil de tomar. Ela desviou o olhar, a expressão subitamente pensativa, os dentes mordendo a curva macia do lábio inferior. Quando Gideon já achava que a mulher o rejeitaria, ela estendeu a mão em um impulso, os dedos quentes envolvendo os dele. Gideon segurou a mão dela como se embalasse um pássaro frágil, e puxou-a para perto até conseguir sentir o cheiro de água de rosas em seu cabelo. O corpo da mulher era esguio, com curvas discretas, e a cintura sem espartilho era macia sob os dedos dele. Apesar do inegável romantismo do momento, uma onda nada romântica de desejo inundou Gideon quando seu corpo reagiu com a típica percepção masculina à proximidade de uma mulher desejável. Ele conduziu a parceira em uma valsa lenta, guiando-a habilmente pelo piso irregular de pedras.

– Já vi fadas dançando no gramado antes – falou –, quando tomei a quantidade necessária de uma garrafa de conhaque para tanto. Mas até hoje eu nunca havia dançado de verdade com *nenhuma*.

Ele a segurou com mais força quando ela tentou alterar a direção que seguiam.

– Não. Permita-me conduzir.

– Estávamos perto demais da beira da calçada – protestou ela, rindo enquanto ele a obrigava a voltar ao ritmo que estabelecera.

– Não estávamos.

– Um americano autoritário – comentou a mulher, franzindo o nariz para ele. – Tenho certeza de que não deveria estar dançando com um homem que admite ver fadas. E, sem dúvida, sua esposa deve ter uma ou duas coisinhas a dizer sobre isso.

– Eu não tenho esposa.

– Sim, o senhor tem.

Ela o fitou com um sorriso de repreensão nos lábios, como se ele fosse um colegial que acabara de ser pego mentindo.

– Por que está tão certa disso?

– Porque o senhor é um americano, e todos os americanos são casados, a não ser pelo Sr. McKenna. E o senhor não é o Sr. McKenna.

– Há outro americano solteiro no grupo – comentou Gideon preguiçosamente.

Ele soltou a cintura dela e girou seu corpo com uma das mãos. Depois, puxou-a de volta e sorriu.

– Sim – concordou ela –, mas esse seria...

– O Sr. Shaw – disse Gideon prestativamente, e sua voz se perdeu no silêncio.

– Ah...

Ela o encarou com os olhos arregalados. Se Gideon não a estivesse segurando com tanta firmeza, a jovem teria tropeçado.

– Eu deveria ficar longe do senhor.

Ele sorriu ao ouvir essas palavras.

– Quem disse isso?

Ela ignorou a pergunta.

– E, embora eu tenha certeza de que muitos dos rumores a respeito do senhor não poderiam ser verdade...

– Mas são – confirmou Gideon sem um pingo de vergonha.

– O senhor é um libertino, então.

– Do pior tipo.

Ela se afastou dele com uma risada.

– Bem, ao menos é sincero. Mas provavelmente é melhor eu ir agora. Obrigada pela dança... Foi adorável.

– Não vá – pediu Gideon, a voz baixa e urgente. – Espere. Antes de ir, me diga quem você é...

– O senhor tem direito a três palpites – disse ela.

– É uma criada?

– Não.

– Não pode ser da família Marsden... Não se parece em nada com eles. Você é do vilarejo?

– Não.

Gideon fez uma careta quando uma ideia repentina lhe ocorreu.

– Ora, não é a amante do conde, é?

– Não – respondeu ela em uma voz meiga, sorrindo. – E esse foi seu terceiro palpite. Adeus, Sr. Shaw.

– Espere...

– E nada de dançar com fadas no gramado – advertiu ela. – Está molhado e vai estragar seus sapatos.

Ela se afastou rapidamente e, como prova de que estivera lá, deixou apenas a taça de vinho vazia na borda da fonte e o sorriso divertido nos lábios de Gideon.

⁓

– Ele disse *o quê*? – perguntou Livia, quase caindo da beira da cama de Aline, onde estava sentada de pernas cruzadas.

Como era seu hábito, havia ido ao quarto da irmã depois do baile para saber tudo sobre a noite.

Aline afundou mais na água fumegante e aromática do banho que fora preparado para ela no centro do quarto. Mas, por mais quente que estivesse, a água não era inteiramente responsável pelo rubor que coloriu seu rosto. Aline olhou do rosto incrédulo da irmã mais nova para a Sra. Faircloth, que a encarava boquiaberta.

Apesar da agitação interna, Aline não pôde deixar de achar a cena divertida.

– Ele disse que, se tiver permissão para permanecer em Stony Cross, vai me levar para a cama.

– McKenna também disse que ainda ama você? – perguntou Livia.

– Bom Deus, não! – respondeu Aline em um tom sarcástico, esticando as pernas doloridas e remexendo os dedos dos pés embaixo d'água. – As intenções de McKenna em relação a mim não têm nada a ver com amor... isso está bastante claro.

– Mas... mas um homem não surge do nada desse jeito e diz que vai... que vai...

– Ao que parece, McKenna não pensa da mesma forma.

Livia balançou a cabeça, perplexa.

– Nunca ouvi falar de tamanha arrogância!

A sombra de um sorriso curvou os lábios de Aline.

– Suponho que alguns poderiam chamar de lisonjeiro, se optassem por ver a situação sob esse prisma.

Uma mecha se soltou do coque de Aline e ela estendeu a mão para ajeitá-la no lugar.

Livia riu de repente.

– Poderiam até achá-lo gentil, na verdade, por avisá-la das intenções que tem.

– Para mim, foi uma atitude de grosseria e insolência – manifestou-se a Sra. Faircloth, aproximando-se da lateral da banheira com uma toalha dobrada –, e não vou perder a oportunidade de dizer isso a ele.

– Não, não, não mencione esse assunto a ele – pediu Aline, depressa. – A senhora não deve fazer isso. É tudo um jogo. E quero me divertir com isso ao menos por um tempo...

A governanta encarou-a, espantada.

– Milady perdeu o juízo? Isso está muito longe de ser um jogo, tendo em vista sua história com McKenna. As emoções de ambos os lados são muito profundas e permaneceram enterradas por muito tempo. Não siga por esse caminho com ele, milady, se não estiver preparada para ir até o fim.

Aline permaneceu em um silêncio rebelde enquanto se levantava e deixava a Sra. Faircloth envolvê-la na grossa toalha de algodão. Ela saiu da banheira e parou enquanto a governanta se curvava para lhe secar as pernas. Quando olhou para Livia, Aline viu que a irmã mais nova se apressou a desviar o olhar, e ficou encarando fixamente a lareira como se estivesse pensando. Ela não culpou Livia por não querer olhar. Mesmo depois de tantos anos, a visão das próprias pernas nunca deixava de surpreender até mesmo Aline.

Doze anos haviam se passado desde o acidente, e ela se lembrava muito pouco do que acontecera. Tinha, no entanto, plena consciência de que só havia sobrevivido graças à Sra. Faircloth. Quando os médicos chamados de Londres disseram que nada poderia ser feito por Aline, a governanta mandou um dos lacaios buscar uma curandeira no condado vizinho. Uma bruxa curandeira, na verdade, vista com reverência e medo pelos moradores locais, que atestavam a eficácia dos seus dons.

Marcus, um cético obstinado, protestara violentamente quando a bruxa chegara – uma mulher de meia-idade, de aparência despretensiosa, carregando um pequeno caldeirão de cobre em uma das mãos e um saco cheio de ervas na outra. Como Aline estava à beira da morte na época, não tinha qualquer lembrança da curandeira, mas sempre se divertia muito com o relato de Livia sobre o episódio.

– Achei que Marcus fosse arrastar a mulher para fora de casa – contava Livia com prazer. – Ele ficou plantado diante da porta do quarto, decidido a protegê-la nas suas horas finais. A mulher caminhou direto para ele sem demonstrar o menor medo, exigindo permissão para ver você... e ela não tinha nem a metade do peso de Marcus. A Sra. Faircloth e eu havíamos passado a manhã implorando a ele que deixasse a curandeira fazer o que pudesse por você, já que achávamos que, àquela altura, não poderia lhe fazer qualquer mal. Mas ele estava sendo especialmente teimoso e fez alguns comentários terrivelmente obscenos para ela sobre cabos de vassoura.

Sabendo como o irmão mais velho era capaz de ser bastante intimidante, Aline perguntara:

– E a bruxa não teve medo dele?

– Nem um pouco. Ela disse que se ele não a deixasse entrar no seu quarto, lançaria um feitiço sobre ele.

Aline sorrira ao ouvir isso.

– Marcus não acredita em magia ou bruxaria... ele é prático demais.

– Sim, mas é um homem, ainda assim. E parece que o feitiço com o qual ela o ameaçou teria removido a...

Livia quase sufocara de tanto rir.

– A virilidade dele – conseguiu completar, ofegante pelas gargalhadas. – Enfim, a mera ideia bastou para deixar Marcus pálido, e, depois de uma negociação feroz, ele deu exatamente uma hora à bruxa para permanecer no seu quarto, e avisou que iria vigiá-la o tempo todo.

Livia havia descrito a cena que se seguiu: as velas azuis... o círculo que fora desenhado ao redor da cama de Aline com um galho de sálvia... o incenso saturando o ar com uma névoa pungente enquanto a bruxa realizava seus rituais.

Para a surpresa de todos, Aline sobrevivera à noite. Quando os lençóis cobertos de ervas que estavam sobre ela foram removidos pela manhã, suas feridas já não estavam pútridas, mas limpas, e começavam a cicatrizar. Infelizmente, as notáveis habilidades da bruxa não foram capazes de evitar a formação de cicatrizes vermelhas e grossas que iam dos tornozelos ao alto das coxas. Suas pernas eram horríveis... não havia outra palavra para descrever. Seus pés, que estavam calçados em sapatos de couro no momento do acidente, haviam sido misericordiosamente poupados de danos mais severos. No entanto, nas áreas onde grandes extensões de pele foram destruídas, o tecido cicatricial repuxara as bordas da pele remanescente, afetando o movimento dos músculos e das articulações abaixo. Nos dias em que Aline se esforçava demais fisicamente, caminhar se tornava difícil e até doloroso. Ela tomava banhos noturnos com óleos de ervas para suavizar as cicatrizes, seguidos de alongamentos suaves para tentar manter o tecido o mais flexível possível.

– E se você contasse a McKenna sobre as suas pernas? – perguntou a Sra. Faircloth, passando uma camisola branca fina pela cabeça de Aline. – Como imagina que seria a reação dele?

A camisola a envolveu, cobrindo um corpo que precisava conviver com a diferença incongruente de um torso bem torneado, de pele imaculada, unido a um par de pernas danificadas.

– McKenna não tolera nenhuma forma de fraqueza – respondeu Aline, sentando-se pesadamente em uma cadeira. – Ele teria pena de mim, e essa emoção é tão próxima do desprezo que sinto náuseas só de pensar.

– Você não tem como ter certeza disso.

– Está dizendo que McKenna não acharia essas cicatrizes repulsivas? – perguntou Aline.

Ela estremeceu ligeiramente quando a governanta começou a esfregar suas pernas com a pomada à base de ervas que aliviava a coceira nas cicatrizes. Ninguém mais, nem mesmo Livia, tinha permissão para tocá-la daquela forma.

– Você sabe que ele acharia. Qualquer um acharia – completou ela.

– Aline – disse a irmã, da cama –, um homem que ame você será capaz de ver além da aparência.

– Isso é muito lindo e cai bem em um conto de fadas – retrucou Aline. – Mas eu não acredito mais em contos de fadas.

Um silêncio desconfortável se instalou no quarto. Livia foi até a penteadeira e se sentou diante do espelho quadrado. Pegou uma escova, alisou as pontas da trança e procurou mudar de assunto.

– Vocês nunca vão adivinhar o que aconteceu comigo hoje à noite, nenhuma das duas. Fui ao jardim respirar um pouco de ar fresco e acabei chegando à fonte da sereia... Vocês sabem onde fica. De lá é possível ouvir a música do salão.

– Você deveria ter *entrado* no salão e dançado – falou Aline, mas Livia fez um gesto para que ela se calasse.

– Não, não, o que aconteceu na fonte foi muito melhor do que qualquer coisa que pudesse ter acontecido no salão. Eu estava tomando uma taça de vinho e balançando o corpo como uma maluca quando de repente vi alguém parado ali perto, me observando.

Aline riu, divertindo-se com a história.

— Eu teria gritado.

— Foi o que eu quase fiz.

— Era um homem ou uma mulher? — perguntou a Sra. Faircloth.

Livia girou o corpo no banquinho da penteadeira para sorrir para as duas.

— Um homem. Alto e lindo, com os cabelos dourados mais maravilhosos que já vi. E, antes mesmo de termos a chance de nos apresentarmos, ele me tomou nos braços e dançamos.

— Não acredito! — exclamou Aline, surpresa e encantada.

Livia envolveu o próprio corpo com os braços, empolgada.

— Sim! E descobri que meu parceiro de valsa era ninguém menos que o Sr. Shaw, que é o homem mais sofisticado que já conheci na vida. Ah, tenho certeza de que ele é um terrível libertino também... Mas que dança maravilhosa!

— Ele bebe — comentou a Sra. Faircloth com um ar sombrio, pois soubera das fofocas dos criados.

— Eu não duvido — disse Livia, balançando a cabeça, impressionada. — Há certa expressão em seus olhos, como se ele tivesse visto e feito tudo milhares de vezes e não tivesse nenhum prazer ou real interesse em nada.

— Ele parece muito diferente de Amberley — comentou Aline com cautela, preocupada ao se dar conta de que sua irmã estava bastante atraída pelo americano.

— Diferente em todos os sentidos — concordou Livia.

Ela deixou de lado a escova de prata e seu tom se suavizou quando continuou a falar, pensativa:

— Mas gostei do Sr. Shaw. Aline, você precisa descobrir tudo o que puder sobre ele e me contar...

— Não.

Aline moderou a sua recusa com um sorriso provocador, e estremeceu quando a Sra. Faircloth mexeu com gentileza em seu tornozelo, flexionando a articulação rígida.

— Se quiser saber mais sobre o Sr. Shaw, terá que sair do seu esconderijo e descobrir por si mesma.

— Não se preocupe — respondeu Livia sem rancor, e bocejou. — Talvez eu faça isso.

Ela se levantou, caminhou lentamente até onde Aline estava e deu um beijo no alto da cabeça da irmã.

– E quanto a você, minha cara, tenha cuidado com McKenna. Desconfio que ele seja muito melhor do que você nesse jogo.

– Veremos – retrucou Aline, arrancando uma risada de Livia e provocando uma expressão preocupada na Sra. Faircloth.

Capítulo 9

Depois de uma noite de danças, nenhum dos convidados em Stony Cross Park sentiu-se inclinado a acordar antes do meio-dia na manhã seguinte, com exceção de um pequeno grupo de homens que queria sair para caçar. Aline, que tomava uma xícara de chá e sorria para os madrugadores reunidos no terraço dos fundos, ficou desconcertada ao ver McKenna entre eles.

O dia estava amanhecendo e o ar se mantinha frio e denso enquanto o fraco sol inglês se esforçava inutilmente para afastar a névoa. Aline tinha se acomodado diante de uma mesa externa, com um xale de seda ao redor do vestido para o dia, de tecido fino, e tentou não olhar fixamente para McKenna. Mas era difícil esconder o fascínio que sentia. Ele tinha uma presença dinâmica, uma virilidade inerente, coisas que ela nunca vira em nenhum outro homem a não ser, talvez, no irmão. E o traje esportivo combinava perfeitamente com ele: o paletó preto destacava os ombros largos, a calça verde-escura aderia às pernas musculosas e as botas de couro preto envolvia as longas panturrilhas. Era um traje que enalteceria qualquer homem, mas em alguém tão grande como McKenna o efeito era impressionante.

Ao sentir o olhar discreto de Aline, McKenna desviou os olhos rapidamente na direção dela. Encararam-se por um instante, com interesse evidente, antes de ele se obrigar a se virar e cumprimentar um convidado que se aproximara.

Aline fixou o olhar nas profundezas âmbar da xícara de chá quente, o corpo tomado por uma tensão deliciosa. Não voltou a levantar os olhos até o irmão se aproximar para perguntar sobre a programação do dia.

– O café da manhã será servido no pavilhão à beira do lago – informou Aline.

Em visitas prolongadas como aquela, a primeira refeição do dia nunca era servida antes do meio-dia. Seria um repasto prodigioso, com uma infinidade de pratos fartos e champanhe suficiente para reviver o clima da noite da véspera. Aline tocou a mão grande e morena do irmão.

– Tenha um bom dia – desejou com animação –, e tente manter distância dos hóspedes com má pontaria.

Marcus sorriu e comentou, em voz baixa:

– Isso geralmente não é um problema com os americanos. Embora poucos saibam cavalgar decentemente, são bons atiradores.

Ainda inclinado sobre a irmã, Marcus esperou que ela o encarasse. Os olhos negros do conde se estreitaram.

– Você desapareceu com McKenna por quase meia hora ontem à noite. Para onde foi e o que fez com ele?

– Marcus – respondeu Aline com um sorriso de reprovação –, nas ocasiões em que você desapareceu com alguma convidada...e houve muitas... nunca exigi saber para onde foi nem o que fez.

– É diferente no que diz respeito a você.

Aline sentiu-se comovida com o instinto de proteção do irmão, embora também achasse graça.

– É? Por quê?

Marcus franziu a testa e seu tom era rabugento quando respondeu:

– Porque você é minha irmã.

– Não tenho nada a temer em relação a McKenna – garantiu ela. – Eu o conheço muito bem, Marcus.

– Você o conheceu quando ele era menino – retrucou o irmão. – Agora McKenna é um estranho e você não faz ideia do que ele é capaz.

– Não se intrometa, Marcus. Vou agir com McKenna da forma que eu quiser. E espero que você não tente manipular a situação como nosso pai fez anos atrás. A interferência dele me custou muito caro e, embora eu não tivesse escolha a não ser aceitá-la na época, as coisas são diferentes agora.

Marcus apoiou a mão no encosto da cadeira dela. A boca tensa traía sua preocupação.

– Aline – chamou com cautela. – O que você acha que McKenna quer de você?

A resposta estava clara para ambos. No entanto, Aline viu que o irmão ainda não entendia o que *ela* desejava.

– A mesma coisa que eu quero dele – respondeu ela.
– O que você acabou de dizer? – perguntou Marcus, encarando-a como se não a reconhecesse.

Aline suspirou e desviou os olhos para o outro lado do terraço, onde McKenna conversava com dois homens.

– Você nunca desejou poder recuperar apenas algumas horas do seu passado? – perguntou ela, baixinho. – É só isso que quero... apenas uma amostra do que poderia ter sido.

– Não, eu jamais desejaria uma coisa dessas – foi a resposta brusca de Marcus. – As palavras "poderia ter sido" não significam nada para mim. Só existem o agora e o futuro.

– Isso é porque não há limitações para o seu futuro – comentou Aline em um tom sereno. – Mas há para o meu.

Marcus cerrou o punho com força.

– Por causa de algumas cicatrizes?

A pergunta fez os olhos de Aline brilharem perigosamente.

– Você nunca viu minhas pernas, Marcus. Não sabe do que está falando. E vindo de um homem que escolhe suas mulheres entre as mais belas de Londres, como se estivesse provando bombons de diferentes latas...

– Está insinuando que sou um desses tolos, um desses homens superficiais que só dão valor a uma mulher pela aparência?

Aline se sentiu tentada a se retratar da acusação para manter a paz entre eles, mas, ao pensar nas últimas mulheres com quem Marcus havia se relacionado...

– Lamento dizer, Marcus, que as suas escolhas recentes de companhia, ao menos as últimas quatro ou cinco, tinham a inteligência de um nabo. E, sim, eram todas muito belas, mas duvido que você tenha sido capaz de ter uma conversa sensata com qualquer uma delas por mais de cinco minutos.

Marcus recuou e encarou a irmã.

– O que isso tem a ver com o que estávamos conversando?

– Bem, isso mostra que até mesmo você, um dos melhores e mais honrados homens que já conheci, dá grande importância à beleza física. Então, se algum dia eu o vir casado com uma mulher que seja menos do que absolutamente deslumbrante, talvez eu escute seus sermões sobre como a aparência não importa.

– Aline...

– Tenha uma boa caçada – desejou ela. – E lembre-se do que acabei de dizer... Não quero que você me perturbe com isso, Marcus.

O irmão soltou um longo suspiro e foi procurar o valete, que carregava seus rifles e suas bolsas de couro.

Alguns integrantes do grupo de caçada se aproximaram da mesa de Aline para trocar amabilidades, e ela sorriu e conversou com simpatia com cada um, sempre ciente da figura sombria de McKenna ao fundo. Só quando os convidados começaram a descer os degraus do terraço em grandes grupos, liderados por Marcus, McKenna foi até ela.

– Bom dia – disse Aline.

A velocidade dos seus batimentos cardíacos começava a ultrapassar rapidamente sua capacidade de pensar. Ela estendeu a mão e prendeu a respiração ao sentir o toque suave dos dedos dele. Mas, de algum modo, conseguiu encontrar o tom de voz tranquilo que usava em ocasiões sociais.

– Dormiu bem à noite?

Os olhos de McKenna cintilaram e ele continuou segurando a mão dela por um instante a mais do que o aceitável.

– Não – respondeu ele.

– Espero que os seus aposentos não sejam desconfortáveis – falou Aline, puxando a mão.

– O que você faria se eu dissesse que são?

– Eu lhe ofereceria outro quarto, é claro.

– Não se dê o trabalho... a menos que esteja disposta a oferecer o seu.

A declaração ousada quase arrancou uma risada de Aline. Ela não conseguia se lembrar quando, se é que alguma vez já acontecera, um homem falara com ela com tamanha falta de respeito. E isso lhe lembrou de tal forma o relacionamento confortável que já haviam tido que Aline notou que realmente começava a relaxar na presença dele.

– Não sou uma anfitriã *tão* atenciosa assim – disse.

McKenna se inclinou sobre à mesa e pousou as mãos no tampo encerado. Sua cabeça de cabelos escuros pairou sobre a dela, e a postura dele fez Aline pensar em um gato prestes a atacar a presa. Um predatório vislumbre de desejo iluminou as profundezas daqueles olhos turquesa.

– Qual é o veredito, milady?

Ela fingiu não entender.

– Veredito?

– Devo deixar a propriedade ou devo ficar?

Aline desenhou preguiçosamente um círculo invisível sobre a mesa com a ponta da unha bem-cuidada, sentindo o coração disparar outra vez.

– Fique, se desejar.

– E você sabe o que vai acontecer se eu ficar? – perguntou ele, em uma voz muito suave.

Aline nunca imaginara que McKenna pudesse ser tão arrogante – tampouco que ela fosse gostar tanto disso. Uma energia de desafio, de embate, vibrou entre eles. Quando respondeu, seu tom era tão suave quanto o dele.

– Não quero desapontá-lo, McKenna, mas tenho plena confiança em minha capacidade de resistir aos seus avanços.

Ele parecia hipnotizado por tudo que via no rosto dela.

– Tem mesmo?

– Com certeza. Sua proposta não foi a primeira que recebi. E, correndo o risco de soar um tanto presunçosa, suponho que não será a última.

Aline finalmente se permitiu sorrir para ele como queria, um sorriso largo, provocante e zombeteiro.

– Portanto, pode ficar e tentar o seu melhor. Espero muito poder desfrutar de seus esforços. E é bom que saiba que eu aprecio certa dose de sutileza.

Ele fixou os olhos nos lábios sorridentes dela. Embora McKenna não tenha demonstrado qualquer reação à declaração atrevida, Aline notou que ele ficara bastante espantado. Sentia-se um pouco como uma alma condenada que fora direto a Lúcifer e o acertara com um soco brincalhão no queixo.

– Sutileza – repetiu ele, os olhos agora fixos nos dela.

– Ora, sim. Serenatas, flores e poesia.

– Que tipo de poesia?

– Do tipo que seja de sua autoria, é claro.

O sorriso preguiçoso que curvou os lábios dele fez arrepios de prazer percorrerem todo o corpo dela.

– Sandridge escreve poesia para você?

– Ouso dizer que ele seria capaz.

Adam era sagaz com as palavras... sem dúvida, poderia executar uma tarefa como aquela com grande estilo e inteligência.

– Mas você não pediu a ele que fizesse – murmurou McKenna.

Aline balançou a cabeça, negando, bem devagar.

– Nunca dei muita atenção à sutileza – disse McKenna.

– Mesmo quando se trata de sedução? – perguntou ela, arqueando as sobrancelhas.

– As mulheres que levo para a cama geralmente não exigem sedução.

Ela apoiou o queixo na mão e ficou olhando fixamente para ele.

– Você quer dizer que elas simplesmente se entregam?

– Exatamente – disse ele, fitando-a com uma expressão indecifrável. – E, a maioria, são mulheres da classe alta.

Ele fez uma breve reverência, então, e saiu com o grupo que ia caçar.

Aline se esforçou para manter a respiração sob controle e permaneceu sentada até que sua pulsação se acalmasse. Tornara-se claro para ambos que o jogo tinha dois jogadores empenhados... Era um jogo sem regras e sem resultados claros, e perdas potencialmente devastadoras para ambos os lados. E, por mais que Aline temesse por si mesma, temia ainda mais por McKenna, cujo conhecimento do passado estava cheio de lacunas importantes e perigosas. Precisava deixar que ele continuasse pensando o pior dela... Tomar o que quisesse dela e, por fim, deixar Stony Cross com seu senso de vingança apaziguado.

Depois de despachar o grupo de tiro, Aline teve tempo para relaxar com uma xícara de chá no salão de café da manhã. Ainda com a mente ocupada por McKenna, quase esbarrou em alguém que saía da casa ao mesmo tempo. O homem estendeu a mão para firmá-la e a segurou pelos cotovelos até ter certeza de que ela recuperara o equilíbrio.

– Perdão. Eu estava com um pouco de pressa, para não perder o grupo.

– Eles acabaram de sair – disse Aline. – Bom dia, Sr. Shaw.

Com os cabelos dourados, a pele ligeiramente bronzeada e olhos da cor de safira, Gideon Shaw era um homem deslumbrante. Portava-se com a despreocupação elegante que só poderia ser fruto de um berço de ilimitada fortuna. As linhas tênues que o cinismo havia esculpido ao redor de seus olhos e da boca só serviam para realçar a bela aparência, dando um toque experiente e muito bem-vindo à beleza dourada. Shaw era um homem alto e bem torneado, embora seu tamanho não se aproximasse da constituição física de guerreiro de McKenna.

– Se descer a escada à esquerda e seguir pela trilha para a floresta, conseguirá alcançá-los – instruiu Aline.

O sorriso de Shaw foi como um raio de sol atravessando um céu nublado.

– Obrigado, milady. É meu tormento particular apreciar esportes que só podem acontecer de manhã cedo.

– Presumo que também goste de pescar?

– Ah, sim.

– Algum dia acompanhe meu irmão até o nosso riacho de trutas, então.

– Talvez eu faça isso... embora seja possível que eu não esteja à altura do desafio. As trutas inglesas são muito mais astutas do que as americanas.

– O mesmo pode ser dito dos empresários ingleses? – perguntou Aline, os olhos cintilando.

– Para meu alívio, não.

Shaw fez uma leve reverência, já pronto para se afastar, então parou quando um pensamento lhe ocorreu.

– Milady, tenho uma pergunta...

Por algum motivo, Aline sabia exatamente o que ele estava prestes a perguntar. Foi necessária uma habilidade considerável de atuação para manter uma expressão inocente.

– Sim, Sr. Shaw?

– Ontem à noite, enquanto caminhava pelos jardins dos fundos, acabei esbarrando com uma jovem...

Ele fez uma pausa, obviamente avaliando quanto do encontro deveria descrever.

– Essa jovem não lhe disse como se chamava? – perguntou Aline, em um tom inocente.

– Não.

– Era uma das convidadas? Não? Ora, então provavelmente era uma criada.

– Creio que não.

Shaw franziu ligeiramente a testa em uma expressão de concentração e continuou:

– Ela tem o cabelo castanho-claro e olhos verdes... ao menos, acho que são verdes... É de baixa estatura, talvez apenas alguns centímetros mais alta do que a senhorita.

Aline deu de ombros, como se lamentasse não poder ajudar. Embora fosse ter prazer em fazer a vontade do convidado e lhe dizer o nome da irmã, não tinha certeza se Livia já estava disposta a permitir que Shaw soubesse quem ela era.

– No momento, não consigo pensar em ninguém na propriedade que corresponda a essa descrição, Sr. Shaw. Tem certeza de que ela não foi fruto da sua imaginação?

Ele balançou a cabeça, os cílios escuros pairando sobre os belos olhos azuis, enquanto parecia analisar um problema de grande magnitude.

– Não, ela era real. E eu preciso... Quer dizer, eu gostaria muito de... encontrá-la.

– Ora, vejo que essa mulher parece tê-lo impressionado muito.

Um sorriso zombeteiro curvou os cantos dos lábios de Shaw, e ele passou a mão pelo cabelo brilhoso, despenteando distraidamente as mechas em tons de âmbar.

– Conhecê-la foi como respirar fundo pela primeira vez em anos – respondeu Shaw, sem encontrar exatamente o olhar de Aline.

– Eu entendo.

A sinceridade inconfundível na voz dela pareceu atrair a atenção dele. Shaw sorriu subitamente e murmurou:

– Vejo que sim.

Aline sentiu uma onda de afeto pelo homem, e fez um gesto na direção do grupo que se afastava.

– Se o senhor se apressar, ainda consegue alcançá-los.

Shaw deu uma risadinha.

– Milady, não há nada nessa vida que eu deseje tanto a ponto de ter que correr atrás.

– Ótimo – disse Aline, satisfeita. – Então o senhor pode tomar um café da manhã cedo comigo em vez disso. Vou pedir que o sirvam aqui.

Como o convidado pareceu mais do que satisfeito com a ideia, Aline pediu a um criado que servisse o café da manhã para dois à mesa. Uma cesta fumegante de *scones* e pãezinhos doces surgiu rapidamente, junto a pratos de ovos mexidos, cogumelos assados e fatias finas de perdiz assada. Embora Shaw aparentemente gostasse da perspectiva de tomar o café da manhã, parecia muito mais entusiasmado com a possibilidade de dispor de um bule de café forte, que bebeu como se fosse o antídoto para algum veneno ingerido recentemente.

Aline se recostou na cadeira, colocou um pedaço de *scone* amanteigado na boca e lhe lançou um olhar sedutor de curiosidade – o olhar que sempre conseguia arrancar a informação que ela queria de um homem.

– Sr. Shaw – chamou, e tomou um gole de chá bem doce –, há quantos anos conhece McKenna?

A pergunta não pareceu surpreender Shaw. Depois de tomar duas xícaras de café mal fazendo uma pausa para respirar, ele se dedicou a tomar uma terceira em um ritmo mais lento.

– Cerca de oito anos – respondeu ele.

– McKenna me contou que vocês se conheceram quando ele ainda era barqueiro... que o senhor era passageiro do barco dele.

Os lábios de Shaw se curvaram em um sorriso peculiar.

– Foi isso que ele lhe disse?

Ela inclinou a cabeça para o lado, fitando-o atentamente.

– Não é verdade?

– McKenna tende a omitir certos detalhes com a intenção de proteger a minha reputação. Na verdade, ele se preocupa muito mais com ela do que eu.

Aline mexeu com cuidado o açúcar que acrescentara ao chá.

– Por que o senhor decidiu se tornar sócio de um simples barqueiro? – perguntou ela, em um tom propositalmente relaxado.

Gideon Shaw demorou um longo tempo para responder. Pousou a xícara quase vazia e encarou Aline fixamente.

– Para começar, McKenna salvou a minha vida.

Aline não se moveu, nem disse nada, antes que ele continuasse.

– Eu estava vagando pela beira d'água, completamente bêbado. Ainda hoje não consigo me lembrar de como cheguei até ali, nem por quê. Às vezes, quando bebo, tenho episódios de perda de memória e não consigo me lembrar do que aconteceu por horas ou mesmo dias.

Seu sorriso sombrio fez com que Aline sentisse um arrepio frio descer até a medula.

– Eu tropecei e caí na água, em um ponto distante o bastante ao longo do cais para que ninguém me visse, ainda mais naquele clima inclemente. McKenna por acaso estava voltando de Staten Island com a balsa, e pulou no mar gelado para me resgatar... No meio de uma tempestade em formação, nada menos que isso.

– Que sorte a sua.

Aline sentiu a garganta apertada ao pensar no risco que McKenna correra por um completo estranho.

– Como McKenna não tinha meios de me identificar – continuou Shaw –, e eu estava inconsciente, ele me levou para o quarto que alugava em um cortiço. Um dia e meio depois, eu me vi em um quarto que mais parecia um buraco de rato, sendo acordado por um barqueiro gigantesco e irado.

À medida que ia se lembrando, um sorriso se abria em seus lábios.

– Como pode imaginar, eu estava em péssimo estado. A minha cabeça parecia ter sido aberta a golpes de machado. Depois que McKenna me trouxe algo para comer e beber, me senti lúcido o bastante para dizer o meu nome. Enquanto conversávamos, percebi que, apesar da aparência rude, meu salvador estava surpreendentemente bem informado. Ele sabia de muitas coisas por meio dos passageiros que transportava de um lado para outro, principalmente a respeito do mercado imobiliário de Manhattan. E sabia até a respeito de um terreno que minha família havia comprado com um contrato de arrendamento de longo prazo e onde nunca construíra nada, então teve os co... perdão, a audácia... de me propor um acordo.

Aline sorriu ao ouvir aquilo.

– Qual era o acordo, Sr. Shaw?

– Ele queria subdividir o terreno em uma série de lotes e negociá-los como arrendamentos de curto prazo. E, é claro, queria dez por cento de tudo o que pudesse conseguir por eles.

Shaw se inclinou para trás e pousou os dedos entrelaçados na barriga.

– Eu pensei: *Por que não?* Ninguém na minha família se dera o trabalho de fazer nada com aquele terreno... Nós, a terceira geração de Shaws, temos a reputação de ser um bando de inúteis, sempre em busca de prazeres fúteis. E ali estava aquele estranho, transbordando de ambição e de uma intensidade primitiva, obviamente disposto a fazer qualquer coisa para ganhar dinheiro. Então dei a ele tudo o que eu tinha na carteira, cerca de cinquenta dólares, e lhe disse para comprar um terno novo, cortar o cabelo e se barbear, e aparecer no meu escritório no dia seguinte.

– E McKenna se saiu bem – afirmou Aline em vez de perguntar.

Shaw assentiu.

– Em seis meses, ele havia conseguido alugar cada centímetro quadrado daquele terreno. Então, sem pedir permissão, usou o lucro para comprar hectares de um terreno de costa submersa, na área abaixo da Canal Street. Aquilo me deixou bastante tenso, ainda mais depois que comecei a ouvir as piadas que circulavam sobre os "lotes subaquáticos" de Shaw e McKenna que estavam à venda...

Uma risadinha escapou de seus lábios diante da lembrança.

– Obviamente, questionei a sanidade dele. Mas, àquela altura, não havia nada que eu pudesse fazer a não ser esperar enquanto McKenna cuidava para que a área submersa fosse aterrada com pedras e terra. Em seguida, ele construiu cortiços e uma série de armazéns, propriedades comerciais valiosas. No fim, McKenna havia transformado um investimento de cento e cinquenta mil dólares em um empreendimento que rende aproximadamente um milhão de dólares por ano.

Falados de forma tão casual, os números deixaram Aline atordoada.

Ao ver os olhos arregalados dela, Shaw riu baixinho.

– Não é de surpreender que McKenna tenha se tornado um convidado muito requisitado em Nova York, para não dizer um dos solteiros mais cobiçados da cidade.

– Suponho que suas atenções sejam encorajadas por muitas mulheres – comentou Aline, tentando manter o tom despreocupado.

– McKenna precisa espantá-las como se fossem moscas – respondeu Shaw com um sorriso malicioso. – Mas eu não diria que tem fama de mulherengo. Houve mulheres... mas, pelo que sei, nenhuma por quem tenha se interessado seriamente. Ele direcionou a maior parte de suas energias para o trabalho.

– E quanto ao senhor? – perguntou ela. – Seu afeto está comprometido com alguém no seu país?

Shaw balançou a cabeça imediatamente.

– Lamento, mas acho que compartilho a visão bastante cética de McKenna sobre os benefícios do casamento.

– Acho que o senhor vai acabar se apaixonando algum dia.

– Duvido. Temo que essa emoção seja desconhecida por mim...

De repente, ele ficou em silêncio e pousou a xícara. E pôs-se a olhar à distância com uma súbita expressão de alerta.

– Sr. Shaw?

Aline seguiu o olhar do convidado e se deu conta do que ele tinha visto: Livia, usando um vestido de caminhada com estampa floral, em tons pastéis, enquanto se dirigia a uma das trilhas do bosque que saíam da mansão. Ela segurava um chapéu de palha adornado com um ramo de margaridas frescas e o balançava entre os dedos ao caminhar.

Gideon Shaw se levantou tão depressa que a cadeira quase tombou.

– Perdão – disse a Aline, jogando o guardanapo na mesa. – É que o fruto da minha imaginação acaba de reaparecer... e vou correr atrás dela.

– É claro – concordou Aline, contendo o riso. – Boa sorte, Sr. Shaw.
– Obrigado.

Ele desapareceu em um piscar de olhos, descendo por um dos lados da escada de pedra em forma de U com a destreza de um gato. Assim que alcançou os terraços dos jardins, atravessou o gramado a passos largos, quase correndo.

Aline se levantou para acompanhar melhor o progresso do americano, e não conseguiu conter um sorriso zombeteiro.

– Ora, ora, Sr. Shaw... E eu aqui achando que não havia nada na vida que o senhor desejasse tanto a ponto de ter que correr atrás.

Capítulo 10

Todas as noites, desde que Amberley morrera, Livia adormecera com imagens dele passando por sua mente. Até a noite da véspera.

Parecia estranho estar pensando em outro que não fosse Amberley, ainda mais um homem tão diferente. Quando se lembrava do rosto fino de Gideon Shaw e do cabelo dourado, da gentileza experiente em seu toque, Livia se sentia culpada, intrigada e inquieta. Sim, eram sensações muito diversas das que Amberley lhe causava.

O noivo não fora um homem complicado. Não havia camadas sombrias nele, nada que o impedisse de dar e receber amor com facilidade. Amberley vinha de uma família de pessoas agradáveis, prósperas, mas nunca arrogantes, e escrupulosamente conscientes de seus deveres para com os menos afortunados. Amberley fora um homem extremamente atraente, com olhos castanho-escuros e cabelos brilhosos, também castanhos, que ele penteava de um modo charmoso, com uma mecha caindo na testa. Era magro e esbelto, adorava esportes, caçadas e longas caminhadas.

Não era de admirar que os dois tivessem se apaixonado; era óbvio para todos que eles combinavam perfeitamente. Amberley trouxera à tona um lado da natureza de Livia de que ela nunca se dera conta. Nos braços do noivo, Livia se tornara uma mulher desinibida. Ela se deleitara fazendo amor com ele, e se dispusera a experimentar tudo, em qualquer lugar, com um abandono apaixonado.

Livia estava sozinha havia muito tempo, desde que Amberley se fora. A mãe a havia aconselhado a se empenhar em encontrar um marido o mais rápido possível, antes que os últimos vestígios da juventude a deixassem. Livia não discordava. Sentia-se solitária, e ansiava pelo conforto e pelo prazer de estar nos braços de um homem. Por algum motivo, no entanto, não conseguia agir em relação a isso... Só lhe restava esperar por alguém ou por alguma coisa que a libertasse das correntes invisíveis que a prendiam.

Ela caminhava sem pressa pela floresta de carvalhos e aveleiras, que estava estranhamente escura para o amanhecer, o céu ainda encoberto por uma névoa cinza-prata. Quando se viu diante de uma trilha para montarias, seguiu por ela até uma pista afundada, parando de vez em quando para chutar uma pedra com a ponta do sapato de couro. Uma brisa agitou o ar, trazendo um farfalhar distante da floresta e fazendo com que um pássaro solitário piasse, indignado.

Livia não se deu conta de que alguém a seguia pelo oco até ouvir pisadas firmes atrás de si. Quando se virou, viu a figura alta de um homem se aproximando. Ele caminhava com uma facilidade fluida que fazia com que os trajes esportivos parecessem tão elegantes quanto roupas formais. Livia respirou fundo ao se dar conta de que Gideon Shaw a havia encontrado.

Por mais espetacular que tivesse parecido sob a luz do luar, Shaw era ainda mais deslumbrante durante o dia, com o cabelo curto reluzindo como ouro velho, o belo semblante extremamente masculino, o nariz estreito e longo, as maçãs do rosto salientes, os olhos de um azul impressionante.

Por alguma razão, Shaw parou quando os olhares dos dois se encontraram, como se ele tivesse batido em uma parede invisível. Ficaram se encarando a uma distância de cerca de cinco metros e Livia sentiu um ardor de anseio. A expressão no rosto dele era peculiar... o interesse lutando contra o desencanto... a fascinação relutante de um homem que estava se esforçando muito para não querê-la.

– Bom dia, senhor.

O som da voz dela pareceu despertá-lo. Shaw se adiantou lentamente, como se temesse que um movimento repentino pudesse assustá-la e afugentá-la.

– Sonhei com você ontem à noite – disse ele.

A declaração foi um início de conversa um tanto alarmante, mas Livia sorriu mesmo assim.

– Ah, é? E como foi o sonho? – perguntou ela, inclinando a cabeça enquanto o fitava. – Ou essa é uma pergunta perigosa?

O vento fez com que uma mecha de cabelo caísse na testa dele.

– Sem dúvida, é uma pergunta perigosa.

Livia percebeu que estava flertando, mas não conseguiu evitar.

– Veio caminhar comigo, Sr. Shaw?

– Se não tiver objeções à minha companhia.

– Eu só faria objeção à sua ausência – declarou Livia, apreciando o sorriso súbito e fácil que se abriu no rosto dele.

Ela fez um gesto indicando que Shaw caminhasse a seu lado, se virou e continuou ao longo do caminho em direção ao jardim próximo à guarita, na entrada da propriedade.

Shaw foi caminhando ao lado dela, esmagando os galhos e folhas caídos na trilha com as botas de couro marrom. Ele enfiou as mãos nos bolsos do paletó de tweed e olhou de soslaio para o perfil de Livia enquanto seguiam adiante.

– Quero que saiba – disse ele casualmente – que não vou deixar que se afaste de mim de novo sem me dizer quem você é.

– Prefiro permanecer como um mistério.

– Por quê?

Livia foi sincera.

– Porque me envolvi em um escândalo no passado, e agora é terrivelmente estranho para mim frequentar a sociedade.

– Que tipo de escândalo?

O tom sarcástico de Shaw deixou claro que ele imaginava que fosse uma transgressão leve.

– Esteve em algum lugar desacompanhada, suponho – disse ele. – Ou deixou que alguém lhe roubasse um beijo em público.

Livia balançou a cabeça com um sorriso irônico.

– Obviamente o senhor não faz ideia de como nós, jovens damas, somos capazes de nos comportar mal.

– Eu adoraria que me esclarecesse.

Diante do silêncio de Livia, Shaw abandonou o assunto e fixou os olhos no jardim informal e exuberante. Longas faixas de madressilva subiam pela cerca, seu perfume deixando o ar carregado e doce. Borboletas dançavam em meio a papoulas e peônias de cores intensas. Mais além de um canteiro com cenouras, alface e rabanetes, um arco coberto de rosas levava a uma pequena estufa que ficava à sombra de um sicômoro na forma de sombrinha.

– É um belo lugar – comentou Shaw.

Balançando o chapéu de palha, Livia conduziu Shaw até a estufa, um recanto aconchegante que não era grande o bastante para abrigar mais de duas pessoas.

– Quando eu era pequena, costumava me sentar nesta estufa com os meus livros e bonecas e fingir que era uma princesa em uma torre.

– Você cresceu em Stony Cross Park, então – deduziu ele.

Livia abriu a porta da estufa e olhou para dentro. Estava limpa e bem-conservada, o banco de madeira reluzindo graças a um polimento recente.

– Sou irmã de lorde Westcliff – admitiu ela finalmente, a voz ressoando dentro da estufa envidraçada. – Sou lady Olivia Marsden.

Shaw estava parado atrás dela, bem próximo, mas sem tocá-la. A força da presença dele a perturbou tanto que Livia se viu obrigada a entrar na estufa. Shaw permaneceu na porta, preenchendo a passagem com o corpo esguio, de ombros largos. Quando Livia se virou para encará-lo, ficou impressionada com as diferenças entre ele e Amberley. Shaw era pelo menos dez anos mais velho do que o finado noivo. Um homem poderoso e cosmopolita, sem qualquer ilusão em relação à vida, com ruguinhas de cinismo marcando a lateral dos olhos. Mas, quando ele sorria, todo o cinismo era temporariamente deixado de lado e sua imagem era tão atraente que Livia sentiu o coração errar as batidas.

– Lady Aline mencionou que tinha uma irmã – disse Shaw. – No entanto, tive a impressão de que você não morasse na propriedade.

– Eu moro aqui em Stony Cross Park, sim, mas me mantenho recolhida. O escândalo, entende?

– Receio que não.

Os cantos da boca de Shaw se ergueram em um sorriso relaxado.

– Por favor, me diga, Princesa Olivia... por que precisa ficar em sua torre?

A pergunta fez Livia derreter por dentro. Ela riu, hesitante, desejando por um momento ter coragem para confiar nele. O hábito da independência, no entanto, estava arraigado demais. Livia balançou a cabeça e se aproximou, esperando que Shaw se afastasse da porta para lhe dar passagem. Ele recuou apenas meio passo, mantendo as mãos nas beiradas da porta de forma que ela não conseguiu evitar se ver dentro de um abraço. As fitas do chapéu escorregaram dos seus dedos.

– Sr. Shaw... – balbuciou Livia, mas cometeu o erro de olhar para ele.

– Gideon – sussurrou ele. – Quero conhecer seus segredos, Olivia.

Um meio-sorriso amargo surgiu nos lábios dela.

– Você vai ouvi-los mais cedo ou mais tarde, por outras pessoas.

– Não. Quero ouvi-los de você.

Quando Livia começou a recuar para dentro da estufa, Shaw segurou com destreza o cinto estreito do vestido de caminhada dela, enfiando os dedos longos por baixo do tecido reforçado.

Impedida de continuar recuando, Livia pousou a mão sobre a dele enquanto um rubor profundo coloria seu rosto. Ela sabia que Shaw estava brincando com ela, e que em outra época da sua vida teria sido capaz de lidar com uma situação como aquela com relativa facilidade. Mas não mais.

Quando ela falou, sua voz saiu rouca.

– Não posso fazer isso, Sr. Shaw.

Para seu espanto, ele pareceu compreender exatamente o que ela quis dizer.

– Você não precisa fazer nada – disse ele baixinho. – Só me deixe chegar mais perto... e fique exatamente onde está...

Shaw inclinou a cabeça e encontrou a boca de Livia com facilidade.

A pressão sedutora dos lábios dele a fez oscilar, zonza, e Shaw segurou-a com firmeza contra si. Estava sendo beijada por Gideon Shaw, o patife autocomplacente e libertino sobre o qual o irmão a advertira. E... ah, ele era bom naquilo. Livia pensara que nada jamais seria tão prazeroso quanto os beijos de Amberley... mas a boca de Shaw era quente e paciente, e havia algo perversamente erótico em sua absoluta falta de urgência. Ele a provocou suavemente, separando seus lábios, a ponta da língua mal roçando a dela antes de recuar.

Ansiando por mais daquelas carícias, Livia colou o corpo ao dele, a respiração acelerada. Shaw alimentava o desejo dela com uma habilidade tão sutil que Livia se viu totalmente indefesa contra o que sentia. Para sua surpresa, passou os braços ao redor do pescoço dele e pressionou os seios contra o peito rígido. Shaw, por sua vez, levou a mão à nuca de Livia e inclinou a cabeça dela para trás, para expor mais o pescoço. Ainda com movimentos gentis e controlados, ele beijou a pele frágil da nuca, abrindo caminho até a cavidade na base do pescoço. Livia sentiu a língua dele explorar a pele quente do recôncavo e deixou escapar um gemido de prazer.

Shaw ergueu a cabeça para acariciar a lateral do rosto dela enquanto deslizava vagarosamente as mãos por suas costas. Os hálitos de ambos se misturaram em arquejos rápidos e ardentes, e o peito firme dele moveu-se contra o dela em um ritmo errático.

– Meu Deus... – disse Shaw finalmente. – Você é um perigo.

Livia sorriu.

– Não, *você* é um perigo – devolveu ela, pouco antes de Shaw voltar a beijá-la.

⁓

O saldo da manhã fora respeitável, consistindo em pelo menos vinte tetrazes e meia dúzia de galinholas. As mulheres se juntaram aos caçadores para um farto desjejum à beira do lago, e todos conversaram e riram preguiçosamente enquanto os criados enchiam pratos e copos. Depois, separaram-se em grupos menores, alguns saindo para passeios de carruagem ou caminhadas pela propriedade, outros se retirando para dentro de casa a fim de colocar a correspondência em dia ou jogar cartas.

Quando Aline viu a quantidade considerável de comida não consumida que tinha sido levada de volta para a cozinha, pediu a ajuda de duas criadas e colocou tudo em jarros e cestos, a serem distribuídos entre os moradores de Stony Cross. Assumindo o papel de senhora da propriedade na ausência da mãe, Aline estava sempre atenta, visitando as famílias que precisavam de um pouco mais de comida e suprimentos domésticos. Era uma obrigação que nem sempre a agradava, pois essas visitas ocupavam um dia inteiro ou mais a cada semana. Ela ia de casa em casa, sentava-se diante de uma infinidade de lareiras, ouvia reclamações com atenção e dava conselhos quando necessário. Aline temia não ter a sabedoria e o estoicismo que essas visitas exigiam. Por outro lado, testemunhar a precariedade da vida dos arrendatários e seu trabalho duro sempre a deixava abatida.

Nos últimos meses, Aline muitas vezes conseguira persuadir Livia a acompanhá-la até o vilarejo, e a presença da irmã sempre fazia o dia passar bem mais rápido. Infelizmente, não encontrou Livia em lugar nenhum naquela tarde. Preocupada, Aline supôs que a irmã ainda estivesse na companhia do Sr. Shaw, que também estava ausente. Com certeza não – Livia não passava tanto tempo com um homem havia anos. Por outro lado, era bem possível que Shaw tivesse conseguido tirá-la de sua concha.

Mas aquilo era bom ou ruim? Aline ponderou em silêncio. Seria típico de Livia, sempre do contra, concentrar suas atenções em um libertino sem moral em vez de se interessar por um cavalheiro honesto. Aline deu um sorriso melancólico, ergueu nos braços uma cesta pesada e seguiu em direção à carruagem. Os pratos tilintaram na cesta enquanto o aroma salgado do presunto e a rica fragrância de uma caçarola de ovos chegava às suas narinas.

– Ah, milady – disse uma criada que saía da cozinha. – Por favor, me permita tirar essa cesta das suas mãos!

Aline olhou por cima do ombro e sorriu ao ver que a jovem criada já carregava duas cestas pesadas.

– Eu consigo dar conta, Gwen – respondeu ela, bufando baixinho enquanto subia um pequeno lance de escada.

Um repuxão forte em uma contratura cicatricial enrijeceu seu joelho direito. Aline cerrou os dentes e forçou a perna a se esticar em toda a sua amplitude.

– Milady – insistiu Gwen –, se pousar a cesta, eu voltarei para pegá-la e...

– Não há necessidade. Quero colocar tudo na carruagem e partir logo, pois já estou atrasada para...

Aline se interrompeu de repente ao ver McKenna de pé perto da entrada do salão dos criados. Ele conversava com uma criada risonha, o ombro apoiado casualmente na parede. Ao que parecia, a sua habilidade de encantar as mulheres não diminuíra... Ele sorria para a criada ruiva e estendeu a mão para dar uma palmadinha brincalhona em seu queixo.

Embora Aline não emitisse nenhum som, algo deve ter alertado McKenna de sua presença. Ele olhou na direção dela, a expressão tornando-se cautelosa.

A criada desapareceu na mesma hora, e McKenna continuou a olhar fixamente para Aline.

Ela lembrou a si mesma que não tinha o direito de se sentir possessiva em relação a ele. Afinal, não era mais uma jovem de 19 anos apaixonada por um cavalariço. No entanto, não conseguiu evitar uma onda ardente de raiva ao perceber que não era a única sujeita ao poder de sedução de McKenna. Com o rosto tenso, Aline continuou a caminhar em direção ao saguão de entrada.

– Pode ir – murmurou para Gwen, que seguiu obedientemente à sua frente.

McKenna alcançou Aline em poucos passos. A expressão no rosto sombrio era indecifrável quando ele estendeu a mão para a cesta.

– Deixe que eu levo isso.

Aline afastou a cesta da mão dele.

– Não, obrigada.

– Você está mancando.

A observação dele fez o estômago de Aline repuxar em sinal de alerta.

– Torci o tornozelo na escada – disse ela brevemente, e resistiu quando McKenna puxou a cesta da mão dela.

– Solte. Não preciso da sua ajuda.

Ignorando a ordem, McKenna tomou a cesta com facilidade. Com a testa franzida, ele olhava fixamente para Aline.

– Peça à Sra. Faircloth que enfaixe seu tornozelo antes que piore.

– Já está melhor – retrucou Aline, exasperada. – Vá encontrar outra pessoa para perturbar, McKenna. Tenho certeza de que há muitas mulheres com quem deseja flertar hoje.

– Minha conversa com a jovem não tinha nada a ver com flerte.

Aline respondeu com um olhar expressivo, erguendo as sobrancelhas em uma expressão zombeteira.

– Não acredita em mim? – perguntou McKenna.

– Na verdade, não. Acho que ela é a sua segunda opção, caso você não consiga me levar para a cama.

– Em primeiro lugar, não tenho intenção de levar criada alguma para a cama. Eu só estava tentando obter algumas informações. Em segundo lugar, não preciso de uma segunda opção.

A arrogância daquela declaração bastou para deixar Aline sem fala. Ela nunca havia conhecido um homem tão abominavelmente seguro de si – o que era uma sorte, já que não havia espaço suficiente no mundo civilizado para acomodar mais do que alguns homens como McKenna. Quando achou que já era capaz de falar sem gaguejar, Aline finalmente perguntou em uma voz irritada:

– E que informações uma criada teria que pudessem interessar a você?

– Descobri que ela trabalhava aqui na época da sua doença misteriosa. Estava tentando fazer com que a moça me contasse alguma coisa a respeito.

Aline fixou os olhos no nó da gravata dele, sentindo todo o corpo ficar tenso.

– E o que ela lhe disse?

– Nada. Parece que ela e todos os criados estão determinados a guardar os seus segredos.

A resposta fez com que Aline sentisse um profundo alívio. Ela estava ligeiramente mais relaxada quando falou:

– Não há segredo a descobrir. Eu tive uma febre. Algo que às vezes acontece sem motivo aparente e abate profundamente a pessoa. Acabei me recuperando depois de algum tempo, foi isso.

Ele a encarou com firmeza antes de dizer:

– Não acredito.

A expressão dele não era familiar a Aline, mas seu significado era claro.

– Obviamente você vai acreditar no que quiser – retrucou ela. – Não posso fazer mais do que lhe dizer a verdade.

McKenna ergueu uma sobrancelha diante daquele tom de dignidade ofendida.

– Como descobri no passado, milady usa a verdade de forma irresponsável quando lhe convém.

Aline franziu a testa diante da própria incapacidade de defender suas ações passadas sem ter que contar a McKenna muito mais do que gostaria que ele soubesse.

Antes que ela pudesse dizer qualquer coisa, McKenna a surpreendeu puxando-a para o lado da passagem estreita. Ele pousou a cesta no chão e endireitou o corpo para encará-la. Aline sentiu uma urgência erótica percorrer seu corpo ao se ver parada naquele espaço estreito com McKenna. Ela se encolheu para se afastar um pouco, e sentiu os ombros tocarem a parede.

McKenna estava perto o bastante para que ela pudesse ver a textura da barba feita, uma sombra que realçava a beleza máscula e morena. Ele manteve os lábios fortemente cerrados até rugas de tensão se formarem nos cantos da boca. Aline sentiu vontade de beijá-las, suavizá-las com a língua, saborear os cantos dos lábios dele... Aflita, afastou aqueles pensamentos e baixou o rosto para não olhar para a boca de McKenna.

– Não faz sentido que você tenha permanecido solteira – disse ele em voz baixa, irritado. – Quero saber o que aconteceu tantos anos atrás e por que está sozinha. Qual é o problema com os homens de Hampshire? Por que nenhum deles a reivindicou para si? Ou o problema é com você?

Aquilo estava tão perto da verdade que Aline sentiu um arrepio de inquietação.

– Ora, essa é uma mostra das suas habilidades de sedução, McKenna? – perguntou ela secamente. – Encurralar uma dama na passagem dos criados e submetê-la a um interrogatório?

Aquilo provocou um súbito sorriso em McKenna, e, em uma fração de segundo, a frustração e a confusão desapareceram da expressão dele.

– Não – admitiu McKenna. – Sou capaz de fazer melhor do que isso.

– Seria de esperar que sim.

Aline tentou passar, mas McKenna deu um passo à frente e seu peso sólido a fez recuar ainda mais contra a parede, até não haver mais para onde ir. Aline arquejou ao sentir o corpo dele, a coxa musculosa entre as dela, o hálito morno contra sua orelha. McKenna não tentou beijá-la, apenas continuou envolvendo-a com cuidado, como se seu corpo estivesse absorvendo cada detalhe do dela.

– Me deixe passar – pediu Aline, em uma voz rouca.

Ele pareceu não ouvi-la.

– Sentir você... – murmurou.

Aline estava extremamente consciente da sensação do corpo preso entre uma parede dura e fria e o homem quente e firme que a abraçava. O corpo de McKenna era diferente do que ela se lembrava – já não havia mais os braços e pernas delgados e desajeitados. Ele se tornara maior, mais pesado, carregado da força de um homem no auge de seu vigor. McKenna não era mais o rapaz cativante de quem Aline se lembrava... Tornara-se uma pessoa completamente diferente. Um homem poderoso e implacável, com um corpo à altura. Fascinada pelas diferenças, Aline não pôde evitar deslizar as mãos por baixo do paletó dele. Seus dedos correram pelos músculos fortes do peito, pela curva firme das costelas. McKenna permaneceu imóvel, controlando-se com tamanha disciplina que um tremor de esforço percorreu seus membros.

– Por que *você* ainda está sozinho? – perguntou Aline em um sussurro.

Ela se deixou envolver pelo cheiro dele, um aroma salgado, aquecido de sol, que fazia seu coração bater tão forte que era quase desconfortável.

– Já deveria ter se casado – acrescentou ela.

– Nunca conheci uma mulher que me interessasse a tal ponto – murmurou ele em resposta, enrijecendo quando as mãos dela percorreram as laterais da sua cintura. – Estar acorrentado aos votos matrimoniais me levaria a...

Ele se interrompeu e começou a ofegar como um cavalo de corrida enquanto Aline acariciava seu abdômen tenso com o dorso dos dedos.

Aline estava se deleitando com aquela súbita sensação de poder misturada a um desejo abrasador, e prolongou o momento, deixando McKenna imaginar se ela ousaria tocá-lo da maneira que ele tão obviamente ansiava. Ele estava tão absurdamente excitado que o calor parecia emanar de seu corpo em ondas. Aline daria tudo para sentir aquela forma masculina esguia sob as camadas de algodão e lã fina. Quase incapaz de acreditar na própria imprudência e ousadia, ela deslizou os dedos pelo tecido da calça dele até dobrá-los delicadamente ao redor do volume saliente do membro rígido. Um choque de prazer atravessou o corpo dela e a palma da sua mão vibrou em contato com a carne dura e tensa. Lembranças do êxtase físico provocaram arrepios em seu corpo faminto por sensações, e a carne delicada se intumesceu em antecipação.

McKenna gemeu baixinho e pousou as mãos nos ombros dela, os dedos abertos como se tivesse medo de apertá-la com muita força. Aline acariciou a ereção pulsante... para cima... esfregando levemente o polegar no topo... então mais para baixo... os dedos se flexionando timidamente até McKenna arquejar por entre os dentes cerrados. Para cima e para baixo... a ideia de tê-lo dentro dela, de ser totalmente preenchida por aquela masculinidade poderosa, provocou uma onda de calor no ventre dela.

McKenna baixou a cabeça, roçando a boca o rosto de Aline com a suavidade das asas de uma borboleta. A atitude reverente dele a surpreendeu. Os lábios de McKenna tocaram os cantos da boca de Aline, se demoraram ali, então desceram pelo maxilar até que a língua encontrou o lóbulo macio da orelha. Aline voltou cegamente a boca para a dele, desejando toda a pressão do beijo. McKenna fez sua vontade, bem devagar, aproximando-se com uma lentidão agoniante dos lábios que ela oferecia, levando-a a gemer quando finalmente as bocas se colaram. Aline se apoiou contra ele e se abriu para receber a língua de McKenna. Ele a saboreou suavemente, acariciando o interior acetinado da boca dela com uma habilidade requintada que, por um momento, suspendeu todo o raciocínio de Aline. Ela respirava rápido, sentindo um desejo desesperado enquanto todos os seus músculos se contraíam com uma urgência deliciosa. Aline queria se envolver nele, recebê-lo mais profundamente em seu abraço até que McKenna afundasse totalmente dentro dela.

Para tentar puxá-la ainda mais para perto, McKenna pousou uma das mãos em suas nádegas, erguendo-a até que ela ficasse na ponta dos pés. E então desceu a boca pelo pescoço de Aline; mas logo voltou a encontrar seus lábios e a beijou sem parar, como se tentasse descobrir todos os encaixes possíveis entre as bocas. Até que conectaram-se em um ângulo particularmente delicioso, e um gemido suave subiu pela garganta de Aline, que se contorceu na ânsia de sentir todo o corpo dele colado ao seu. O movimento dos seios contra o peito de McKenna arrancou um som rouco da garganta dele. De repente, ele interrompeu o beijo e praguejou baixinho.

Aline passou os braços ao redor de si mesma e o encarou fixamente, sabendo que o tremor do seu corpo devia ser visível para ele... assim como os tremores que agitavam o corpo dele eram evidentes para ela.

McKenna se afastou dela e cruzou os braços sobre o peito, a cabeça abaixada e os olhos fixos no chão.

– Autocontrole... tem limite – murmurou, as palavras saindo tensas por causa da rigidez do maxilar.

Saber que McKenna estava a ponto de perder toda a capacidade de autodomínio – e o fato de estar disposto a admitir isso – encheu Aline de um desejo irracional que demorou a ceder.

Pareceu levar uma eternidade para os dois estarem recompostos. Por fim, McKenna se inclinou para pegar a cesta descartada e gesticulou sem palavras indicando que ela seguisse na frente.

Ainda atordoada, Aline foi até o saguão e lá encontrou a criada, Gwen, que voltava para buscar a última cesta.

McKenna se recusou a entregar a cesta pesada à jovem.

– Não há necessidade – disse ele com tranquilidade. – Eu carrego... Basta me mostrar onde quer que eu a coloque.

– Sim, senhor – disse Gwen na mesma hora.

Ele se virou para trocar um breve olhar com Aline, os olhos verde-azulados semicerrados. Uma mensagem silenciosa foi passada entre eles: mais tarde... Então McKenna se afastou com passadas largas e elegantes.

Ainda parada no mesmo lugar, tentando se recompor, Aline se distraiu com o surgimento inesperado do irmão no saguão de entrada. Marcus estava com a testa franzida, parecendo perturbado. Ele havia trocado as roupas de caça por uma calça em um tom de cinza perolado, um colete azul-escuro e uma gravata de seda azul estampada.

– Onde está Livia? – perguntou ele, sem preâmbulos. – Não a vi a manhã toda.

Aline hesitou antes de responder e manteve a voz baixa.

– Desconfio que talvez esteja na companhia do Sr. Shaw.

– O quê?

– Creio que ele tenha se juntado a Livia na caminhada matinal dela – explicou Aline, esforçando-se para manter um tom casual. – Que eu saiba, nenhum dos dois foi visto desde então.

– E você permitiu que ele fosse com ela? – sussurrou Marcus, indignado. – Pelo amor de Deus, Aline. Por que não fez alguma coisa para impedi-lo?

– Ah, não fique assim – disse Aline. – Acredite em mim, Marcus, Livia é perfeitamente capaz de se desvencilhar de um homem caso ele se torne inconveniente. E se ela deseja passar algum tempo na companhia do Sr. Shaw, acho que tem todo o direito a isso, certo? Além do mais, o Sr. Shaw parece ser um cavalheiro, independentemente da reputação que tenha.

– Ele não é como os cavalheiros aos quais Livia está acostumada. Ele é *americano*.

A ênfase particular que Marcus colocou na última palavra fez com que soasse como um insulto.

– Achei que você gostasse de americanos!

– Não quando estão cercando uma das minhas irmãs – protestou Marcus, parecendo desconfiado quando fitou Aline mais de perto. – E o que *você* andou fazendo?

– Eu...

Pega de surpresa, Aline levou a mão à garganta, o que tornou a expressão do irmão ainda mais carregada.

– Por que está me olhando assim?

– Estou vendo um arranhão de barba em seu pescoço – acusou ele, em um tom severo.

Aline optou por bancar a tola e fitou o irmão com uma expressão vazia.

– Não seja bobo. É só uma irritação à fita do camafeu.

– Você não está usando camafeu.

Aline sorriu e ficou na ponta dos pés para beijar o rosto de Marcus, sabendo que, por baixo daquele exterior carrancudo, ele estava apavorado com a possibilidade de uma das suas adoradas irmãs se magoar.

– Livia e eu somos mulheres adultas, Marcus – disse ela. – E há certas coisas das quais você não pode nos proteger.

O irmão aceitou o beijo e não reclamou mais, mas, ao se afastar, Aline o ouviu murmurar algo que pareceu soar como "Ah, posso, sim".

Naquela noite, Aline encontrou em seu travesseiro uma única rosa vermelha, as pétalas exuberantes ligeiramente abertas, o caule longo cuidadosamente despido de espinhos. Ela pegou a flor perfumada e passou-a pelo rosto e pelos lábios entreabertos.

Milady,

Flores e, em breve, uma serenata. Quanto à poesia... terá que me fornecer mais inspiração.

Seu,
M.

Capítulo 11

Ao longo dos dois dias seguintes, McKenna não conseguiu encontrar nenhuma oportunidade de ficar a sós com Aline. Ela desempenhava seu papel de anfitriã com um talento brilhante e parecia estar em todos os lugares ao mesmo tempo, coordenando jantares com eficiência, organizando jogos, espetáculos teatrais e outros entretenimentos para a horda de convidados em Stony Cross Park. A menos que fosse até ela, a agarrasse e arrastasse para longe na frente de todos, McKenna não tinha opção a não ser aguardar uma oportunidade. E, como de costume, achava difícil ser paciente.

Todos se aglomeravam em torno de Aline quando ela aparecia. Ironicamente, ela possuía a habilidade que a mãe, a condessa, sempre desejara ter: atrair as pessoas ao seu redor. A diferença era que a condessa queria a atenção em benefício próprio, enquanto Aline parecia possuir um desejo sincero de deixar as pessoas felizes em sua presença. Ela flertava habilmente com os homens mais velhos, sentava-se e conversava animadamente com as mulheres idosas entre um copo e outro de licor. Brincava com as crianças, ouvia com simpatia os lamentos românticos das jovens solteiras e rechaçava o interesse de qualquer rapaz agindo como uma irmã mais velha gentil.

Nessa última empreitada, contudo, Aline não era totalmente bem-sucedida. Apesar da sua falta de interesse, muitos homens estavam obviamente encantados por ela... e suas expressões carregadas de ardor e esperança malcontidos deixavam McKenna fora de si. Ele queria despachar todos, afastá-los, arreganhar os dentes para eles como um lobo enfurecido. Aline era dele, tanto pelo desejo que sentia quanto pelas lembranças amargas que compartilhavam.

À tarde, enquanto McKenna, Gideon e lorde Westcliff relaxavam em uma estufa no terreno da propriedade, Aline apareceu carregando uma bandeja de prata. Um lacaio a seguia de perto, trazendo uma mesinha dobrável de mogno. O dia estava úmido e a brisa de verão de pouco servia para refrescar os homens, que já tinham tirado o paletó. Uma quietude preguiçosa se instalara no lugar, e a maioria dos convidados optara por cochilar com as janelas abertas até as horas mais frescas da noite.

Pela primeira vez, não havia *soirée*, jantar ou festa ao ar livre programados para a noite, já que a feira anual do vilarejo tinha começado. Haveria muita bebida e diversão em Stony Cross, pois praticamente todos no condado compareciam à feira. O evento acontecia anualmente desde meados do século XIV, com duração de uma semana, e, nessa ocasião, toda Stony Cross era tomada por um caos alegre. A rua principal ficava praticamente irreconhecível, com as fachadas das lojas, normalmente muito organizadas, agora tomadas de barracas administradas por joalheiros, comerciantes de seda, fabricantes de brinquedos, sapateiros e uma série de outros artesãos. McKenna ainda se lembrava da empolgação que sentia na época da feira quando menino. A primeira noite sempre começava com música, dança e uma fogueira localizada a uma curta distância do vilarejo. Juntos, ele e Aline assistiam aos ilusionistas, acrobatas e artistas sobre pernas-de-pau. Depois, sempre iam à feira de cavalos, para ver dezenas de puros-sangues de pelo cintilante e enormes cavalos de carga. McKenna ainda se lembrava do rosto de Aline à luz da fogueira, os olhos cintilando com o reflexo das chamas, os lábios grudentos de pão de mel coberto com glacê de açúcar comprado em uma das barracas.

O objeto de seus pensamentos entrou na estufa e os três homens fizeram menção de se levantar. Aline sorriu e se apressou a pedir que continuassem sentados.

Embora Westcliff e Gideon permanecessem obedientemente acomodados em suas cadeiras, McKenna se levantou e pegou a bandeja com limonada gelada das mãos dela enquanto o criado desdobrava a mesa. Aline sorriu, com o rosto corado pelo calor e uma expressão suave nos olhos castanhos. McKenna teve vontade de sentir o gosto da pele rosada e úmida, lamber o sal de sua transpiração e arrancar o vestido de musselina amarelo-claro que o suor colava ao corpo dela.

Depois de pousar a bandeja em cima da mesa, ele se endireitou e flagrou

Aline olhando fixamente para os pelos do seu braço, no ponto em que as mangas tinham sido enroladas confortavelmente, a pele bronzeada à mostra. Os olhares de ambos se encontraram e, subitamente, McKenna achou difícil se lembrar de que não estavam sozinhos. Ele não conseguia esconder o fascínio em seus olhos, assim como Aline não podia esconder a óbvia atração que sentia por ele. Ela se voltou para a bandeja, pegou a jarra de vidro jateado e serviu um pouco de sua limonada, o tilintar dos pedaços de gelo traindo o deslize momentâneo da compostura. Aline entregou o copo a ele, recusando-se a encará-lo de novo.

– É muita gentileza, senhor, mas sente-se – falou, em um tom leve. – Continuem a conversa, cavalheiros, eu não tinha intenção de interrompê-los.

Gideon recebeu o copo de limonada com um sorriso de gratidão.

– Esse tipo de interrupção é sempre bem-vindo, milady.

Westcliff fez um gesto indicando que Aline se juntasse a eles e ela se sentou graciosamente no braço da cadeira do irmão enquanto lhe entregava um copo. O afeto e a amizade entre eles eram óbvios. *Interessante*, pensou McKenna, lembrando-se de que, no passado, os dois eram bem distantes. Aline se sentia intimidada pelo irmão mais velho, e Marcus ficou isolado da família durante os anos que passou no colégio. Agora, entretanto, parecia que Marcus e a irmã haviam formado um estreito laço de afeto.

– Estávamos tentando entender por que as empresas britânicas não vendem seus produtos no exterior com a mesma eficácia que os americanos e os alemães – explicou Westcliff à irmã.

– Porque os ingleses não gostam de aprender outros idiomas? – sugeriu ela com bom humor.

– Isso é um mito – falou Westcliff.

– Será? – retrucou ela. – Então me diga quantos idiomas você sabe... além do latim, que não conta.

Westcliff lançou um olhar desafiador para a irmã.

– Por que o latim não conta?

– Porque é uma língua morta.

– Ora, ainda assim é um idioma – argumentou Westcliff.

Antes que os irmãos começassem a discutir, McKenna os conduziu de volta ao rumo da conversa.

– O problema não é o idioma – disse, chamando a atenção de ambos. –

A dificuldade com o comércio britânico no exterior é que os fabricantes daqui têm aversão à produção em massa. Vocês valorizam a individualidade acima da conformidade e... Bem, como resultado, o fabricante britânico médio é muito pequeno e seus produtos são muito variados. Poucos podem se dar ao luxo de iniciar um grande esforço de vendas em mercados mundiais.

– Mas uma empresa não deveria agradar aos clientes oferecendo uma variedade de produtos? – perguntou Aline, franzindo a testa de uma forma que fez McKenna desejar beijá-la ali mesmo.

– Dentro de certos limites – disse McKenna.

– Por exemplo – interrompeu Gideon –, as fundições de locomotivas britânicas são tão específicas que não saem dois motores parecidos da mesma fábrica.

– E o mesmo acontece com outras empresas britânicas – continuou McKenna. – Uma fábrica de biscoitos fará cem tipos de biscoitos, quando seria muito melhor oferecer apenas uma dúzia. Ou uma empresa de papel de parede produzirá cinco mil padrões diferentes, embora seja mais lucrativo oferecer um quinto desse número. É muito caro oferecer uma variedade de produtos muito extensa, especialmente quando se está tentando comercializá-los no exterior. A contabilidade não suporta.

– Mas eu *gosto* de ter uma grande variedade de coisas para escolher – protestou Aline. – Não quero que as minhas paredes se pareçam com as de todo mundo.

Ela parecia tão adoravelmente perturbada com a ideia de ter menos opções de papel de parede que McKenna não pôde deixar de sorrir. Percebendo que o divertia, Aline ergueu as sobrancelhas em uma expressão coquete.

– Por que está sorrindo?

– Você soou muito britânica agora – disse ele.

– Você também não é britânico, McKenna?

Ainda sorrindo, ele balançou a cabeça.

– Não mais, milady.

McKenna havia se tornado um americano no segundo em que seu pé tocara Staten Island. Embora sempre tivesse admitido ter certa nostalgia de sua terra natal, ele foi reinventado e forjado em um país onde não ter sangue azul não representava qualquer estorvo. Na América, ele aprendera a parar de pensar em si mesmo como um criado. Nunca mais se curvaria diante de ninguém. Depois de anos de trabalho exaustivo, sacrifício, preocupação e da mais absoluta teimosia, ele agora estava sentado na biblioteca de lorde Westcliff como um convidado, não mais trabalhando nos estábulos por cinco xelins ao mês.

McKenna rapidamente se deu conta da maneira como Marcus olhava dele para Aline, com os olhos negros atentos, sem deixar escapar nada. O conde não era tolo – e era óbvio que não permitiria que ninguém se aproveitasse da irmã.

– Suponho que tenha razão – disse Aline. – Se um homem se parece com um americano, fala e pensa como um, provavelmente é isso que ele *é*.

Ela se inclinou ligeiramente na direção dele; os olhos castanhos cintilavam.

– No entanto, McKenna, há uma pequena parte de você que sempre pertencerá a Stony Cross... Eu me recuso a permitir que nos renegue totalmente.

– Eu não ousaria – respondeu ele com suavidade.

Os olhares se encontraram e, dessa vez, nenhum dos dois conseguiu desviar, mesmo quando um silêncio desconfortável se instalou na estufa.

Westcliff quebrou o feitiço pigarreando e se levantando tão abruptamente que o peso de Aline no braço da cadeira quase a fez tombar para o lado. Ela também se levantou, franzindo um pouco a testa para o irmão. Quando Westcliff falou, soou tão parecido com o falecido conde que McKenna sentiu os cabelos em sua nuca se arrepiarem.

– Lady Aline, quero discutir alguns dos arranjos que fez para os próximos dias, para garantir que nossos horários não entrem em conflito. Venha comigo até a biblioteca, por favor.

– Com certeza, milorde – disse Aline, e sorriu para McKenna e Gideon, que se levantaram. – Com licença, cavalheiros. Desejo-lhes uma boa tarde.

Depois que o conde e a irmã partiram, McKenna e Gideon voltaram a se sentar e esticaram as pernas.

– Então – observou Gideon em um tom casual. – Parece que seus planos estão bem encaminhados.

– Que planos? – perguntou McKenna, examinando os restos aguados da limonada com uma expressão mal-humorada.

– De seduzir lady Aline, é claro.

Gideon se serviu preguiçosamente de mais limonada.

McKenna respondeu com um grunhido evasivo.

Os dois permaneceram sentados em um silêncio amigável por alguns momentos, até que McKenna perguntou:

– Shaw... alguma mulher já lhe pediu que escrevesse um poema para ela?

– Meu Deus, não! – respondeu Gideon com uma risadinha. – Os Shaws não escrevem poesia. Eles pagam outras pessoas para fazerem isso por eles e ficam com o crédito.

Gideon arqueou as sobrancelhas.

– Não me diga que lady Aline lhe pediu uma coisa dessas.

– Sim.

Gideon revirou os olhos.

– Não há como não ficar impressionado com a variedade de maneiras que as mulheres inventaram para nos fazer parecer renomados idiotas. Você não está realmente considerando essa ideia, está?

– Não.

– McKenna, até onde você planeja levar esse seu plano de vingança? Eu gosto bastante de lady Aline, e agora sinto uma estranha relutância em vê-la magoada.

McKenna lançou um olhar frio de advertência ao amigo.

– Se você tentar interferir...

– Calma – disse Gideon, na defensiva. – Não tenho intenção de atrapalhar seus planos. Torço para que você se encarregue de estragá-los por conta própria.

McKenna ergueu uma sobrancelha em uma expressão sarcástica.

– Isso significa...?

Gideon pegou a garrafinha de bebida no bolso e despejou uma quantidade generosa na limonada.

– Significa que nunca vi você tão enfeitiçado por alguém ou por alguma coisa como está por lady Aline.

Ele tomou um longo gole da mistura potente.

– E, agora que já adquiri um pouco de coragem líquida, me arrisco a dizer que você ainda a ama. E que, no fundo, prefere morrer lentamente a causar um único momento de dor a ela.

McKenna o encarou fixamente.

– Você é um idiota bêbado, Shaw – murmurou, e se levantou.

– Ora, mas em algum momento houve dúvida quanto a isso? – perguntou Gideon.

E então virou o resto da bebida em um gesto experiente enquanto observava a silhueta de McKenna se afastando.

À medida que a noite se aproximava e a temperatura caía, os convidados de Stony Cross Park começaram a se reunir no saguão de entrada. Pequenos grupos se dirigiam ao caminho de cascalho, onde uma fila de carruagens esperava para levá-los ao vilarejo. Entre aqueles que desejavam se divertir na feira estavam a irmã de Gideon, a Sra. Susan Chamberlain, e o marido dela, Paul. Ao longo dos últimos dias, Aline achou muito fácil socializar com os Chamberlains, mas não conseguia se forçar a gostar deles de verdade. Susan tinha cabelos dourados e era alta como o irmão, mas não possuía seu humor fácil nem o dom de zombar de si mesma. Ao contrário, parecia se levar um pouco a sério demais, característica que compartilhava com o marido.

Assim que a primeira carruagem partiu, Aline olhou para Gideon Shaw e percebeu que a atenção dele havia sido atraída por alguém que saía da casa. Um leve sorriso curvou seus lábios e sua expressão se suavizou. Seguindo o olhar do convidado, Aline viu com espanto, e uma grata surpresa, que Livia finalmente se aventurara a sair de sua reclusão autoimposta. Era a primeira vez que ela saía para um passeio em público desde a morte de Amberley. Ela usava um vestido em um tom escuro de rosa, com debrum rosa-claro, e parecia muito jovem e bastante nervosa.

Aline foi até a irmã com um sorriso caloroso.

– Querida – disse, e passou o braço ao redor da cintura esguia de Livia –, que bom que decidiu se juntar a nós. Agora a noite vai ser perfeita.

Susan Chamberlain se virou para sussurrar alguma coisa para o marido, cobrindo discretamente a lateral da boca com a mão para que não ouvissem a fofoca. O olhar de Chamberlain cintilou quando ele se virou na direção de Livia, mas ele logo o desviou, como se não quisesse ser pego olhando para ela. Determinada a proteger a irmã de qualquer atitude de desprezo, Aline incitou Livia a se adiantar.

– Você precisa conhecer alguns de nossos convidados. Sr. e Sra. Chamberlain, gostaria de apresentá-los à minha irmã mais nova, lady Olivia Marsden.

Aline fez questão de se ater à ordem de precedência, desejando que houvesse alguma maneira de enfatizar que eles eram, socialmente falando, de uma classe inferior a Livia – e portanto não tinham o direito de desprezá-la. Depois que os Chamberlains saudaram Livia com sorrisos superficiais,

Aline apresentou os Cuylers e o Sr. Laroche, cuja esposa já havia partido na primeira carruagem. De repente, McKenna apareceu diante deles.

– Duvido que se lembre de mim, milady, depois de tantos anos.

Livia sorriu para ele, embora parecesse subitamente pálida e culpada.

– É claro que me lembro de você, McKenna. Seu retorno a Stony Cross é muito bem-vindo, e demorou demais.

Eles foram até Gideon Shaw, que não foi bem-sucedido em esconder seu fascínio por Livia.

– É um prazer conhecê-la, milady – murmurou.

Gideon pegou a mão da jovem e se curvou sobre ela em vez de apenas cumprimentá-la com um aceno de cabeça, como fizeram os demais. Quando voltou a erguer a cabeça, Gideon sorriu para Livia, cujo rosto estava alguns tons mais rosado do que o vestido que usava. A atração entre os dois era quase tangível.

– Espero que vá até o vilarejo na nossa carruagem – falou ele, soltando a mão dela com óbvia relutância.

Antes que Livia pudesse responder, a irmã de Shaw interveio.

– Temo que isso não seja possível – disse ela a Shaw. – Simplesmente não há espaço suficiente na carruagem para outra pessoa. Já temos você, Paul e eu, e o Sr. Laroche, para não mencionar McKenna...

– McKenna não irá conosco – interrompeu Shaw, olhando para o sócio com uma expressão significativa. – Não é mesmo?

– É verdade – confirmou McKenna, seguindo a deixa do amigo. – Lady Aline já providenciou para que eu seguisse em outra carruagem.

– De quem? – perguntou Susan, irritada.

Era óbvio que ela não havia gostado da substituição.

Aline abriu um sorriso cintilante.

– Na minha, na verdade – mentiu Aline. – McKenna e eu precisamos terminar uma conversa anterior sobre, hum...

– Poesia – ajudou McKenna, muito sério.

– Exato, poesia.

Aline manteve o sorriso no rosto e resistiu à tentação de pisar com força no pé dele.

– E tenho a esperança de que possamos continuar nossa conversa no caminho para o vilarejo.

– É mesmo? – disse Susan, estreitando os olhos azuis em uma expressão desconfiada. – Porque duvido que McKenna já tenha lido um poema na vida.

– Eu já ouvi McKenna recitar uma quintilha – observou Shaw. – Acredito que começava com um versinho bem bobo e comum, mas, pelo que me lembro, continuava de modo bastante inadequado para a companhia que temos no momento.

O Sr. Chamberlain ficou muito vermelho e começou a rir, traindo sua familiaridade com os versos restantes do poema.

McKenna sorriu.

– Obviamente, cabe a lady Aline aperfeiçoar meu gosto literário.

– Duvido que a tarefa possa ser concluída durante uma viagem de carruagem – retrucou Aline com modéstia.

– Vai depender do tempo que durará o trajeto – respondeu McKenna.

A observação dificilmente seria interpretada como sugestiva, mas algo no tom e no olhar dele provocaram um leve rubor em Aline.

– Sugiro então que não parem até chegar à Sibéria – disse Shaw, quebrando a tensão repentina entre eles.

Uma risada retumbou pelo grupo. Ele ofereceu o braço a Livia em um gesto galante.

– Milady, por favor, permita-me...

Com uma expressão de encantamento, Aline observou Shaw conduzir Livia até a carruagem que os aguardava. Na verdade, era um pouco estranho ver Livia com outro homem. Ainda assim, Gideon parecia ser bom para ela. Talvez Livia precisasse de um homem com a confiança e o ar experiente dele. E, apesar do cinismo, Shaw parecia ser um cavalheiro.

No entanto, não parecia existir qualquer possibilidade real de casamento entre Shaw e Livia. O gosto exagerado dele pela bebida era um problema que preocupava muito Aline, sem mencionar a péssima reputação e o fato de o americano vir de um mundo totalmente diferente do de Livia. Aline suspirou, franzindo a testa em uma expressão pensativa, e então levantou o olhar para encontrar o de McKenna.

– Ele é um bom homem – disse McKenna, lendo os pensamentos dela com uma facilidade que a surpreendeu.

– Acredito que sim – disse Aline baixinho. – Mas se Livia fosse sua irmã, McKenna... você gostaria que ela se envolvesse com o Sr. Shaw? – perguntou Aline sem qualquer juízo de valor, apenas preocupação.

McKenna hesitou por um longo momento, então balançou a cabeça, negando.

– Era o que eu temia – murmurou Aline, dando o braço a ele. – Bem, já que você se aproveitou da minha carruagem, podemos muito bem partir.

– Seu irmão vem conosco? – perguntou McKenna, acompanhando-a ao longo do caminho.

– Não, Westcliff não gosta de ir à feira. Ele vai ficar em casa hoje à noite.

– Ótimo – comentou ele com uma satisfação tão evidente que Aline riu.

Era óbvio que McKenna teria preferido ir sozinho com ela na carruagem, mas os Cuylers se juntaram a eles, e a conversa rumou para o assunto dos queijos locais. Enquanto respondia em detalhes às perguntas do casal, Aline achou difícil disfarçar um sorriso ao ver o descontentamento de McKenna.

Quando todo o grupo chegou ao centro de Stony Cross, o vilarejo estava repleto de lanternas e tochas. A música pairava sobre o parque, lotado de dançarinos exuberantes. Fileiras organizadas de chalés pretos e brancos com telhado de colmo estavam quase escondidas pela imensa quantidade de barracas. As estruturas frágeis de madeira eram semelhantes: uma bancada na frente para vender e um espaço coberto, minúsculo, nos fundos, onde o proprietário se abrigava à noite. Havia barracas vendendo joias, talheres, brinquedos, sapatos, leques, artigos de vidro, móveis e comidas típicas. Explosões de gargalhadas se erguiam da multidão ao redor das cabines teatrais, onde atores e comediantes entretinham os espectadores enquanto moedas eram jogadas a seus pés.

Aline permitiu que McKenna a acompanhasse ao longo das fileiras de barracas e olhou de relance para ele, curiosa.

– Imagino que isso lhe traga muitas lembranças.

Com o olhar distante, McKenna assentiu e disse:

– Parece que foi há muito tempo.

– Sim – concordou Aline com um toque de melancolia na voz.

Como eles eram diferentes naquela época. A inocência daqueles dias, a simplicidade primorosa, a energia juvenil que impregnava cada momento com uma aura dourada... Perdida em imagens do passado, Aline se viu subitamente invadida por uma impaciência ardente que parecia não ter qualquer objetivo ou válvula de escape em particular. Aquilo pareceu crescer dentro dela até seu sangue começar a correr mais rápido e ela se sentir consciente de tudo o que via, de cada som e cada sensação, de uma forma radiante. Caminhar pelo vilarejo com McKenna a seu lado... era um eco maravilhoso do passado, como escutar novamente uma bela melodia que não ouvia desde a infância.

Quando olhou nos olhos dele, Aline viu que McKenna fora capturado pela mesma sensação. Ele estava relaxado, sorrindo com facilidade; a expressão severa havia abandonado seus olhos e seus lábios. Abriram caminho por uma área mais compacta da High Street, onde uma dupla de ilusionistas provocava gritos de alegria nos espectadores. McKenna passou um braço ao redor de Aline para protegê-la de um eventual empurrão e continuou abrindo caminho através da multidão. Na empolgação da feira, ninguém percebeu, mas Aline ficou pasma com a naturalidade do gesto e com a reação que provocou nela. Parecia absolutamente certo estar tão colada ao corpo de McKenna, permitir que ele a guiasse para onde quisesse, render-se à pressão persuasiva da mão em suas costas.

Quando emergiram da densa aglomeração, a mão de McKenna encontrou a dela e acomodou-a de volta na curva do seu braço. Os dedos de Aline envolveram os músculos firmes, e a lateral de seu seio roçou o cotovelo dele.

– Aonde estamos indo? – perguntou ela, ligeiramente perturbada pelo tom lânguido, quase sonhador da própria voz.

McKenna não respondeu; apenas continuou a andar, passando por mais barracas até alcançarem a que ele queria. O aroma pungente de bolo de gengibre chegou às narinas dela, e Aline riu, deliciada.

– Você se lembra!

Quando era menina, a primeira coisa que Aline fazia na feira era se empanturrar de pão de mel com glacê, e, embora McKenna nunca tivesse compartilhado a predileção dela pelo doce, sempre a acompanhava.

– É claro – disse ele enquanto tirava uma moeda do bolso e comprava uma fatia grossa para ela. – Até hoje, nunca vi ninguém devorar esse doce inteiro como você costumava fazer.

– Eu não fazia isso! – protestou Aline, de testa franzida, e logo cravou os dentes no bolo denso e pegajoso.

– Eu ficava impressionado – continuou McKenna, puxando-a para longe da barraca. – Era incrível ver você comer um doce do tamanho da sua cabeça em menos de quinze minutos...

– Eu jamais seria tão gulosa – declarou ela, e deu outra mordida enorme.

McKenna sorriu.

– Eu devo estar me lembrando de outra pessoa, então.

Continuaram a passear calmamente entre as barracas. McKenna comprou um copo de vinho doce para ajudar Aline a engolir o pão de mel, e ela bebeu com vontade.

– Beba devagar – advertiu McKenna, com um olhar carinhoso. – Vai acabar ficando tonta.

– E daí? – perguntou Aline em um tom animado, e tomou mais um gole do vinho. – Se eu tropeçar, você vai me segurar, certo?

– Com os dois braços – murmurou ele.

Vinda de qualquer outra pessoa, a declaração teria soado como galanteria. Dita por McKenna, no entanto, trazia também uma deliciosa ameaça.

Eles seguiram em direção ao vilarejo, mas, antes de chegarem lá, Aline viu um rosto familiar. Adam, o cabelo loiro brilhando à luz das tochas. Ele estava acompanhado por amigos, homens e mulheres, e se separou do grupo com um breve comentário, provocando algumas risadinhas maliciosas quando viram que ele ia na direção de Aline.

Ela se adiantou para encontrá-lo, McKenna atrás dela como um espectro sombrio. Quando alcançou Adam, Aline pegou as mãos do amigo e sorriu para ele.

– Que belo estranho – brincou. – Não, espere... Por acaso você não era um visitante frequente de Stony Cross Park? Faz tanto tempo que não o vejo que a memória me falha...

Os lábios de Adam se curvaram em um sorriso divertido.

– A minha ausência foi deliberada, meu bem... e você sabe por quê.

Ao se dar conta de que Adam tinha se afastado para permitir que ela lidasse com McKenna da forma que achasse melhor, Aline sentiu uma onda de carinho pelo amigo.

– Mas isso não me impede de sentir a sua falta.

Os dedos suaves e fortes de Adam apertaram carinhosamente os dela antes que ele soltasse a mão da amiga.

– Prometo aparecer em breve – disse ele. – Agora, apresente-me ao seu acompanhante, sim?

Aline obedeceu e apresentou o amigo mais querido ao homem que era seu amor do passado... O primeiro jamais lhe causaria um momento sequer de infelicidade; o segundo quase certamente faria isso de novo. Era estranho ver McKenna e Adam trocando um aperto de mãos. Ela nunca havia imaginado um encontro entre os dois, e não pôde deixar de reparar nos contrastes entre eles, o anjo e o demônio.

– Sr. McKenna – disse Adam com simpatia –, seu retorno a Stony Cross proporcionou a lady Aline tamanho prazer que não posso deixar de compartilhar dele, uma vez que sou grato por todas as coisas que dão prazer a ela.

– Obrigado – disse McKenna, lançando ao homem à sua frente um olhar frio e hostil. – Vocês são amigos há algum tempo, suponho.

– Quase cinco anos – respondeu Adam.

Seguiu-se um silêncio tenso, que foi quebrado por um grito a vários metros de distância.

– McKenna...?

Aline acompanhou a direção da voz e percebeu que alguns dos antigos amigos de McKenna o tinham visto... Dick Burlison, antes um rapaz ruivo de pernas desengonçadas, agora era um homem casado e gorducho de 30 e poucos anos... E também Tom Haydon, o filho do padeiro, que agora dirigia o negócio do pai... e a esposa de Tom, Mary, a filha rechonchuda do açougueiro com quem McKenna havia flertado tantas vezes na juventude.

Aline sorriu e cutucou McKenna de leve.

– Vá.

Não foi preciso insistir. Quando McKenna se juntou ao grupo com um sorriso no rosto, todos soltaram gargalhadas de alegria e trocaram apertos de mãos entusiasmados. Mary, agora mãe de cinco filhos, arregalou os olhos de espanto quando McKenna se inclinou para beijar seu rosto redondo.

– Deduzo que você ainda não teve nenhum encontro íntimo com ele – disse Adam em voz baixa.

– Talvez eu não seja corajosa o bastante para correr esse risco – respondeu Aline, baixinho, os olhos sempre fixos em McKenna.

– Como seu amigo, provavelmente devo aconselhá-la a não fazer algo de que possa se arrepender depois – disse Adam, e sorriu antes de acrescentar: – É claro que, em geral, se perde muito da diversão ao seguir esse conselho.

– Adam – repreendeu Aline –, você está me incentivando a fazer uma coisa errada?

– Só se você prometer me contar tudo depois.

Aline balançou a cabeça e soltou uma gargalhada. Ao ouvi-la, McKenna se virou para encará-la, a testa franzida.

– Pronto, acabei de tornar tudo mais fácil para você – murmurou Adam. –

As chamas do ciúme foram alimentadas. Agora o homem não vai descansar até reivindicar o que acredita ser território dele. Meu Deus, você gosta de homens primitivos, não é?

De fato, em menos de um minuto McKenna estava ao lado de Aline outra vez, segurando com firmeza o cotovelo dela em uma clara demonstração de possessividade.

– Estávamos indo ao parque do vilarejo – lembrou ele, secamente.

– É verdade – murmurou Aline. – Lorde Sandridge, vai se juntar a nós?

– Infelizmente, não – respondeu Adam, erguendo a mão livre de Aline para beijar os nós de seus dedos. – Preciso retornar para junto do meu grupo. Boa noite para vocês dois.

– Adeus – disse McKenna, sem fazer qualquer esforço para ocultar a animosidade enquanto o belo visconde se despedia.

– Seja civilizado com ele, por favor – pediu Aline. – Lorde Sandridge é um amigo muito querido e eu não desejaria que ele se magoasse por nada no mundo.

– Eu estava sendo civilizado – murmurou McKenna.

Aline riu, apreciando o óbvio ciúme dele.

– Você mal disse uma palavra a ele, a não ser para se despedir. E seu olhar carrancudo me lembrou um javali pronto para atacar...

– Que tipo de homem é esse lorde Sandridge – interrompeu McKenna – que não faz objeções quando a vê andar pelo vilarejo acompanhada por alguém como eu?

– Um homem que confia em mim. Lorde Sandridge e eu temos um certo entendimento... permitimos um ao outro as liberdades de que precisamos. É um arranjo muito útil.

– Útil – repetiu McKenna com desprezo mal disfarçado. – Sandridge é um idiota. E se eu estivesse no lugar dele, você nem sequer estaria aqui.

– Onde eu estaria, então? – perguntou Aline em um tom petulante. – Em casa, suponho, costurando os punhos da sua camisa?

– Não, na minha cama. Embaixo de mim.

Aline parou de rir na mesma hora. As palavras ditas em voz suave provocaram uma reação imediata no corpo dela, deixando-a leve e trêmula. Ela ficou em silêncio, o rosto ruborizado, mas seguiu caminhando ao lado dele até o parque do vilarejo. Várias pessoas lançaram olhares especulativos ao verem os dois passando. Depois de tantos anos longe, o retorno de McKenna era motivo suficiente para despertar o interesse dos moradores do vilarejo, mas o fato de ele estar na companhia de Aline fez as línguas se agitarem com mais empenho ainda.

A música era acompanhada por palmas e batidas fortes dos pés enquanto homens e mulheres pulavam e rodopiavam ao som de uma alegre melodia tradicional. Aline se viu contagiada pelo som, e deixou que McKenna a levasse mais para perto dos músicos. Assim que a canção terminou, McKenna gesticulou para o líder do grupo, um violinista, que se aproximou dele imediatamente. McKenna falou alguma coisa bem junto ao ouvido do homem e colocou algumas moedas na palma da mão dele, enquanto Aline observava a cena com súbita desconfiança.

Com um sorriso largo no rosto, o violinista correu para se juntar aos companheiros, trocou algumas palavras rápidas com eles e o grupo de oito músicos caminhou até Aline. Ela olhou para McKenna ainda mais desconfiada.

– O que você fez?

Os músicos a levaram até o centro da multidão e a colocaram bem na frente deles, onde ela ficava visível para todos. O líder do grupo fez um gesto com o arco do violino na direção de McKenna.

– Meus alegres amigos – disse ele em voz alta, para todos os espectadores –, um cavalheiro encomendou esta canção para homenagear os encantos da dama que está diante de nós. Peço que sejam gentis e me ajudem a cantar "The Rose of Tralee" para lady Aline.

O público aplaudiu com entusiasmo, pois a música era extremamente popular, tinha sido lançada naquele ano. Aline ficou muito vermelha, e o olhar que lançou a McKenna guardava uma ameaça indisfarçada de assassinato, o que provocou gargalhadas na maior parte da audiência. Ele retribuiu o olhar com um sorriso inocente e ergueu as sobrancelhas em uma expressão zombeteira para lembrá-la de que fora ela que pedira uma serenata.

Os músicos olharam para Aline com expressões exageradas de emoção, e ela balançou a cabeça com um sorriso quando começaram a tocar, acompanhados por pelo menos duzentas vozes. Até alguns lojistas e mercadores viajantes se aproximaram para participar, substituindo o nome da heroína da canção pelo nome de Aline. A letra dizia mais ou menos assim:

*A lua pálida se erguia
acima da montanha verde;*

*o sol se punha
sob o mar azul
quando me afastei com meu amor
até a fonte pura e cristalina
que fica no lindo
vale de Tralee.*

*Ela era
bela e pálida
como a rosa do verão,
mas não foi só sua beleza
que me conquistou.
Oh, não! Foi a sinceridade
sempre evidente em seus olhos
que me fez amar Aline,
a Rosa de Tralee.*

*As trevas frias da noite
espalhavam seu manto,
e Aline, toda sorrisos,
me escutava.
A lua iluminava o vale,
derramando seus raios pálidos
quando conquistei o coração
da rosa de Tra-leeeeee!*

Terminada a música, Aline fez uma profunda reverência em agradecimento. Ela estendeu a mão para o violinista, líder do grupo, que, depois de se curvar para beijá-la, fingiu cair desmaiado para trás, arrancando uma salva de palmas e risadas simpáticas da audiência.

Aline se voltou para McKenna, então, e fitou-o com uma expressão irônica.

– Você vai me pagar por isso – avisou.

Ele sorriu.

– Ora, você queria uma serenata.

Ela deu uma gargalhada.

– Queria que *você* fizesse uma serenata – exclamou, dando o braço a ele mais uma vez. – Não toda a população de Stony Cross!

– Acredite em mim, isso foi muito melhor do que me ouvir cantar sozinho.

– Pelo que me lembro, você tinha uma voz muito boa.

– Estou sem prática.

Eles se encararam, sorrindo, enquanto a alegria disparava pelas veias de Aline, fazendo seu corpo vibrar.

– Também pedi um poema – lembrou ela.

O brilho sedutor nos olhos dela pareceu afetar McKenna, fazendo com que sua voz soasse mais profunda ao responder:

– E eu disse que precisava de mais inspiração.

– Acho que você terá que ser mais preciso. A que tipo de inspiração está se referindo?

Os cantos dos lábios cheios de McKenna se curvaram em um sorriso.

– Use a imaginação.

Aline ficou impressionada com aquelas palavras. Sem saber, McKenna usara a mesma frase que Adam lhe dissera certa vez, quando falavam sobre as cicatrizes nas pernas dela.

A sensação de impaciência retornou, e ela mal conseguiu respirar com a empolgação e a confusão que se agitavam em seu peito. Se fosse esperta, se fosse ousada, conseguiria ter o que mais queria no mundo. Uma noite com McKenna... não, apenas alguns minutos roubados das garras de um destino impiedoso... Bom Deus, era pedir demais?

Não.

Não importava o que lhe custasse, ela teria seus preciosos momentos de intimidade com o homem que nunca deixara de amar. E encontraria uma maneira de fazer aquilo sem deixá-lo descobrir seu segredo. *Hoje à noite*, pensou Aline em uma atitude rebelde e apaixonada, e que se danasse qualquer pessoa ou qualquer coisa que tentasse detê-la. Que se danasse o destino... Ela e McKenna finalmente teriam seu ajuste de contas.

Capítulo 12

Já passava muito da meia-noite e as tochas começavam a se apagar. Moradores do vilarejo e visitantes lotavam as ruas escuras, muitos deles embriagados. Alguns cantavam, outros brigavam e discutiam, enquanto outros se aproveitavam das sombras para se entregarem a beijos desavergonhados. Pessoas de sensibilidade mais refinada já haviam retornado prudentemente para casa; as que permaneceram não tinham como não estar cientes de que as inibições dos presentes começavam a se dissipar tão rapidamente quanto a luz das tochas. Os músicos tocavam perto da fogueira, enquanto os dançarinos transpiravam livremente ao entrar e sair da poça de luz bruxuleante.

Olhando fixamente para o brilho da fogueira, Aline se recostou em McKenna. Ele sustentou automaticamente o corpo dela, envolvendo a curva estreita da cintura com uma das mãos, e com a outra segurando seu cotovelo delicadamente. Em qualquer outra noite, em qualquer outra circunstância, a maneira como estavam colados teria provocado um escândalo. No entanto, os padrões usuais de decoro eram relaxados, se não completamente ignorados, na noite da feira. E, na multidão que se aglomerava, ninguém parecia notar ou se importar com o fato de Aline e McKenna se materializarem como um par de sombras de um tempo passado.

Aline semicerrou os olhos quando o calor da luz da fogueira iluminou o seu rosto.

– Você está mais alto – murmurou ela distraidamente.

Aline lembrou-se de como o queixo de McKenna costumava se apoiar no topo da cabeça dela. Agora ele precisava se curvar para fazer isso.

McKenna inclinou a cabeça e ela sentiu a voz morna e suave em seu ouvido.

– Não, não estou.

– Está, sim – disse ela, a língua solta pelo vinho. – Não nos encaixamos como antes.

O peito dele, muito sólido atrás dela, se agitou quando ele bufou, achando a declaração divertida.

– O encaixe talvez seja melhor do que antes. Vamos experimentar para ver.

Aline sorriu e sentiu o corpo derreter contra o dele... Ah, como ela queria, como precisava apoiar a cabeça contra o ombro de McKenna e sentir a boca dele roçar a curva delicada do seu pescoço. Mas, em vez disso, permaneceu em um silêncio absoluto, o olhar perdido na fogueira. A pele e as roupas de McKenna guardavam o cheiro do ar da meia-noite, de prados no verão, de fumaça... e o aroma muito mais sutil de um homem vigoroso e excitado. O desejo que pairava entre eles era denso, intoxicando-os, obscurecendo os limites da realidade. Os sons da fogueira, o crepitar, o fumegar e o estalar da madeira pareciam a expressão perfeita do desmantelamento interior que Aline experimentava. Ela não era mais a jovem descuidada do passado, nem a Aline resignada com tantos espaços vazios dentro de si, mas uma outra pessoa, temporária... uma pessoa insurgente e ansiosa, rebelde de amor.

– Não em casa – se ouviu sussurrar Aline.

McKenna não se moveu, mas ela sentiu a reação ao que ela dissera percorrendo o seu corpo. Um minuto inteiro se passou antes que ele murmurasse:

– Onde, então?

– Vamos andar pela floresta – disse ela, temerária –, pelo caminho que passa pelo poço dos desejos.

McKenna sabia a que caminho ela se referia – uma trilha escura e pouco conhecida que haviam percorrido mil vezes na juventude. Não poderia haver dúvida do motivo pelo qual ela sugerira aquele lugar.

Um sorriso melancólico curvou ligeiramente os lábios de Aline enquanto ela pensava que um encontro íntimo na floresta dificilmente poderia ser descrito como um grande momento romântico. Furtivo, deselegante, apressado e certamente desconfortável. Mas ela sabia que jamais teria o luxo da luz de velas, de lençóis brancos e de fazer amor de forma lenta e preguiçosa. Se quisesse evitar que McKenna visse as suas cicatrizes, precisava de escuridão e pressa, para que ele não tivesse oportunidade de reparar em suas pernas. O mero fato de estar realmente levando em consideração uma coisa daquelas – um ato totalmente desprovido de graça e ternura – já era surpreendente. Mas aquilo era tudo o que ela poderia ter de McKenna. E a quem faria mal? McKenna estava claramente ansioso pela oportunidade de aproveitar o que lhe fora negado no passado. Da parte dela, Aline queria ter algo para se lembrar no decorrer de todos os longos anos que ainda viveria sem ele. Os dois se desejavam por evidentes razões egoístas – e, no humor atual de Aline, isso era perfeito.

– O poço dos desejos... – murmurou McKenna. – Você ainda vai até lá?

Aline se lembrou de como, quando era menina, costumava lançar um alfinete no poço e desejar a única coisa que não poderia ter.

– Não – respondeu ela, e se virou para encará-lo com um sorriso fraco. – Aquele poço perdeu a magia há muito tempo. Nunca tornou nenhum dos meus desejos realidade.

O rosto de McKenna estava oculto pelas sombras já que ele dava as costas para a luz da fogueira.

– Talvez você desejasse as coisas erradas.

– Sempre – admitiu Aline, com um sorriso ainda agridoce.

McKenna encarou-a fixamente, então a conduziu para longe da fogueira, em direção à floresta que cercava Stony Cross Park. Eles logo foram engolidos pela noite, tendo o caminho iluminado apenas pelos raios de luar que atravessavam as nuvens. Depois de algum tempo, os olhos de Aline se ajustaram à escuridão que se adensava, mas seu passo era menos firme do que o de McKenna enquanto atravessavam o bosque de aveleiras e olmos. Ele a conduzia pela mão. Quando se lembrou da ocasião em que McKenna a acariciara, dos lugares sensíveis por onde aqueles dedos haviam se aventurado tanto tempo atrás, Aline sentiu a respiração acelerar. Ela se desvencilhou da mão dele com uma risada baixa e nervosa.

– Estou andando rápido demais para você? – perguntou McKenna.

– Um pouco.

Ela havia caminhado demais naquela noite – seu joelho direito estava ameaçando travar sob a cicatriz rígida.

– Então vamos parar por um momento.

Ele a puxou para a lateral do caminho, onde se estendia a copa de um enorme carvalho, e os dois pararam em uma fenda formada pelas raízes da árvore. A floresta parecia suspirar enquanto os envolvia em uma umidade farfalhante e musgosa. Enquanto Aline se apoiava contra o tronco da árvore, McKenna pairava acima dela, o hálito agitando os fios de cabelo que caíam em sua testa.

— McKenna — disse Aline, tentando soar despreocupada —, quero perguntar uma coisa...

As pontas dos dedos dele tocaram a lateral do pescoço dela, roçando os nervos sensíveis.

— Sim?

— Me conte sobre as mulheres que você conheceu. As mulheres com quem você...

Aline fez uma pausa enquanto tentava escolher a palavra apropriada. McKenna se afastou alguns centímetros.

— O que quer saber?

— Se você amou alguma delas.

Diante do silêncio dele, Aline levantou os olhos e o pegou olhando para ela com tamanha intensidade que sentiu arrepios quentes e frios percorrerem todo o seu corpo.

— Eu não acredito no amor — disse ele. — É como uma pílula amarga revestida de açúcar... A princípio o sabor é tolerável, mas logo chegamos às camadas amargas mais abaixo.

Ela havia sido a única, então. Aline sabia que deveria lamentar o fato de, depois dela, os relacionamentos de McKenna haverem sido puramente físicos. Mas, como sempre, era egoísta no que dizia respeito a ele. Não conseguiu evitar se sentir feliz ao atestar que as palavras dele de muito tempo antes haviam provado ser verdadeiras... *Você sempre será a dona do meu coração... Você me arruinou para o resto da vida...*

— E quanto a Sandridge? — perguntou McKenna. — Você o ama?

— Amo — respondeu Aline baixinho.

Ela amava Adam de todo o coração... mas não da maneira como McKenna acreditava.

— E ainda assim está aqui comigo — murmurou ele.

— Adam... — disse Aline, e logo se interrompeu e pigarreou. — Seja o que for que eu escolha fazer... Ele não se importa. Isso não tem nada a ver com ele... Você e eu...

— Não, realmente não tem — disse McKenna com uma raiva súbita. — Meu Deus, o homem deveria estar tentando arrancar o meu pescoço em vez de deixar você ir a qualquer lugar sozinha comigo. Ele deveria estar disposto a fazer qualquer coisa com exceção de assassinato... Ora, que inferno! Até assassinato eu incluiria para manter outros homens longe de você.

O desprezo marcava a voz dele.

– Está mentindo para si mesma se acha que algum dia ficará satisfeita com o tipo de arranjo sem alma que seus pais tinham, Aline. Você precisa de um homem com uma determinação equivalente à sua, que possua você, que ocupe cada parte do seu corpo e cada canto da sua alma. Aos olhos do mundo, Sandridge combina com você... mas você e eu sabemos que isso não é verdade. Ele é tão diferente de você quanto o gelo do fogo.

McKenna se inclinou sobre Aline, o corpo formando uma prisão rígida e viva ao redor dela.

– *Eu* sou seu igual – declarou ele em uma voz rouca. – Embora o meu sangue seja vermelho e não azul, embora eu tenha sido condenado desde o berço a nunca ter você... por dentro, somos iguais. E eu quebraria todas as leis de Deus e dos homens se...

McKenna parou de falar de repente, reprimindo as palavras quando percebeu que estava revelando muito, que estava permitindo que suas emoções violentas o dominassem.

Aline ansiava por confessar que nunca havia pensado nele como nada além de um igual. Em vez disso, estendeu a mão para o colete dele e começou a desabotoá-lo.

– Me deixe fazer isso... – pediu ela em um sussurro.

Mesmo através da roupa Aline foi capaz de sentir a firmeza do abdômen dele, as rígidas camadas de músculos.

McKenna permaneceu imóvel, os punhos cerrados, os nós dos dedos pressionando com força o tronco do carvalho. Aline abriu lentamente a fileira de botões, então passou para a camisa. Ele não tentou ajudá-la; continuou imóvel enquanto ela o despia. Trêmula de desejo, Aline terminou de desabotoar a camisa e puxou-a para fora da calça. O tecido estava amarrotado e quente na parte que ficara enfiada no cós da calça. Ela deixou as mãos deslizarem para dentro da camisa aberta e arquejou. A pele de McKenna era cálida, cheirava a sal, tentadora. As palmas das mãos dela percorreram lentamente o torso coberto de pelos. Aline ficou fascinada com as texturas do corpo de McKenna, muito mais diversificadas do que as dela. Determinada e ardendo de desejo, Aline encontrou o mamilo com a ponta do dedo. Ela se inclinou para a frente para tocar o círculo acetinado com a língua, sentindo os pelos crespos do peito dele roçarem o seu rosto.

A respiração de McKenna se acelerou e ele levou as mãos às costas dela, para tentar abrir o vestido. Sua boca encontrou o pescoço de Aline, e ele acariciou e beijou a pele macia enquanto continuava a puxar com força a parte de trás do corpete. O vestido logo caiu em volta da cintura, revelando um espartilho que empurrava os seios para cima sob uma fina camisa de algodão. De repente, uma sensação de irrealidade deixou Aline destemida. Ela deslizou as alças da camisa de baixo pelos ombros, desvencilhou os braços e despiu a peça de roupa por cima do espartilho. Seus seios se derramaram, as pontas mais escuras enrijecendo ao contato direto com o ar.

Os dedos de McKenna deslizaram sob a curva pálida de um seio, e ele inclinou um pouco mais a cabeça. Aline se sobressaltou ligeiramente ao sentir o calor úmido dos lábios na pele. A língua de McKenna traçou o contorno da aréola rígida, então acariciou o bico, fazendo cócegas na carne sensível. Ela se contorceu e arquejou mais uma vez, sentindo o desejo disparar por cada parte do corpo. McKenna soltou o mamilo e se afastou para acariciar a carne intumescida com o sopro úmido do seu hálito. A língua dele voltou a provocá-la com arremetidas gentis, fazendo com que Aline se contorcesse e gemesse.

Ele capturou o bico latejante entre os dentes, mordiscando com uma pressão delicada que fez Aline sentir dardos de prazer dispararem até os dedos dos pés. Ela estava tão hipnotizada com a habilidade da boca de McKenna que não reparou quando ele puxou o vestido para baixo, formando um aglomerado de tecido no chão e deixando-a apenas com as roupas de baixo. Horrorizada, ela se curvou automaticamente para puxar novamente o vestido para cima, mas McKenna a pressionou contra a árvore e lhe deu um beijo devastador. Os dedos dele desceram até o cadarço dos calções dela, soltando-os até eles caírem na altura dos joelhos.

Aline estendeu as mãos em um gesto desajeitado, tocando no alto das meias para ver se as ligas não haviam escorregado. E seu coração saltou em desespero quando sentiu uma das mãos de McKenna cobrir a dela.

– Eu faço isso – murmurou ele, evidentemente pensando que ela queria soltar a liga.

– Não.

Aline se apressou em pegar a mão dele e levá-la de volta ao seu seio.

Para seu alívio, McKenna foi imediatamente distraído pela manobra, roçando o polegar no bico rígido. Aline ergueu o rosto para receber o beijo, abrindo os lábios ansiosamente sob os dele. E então sentiu o contorno do membro rijo contra a coxa, esticado por trás da fileira de botões da calça. Voraz, Aline abaixou as mãos e abriu os botões, enfiando os dedos por dentro do tecido aquecido pelo calor da pele dele. Os dois arquejaram quando ela finalmente o libertou, e a carne rígida saltou dos limites do tecido grosso. Trêmula de expectativa, Aline dobrou os dedos ao redor do membro em um aperto delicado e sensual.

McKenna gemeu baixinho, ergueu os pulsos dela acima da cabeça e segurou-os contra o tronco da árvore. Então beijou-a novamente, explorando a boca com a língua enquanto deslizava a mão livre pela barriga dela até encontrar os pelos escuros entre as pernas. McKenna empurrou os pés dela com os seus, instando-a a afastar mais as coxas. Aline sentiu um arrepio de prazer primitivo ao se ver totalmente dominada. Fora ela que desencadeara a paixão de McKenna, e agora teria de aceitar as consequências... Estava mais do que disposta a dar a ele o que ambos haviam desejado por tanto tempo.

Os dedos de McKenna traçaram os contornos das dobras intumescidas do sexo dela, então as separaram com extrema gentileza. Aline tentou sem sucesso soltar os pulsos, esticando o corpo ao sentir a ponta do dedo dele deslizando para dentro dela. McKenna investigou a umidade que encontrou ali, então aproximou o dedo do ponto mais sensível do sexo de Aline, fazendo com que ela suplicasse baixinho. Soltou as mãos dela e envolveu-a com um dos braços, para apoiá-la. A boca dele devorou a dela enquanto seus dedos encontravam o ponto de carne tesa escondido sob as dobras macias do sexo. O beijo foi bárbaro, úmido, violento, contrastando fortemente com a delicadeza habilidosa dos dedos. McKenna continuou a excitar o ponto mais sensível do sexo dela com movimentos gentis e escorregadios, provocando, estimulando, até Aline projetar os quadris com força para a frente. Cada vez mais perto... e mais perto... enquanto a carne latejava, ardia com a combinação de tantas sensações. Ela se contorceu contra os dedos dele, pairando à beira de um alívio tão intenso que não lhe permitia pensar ou respirar. Em seguida, McKenna a levou ao clímax, e Aline se viu dominada por um prazer devastador, que fez seu corpo se contrair e sua garganta se dilatar em arquejos profundos. Depois do que pareceu uma eternidade, o prazer começou a se dissipar em ondas deliciosas, e ela gemeu contra os lábios dele.

McKenna se inclinou para levantar a bainha amarrotada da camisa de baixo dela. Sua língua acariciou o ponto no abdômen onde as barbatanas do espartilho comprimiam a pele clara. Ainda apoiada frouxamente contra a árvore, Aline manteve os olhos fixos no topo da cabeça de cabelos escuros.

– McKenna...

Aline sentiu-se inundar por um calor desenfreado quando ele se ajoelhou para inalar o cheiro do seu corpo. Quando se lembrou das cicatrizes, ela se abaixou para puxar as ligas para cima, então o empurrou, sem sucesso.

– Espere...

Mas a boca de McKenna já estava colada ao sexo dela, aninhando-se na fenda úmida, a língua deslizando por entre os pelos que a cobriam.

As pernas de Aline tremiam violentamente. Se não fosse pelo apoio do tronco do carvalho, ela teria caído no chão, sem forças. Ela levou as mãos trêmulas à cabeça dele, emaranhando os dedos nos cabelos curtos.

– McKenna – gemeu Aline, ainda sem conseguir acreditar no que ele estava fazendo.

Ele lambeu mais profundamente ao longo do sulco do sexo dela, a língua invadindo a carne tenra e úmida até que Aline se calou, restando apenas o som de sua respiração entrecortada rasgando o ar. O prazer se acumulou mais uma vez, erguendo-a em uma nova onda a cada movimento da boca de McKenna.

– Não estou conseguindo aguentar – arquejou Aline. – Por favor, McKenna... por favor...

Aparentemente, essas eram as palavras que ele estava esperando ouvir. McKenna se levantou, puxou-a contra seu corpo e levantou-a do chão com uma facilidade impressionante. Ele usou um dos braços para proteger as costas dela da fricção desconfortável contra o tronco da árvore e passou o outro com cuidado por baixo das nádegas dela. Aline estava completamente impotente, incapaz de se mover e até mesmo de se contorcer. Suas cicatrizes se repuxaram e ela ergueu o joelho para aliviar a tensão.

McKenna beijou-a, preenchendo com seu hálito quente a boca de Aline. Ela sentiu a pressão do sexo dele, a ponta intumescida forçando a entrada vulnerável do seu corpo. Sentiu a própria carne resistindo à investida, se contraindo contra a ameaça de dor. Então a ponta do membro dele a penetrou e, quando McKenna sentiu o aperto quente e confortável, sua urgência pareceu aumentar cem vezes. Ele arremeteu, ao mesmo tempo que permitia que o próprio peso de Aline a empalasse contra o membro rígido. Um suspiro entrecortado escapou da garganta dela quando seu corpo cedeu à invasão implacável. De repente, ele estava dentro dela, abrindo, preenchendo, esticando os tecidos delicados. Aline arqueou o corpo em choque, os punhos cerrados contra as costas dele.

McKenna ficou paralisado quando seu cérebro nublado pela luxúria finalmente registrou os sinais de dor de Aline. Ao se dar conta do que significava a resistência peculiar do corpo dela, ele arquejou, surpreso.

– Meu Deus. Não me diga que você é virgem... Não pode ser.

– Não importa – disse Aline também em um arquejo. – Não pare. Está tudo bem. Não pare.

Mas ele permaneceu imóvel, olhando para ela na escuridão secreta, apertando-a nos braços com força até ela mal conseguir respirar. Ele era parte dela, enfim, naquele ato derradeiro e necessário ao qual toda a vida dela havia conduzido. Aline se agarrou a McKenna com cada parte de seu ser, envolvendo-o profundamente com o corpo, apertando-o com força com os braços delicados. Ao sentir a contração rítmica dos músculos internos dela, McKenna se inclinou para beijá-la com ferocidade, acariciando com a língua a ponta dos dentes e sondando a doçura mais além. Aline apertou as pernas ainda cobertas com as meias ao redor da cintura dele, e ele passou a arremeter em movimentos lentos e incansáveis. A dor diminuiu, embora não tenha desaparecido por completo, mas Aline não se importou. Só o que importava era possuí-lo, conter a carne intumescida, sentir o corpo e a alma agora transformados para sempre pela invasão apaixonada de McKenna.

Gemendo entre dentes, McKenna firmou os pés e arremeteu com mais força, penetrando-a mais fundo, suando com o prazer e com o esforço. E então ele se derramou dentro dela, alcançando um clímax primitivo, violento, que pareceu não ter fim. Aline agarrou-o com força, deixando a boca aberta correr pelo rosto dele, pelo pescoço, lambendo avidamente as trilhas de suor.

McKenna ofegou, estremeceu e continuou dentro dela por um longo tempo. Lentamente, toda a tensão foi drenada do corpo de Aline, deixando-a exausta. Quando McKenna saiu de dentro dela, um líquido quente escorreu por entre as suas coxas. Ao se dar conta de que as meias haviam descido, ela se contorceu, dominada por uma súbita ansiedade.

– Por favor, me coloque no chão.

McKenna baixou o corpo dela com cuidado e firmou-a com as mãos enquanto ela tentava desajeitadamente puxar as meias para cima e ajeitar as alças da camisa de baixo nos ombros. Quando se viu coberta com segurança, Aline pegou o vestido, nada mais do que uma pilha suja ao redor dos seus pés. Ah, como queria se deitar com ele em algum lugar, dormir aninhada contra o corpo dele e acordar diante da visão de McKenna ao sol da manhã. Se ao menos aquilo fosse possível.

Ela vestiu desajeitadamente o resto das roupas, ficou de pé com o rosto virado e deixou que McKenna abotoasse a parte de trás do vestido. Havia acontecido alguma coisa com um dos seus sapatos... ela o chutara longe durante o encontro íntimo dos dois, e McKenna precisou procurar por algum tempo até finalmente encontrá-lo atrás da raiz de uma árvore.

Os lábios de Aline se curvaram em um sorriso relutante quando ele lhe entregou o sapato.

– Obrigada.

Mas McKenna não sorriu. As feições dele estavam rígidas como pedra, os olhos cintilando perigosamente.

– Como diabos é possível – perguntou em um tom de fúria controlada – que você fosse virgem?

– Isso não tem importância – murmurou Aline.

– Para mim, tem.

Os dedos dele ergueram o queixo dela sem muita delicadeza, forçando-a a olhar para ele.

– Por que nunca deixou nenhum homem se deitar com você até hoje?

Aline umedeceu os lábios secos enquanto tentava inventar uma explicação satisfatória.

– Eu... decidi esperar até me casar.

– E em cinco anos se relacionando com Sandridge, nunca deixou que ele tocasse em você?

– Não precisa fazer isso soar como se fosse um crime – retrucou ela, na defensiva. – Foi uma questão de respeito e escolha mútua e...

– Isso é um crime! – explodiu McKenna. – Não é natural, maldição, e você vai me dizer por quê! E depois vai explicar por que *me* deixou tirar a sua virgindade!

Aline tentou encontrar alguma mentira que pudesse contar para distraí-lo... qualquer coisa para esconder a verdade.

– Eu... suponho que eu sentia que devia isso a você, depois da maneira como o mandei embora de Stony Cross tantos anos atrás.

McKenna agarrou-a pelos ombros.

– E você acha que a dívida foi paga agora? – perguntou ele, incrédulo. – Ah, não, milady. Sejamos claros nesse ponto... você nem sequer começou a pagar o que me deve. Para que isso aconteça, você vai ter que me compensar de mais maneiras do que é capaz de imaginar... e com juros.

Aline ficou alarmada, e seu corpo esfriou, enfim.

– Temo que isso seja tudo o que posso oferecer, McKenna – disse. – Uma noite, sem promessas e sem arrependimentos. Lamento se deseja mais do que isso. Simplesmente não é possível.

– O diabo que não é – murmurou ele. – Milady está prestes a aprender como conduzir um *affair*. Porque, durante a minha estada em Stony Cross, você vai pagar sua dívida comigo... deitada, de joelhos ou em qualquer outra posição que eu queira tê-la.

Ele afastou Aline do carvalho enorme, o vestido amarrotado, o cabelo desalinhado e cheio de pedaços da casca da árvore. Então a puxou para a frente e capturou seus lábios, beijando-a não com a intenção de dar prazer a ela, mas de demonstrar posse. Embora Aline soubesse que seria melhor se não reagisse, não era capaz de resistir aos beijos de McKenna. Ela não teve forças para se desvencilhar do abraço implacável dele nem para se desviar dos lábios ardentes e, em pouco tempo, sentiu-se derreter contra McKenna com um gemido trêmulo, os lábios respondendo febrilmente às exigências dos dele.

Só quando a submissão dela ao beijo ficou óbvia para ambos, McKenna levantou a cabeça. Sua respiração rápida se misturava à dela quando ele falou:

– Vou ao seu quarto hoje à noite.

Aline se afastou dele, cambaleando de volta para a trilha na floresta.

– Vou trancar a porta.

– Terei que colocá-la abaixo, então.

– Não seja um cretino – retorquiu ela com um toque de exasperação.

Aline apressou o passo apesar dos protestos das pernas já excessivamente castigadas.

O restante da caminhada de volta para casa foi feito em silêncio, a não ser pelo som dos pés deles esmagando folhas, gravetos e cascalho. Agora ciente de uma infinidade de pontadas e dores, sem mencionar a viscosidade fria entre as coxas, Aline sentiu o desconforto crescer. As cicatrizes começaram a coçar e arder. Nunca desejara tanto um banho quente em toda a sua vida.

Só rezava pedindo que McKenna estivesse distraído demais para notar que ela mancava de dor.

A casa estava escura e silenciosa, com apenas algumas luzes acesas como uma concessão aos convidados que haviam decidido prolongar o tempo de diversão. McKenna acompanhou Aline até a entrada dos criados pela lateral da casa, onde havia menos probabilidade de serem vistos. Mas qualquer um que deparasse com ela naquele estado de desalinho adivinharia facilmente o que andara fazendo.

– Amanhã, então – advertiu ele.

E ali, parado na entrada... McKenna observou enquanto Aline subia lenta e dolorosamente a escada.

Capítulo 13

McKenna andou sem rumo pelo terraço dos fundos em uma espécie de estupor, sentindo-se entorpecido e em maus lençóis... provavelmente de um modo muito semelhante a como Gideon Shaw se sentira quando estava se afogando, bêbado, em um oceano varrido pela tempestade. Em todas as suas fantasias sobre a noite de seu encontro íntimo com Aline, McKenna sempre havia se imaginado no controle absoluto da situação. Ele tinha experiência com mulheres, conhecia as próprias necessidades sexuais e as reações das suas parceiras. Sabia exatamente o que pretendia fazer com elas, e como aconteceria a cena. Aline mudou tudo.

McKenna se sentou em uma mesa do lado de fora da casa, nas sombras, apoiou a cabeça e fechou os olhos. Suas mãos estavam impregnadas com um misto do aroma leve de carvalho, seiva e excitação feminina... ele inalou avidamente aquela fragrância e sentiu um calor aquecer seu ventre. E se lembrou da sensação de deslizar para dentro do corpo dela, da carne exuberante envolvendo seu membro com força. Os suspiros que escaparam de sua garganta. O sabor da boca de Aline, temperado com vinho e cravo. Ela o satisfizera mais do que qualquer outra mulher, mas ele já a desejava novamente.

Ela era virgem... *maldita fosse*. Maldita fosse pelos sentimentos que despertava nele: confusão, desconfiança, vontade de protegê-la e desejo sexual. Teria apostado até o último centavo que, àquela altura, Aline já teria tido dezenas de amantes.

E que ele a teria perdido.

McKenna apertou a cabeça com força entre as mãos, como se pudesse esmagar aqueles pensamentos traiçoeiros. Ela não era mais a jovem que ele amara, lembrou a si mesmo com severidade. Aquela jovem nunca existira de fato. Mas, ainda assim, aquilo não parecia importar. Aline era a sua maldição, o seu destino, o desejo que o consumia. Jamais deixaria de desejá-la, não importava o que ela fizesse, não importava quantos oceanos e continentes ele conseguisse colocar entre os dois.

Deus... a delícia do corpo de Aline, tão apertado e quente ao redor dele... o aroma fresco e salgado da pele, a suavidade perfumada do cabelo. McKenna sentira todo o juízo abandoná-lo quando a possuíra, esquecera-se completamente de sair de dentro dela no momento do clímax. Era possível que a tivesse engravidado. A ideia encheu-o de uma satisfação primitiva. Ver Aline grande e indefesa com o filho dele no ventre, tendo sucumbido ao seu domínio, tornando-se dependente em todos os sentidos... sim, pensou McKenna sombriamente. Ele queria preenchê-la com a própria carne e prendê-la a ele com um laço que Aline jamais conseguiria romper. Ela ainda não se dera conta, mas jamais se livraria daquele homem – ou das exigências que ele faria.

⁓

– Que noite terrivelmente tediosa – comentou Susan Chamberlain, irmã de Gideon Shaw, em um tom azedo.

Tinham acabado de voltar da feira no vilarejo – haviam abandonado as festividades no momento em que as coisas começaram a ficar interessantes. Ao que parecia, os prazeres provincianos de consultar quiromantes, assistir a malabaristas e engolidores de fogo ou beber o vinho de sabugueiro local não agradavam a pessoas tão cosmopolitas quanto os Shaws, seus amigos e parentes.

– Sim – concordou o Sr. Chamberlain –, temo que a novidade de se misturar aos camponeses tenha perdido rapidamente a graça. É melhor passar o tempo na companhia de si mesmo do que conviver com pessoas que não têm mais inteligência do que as próprias ovelhas e cabras que pastoreiam.

Irritada com tamanha soberba, Livia não resistiu a retrucar.

– Ora, vejo que tem sorte, então, Sr. Chamberlain. Porque, com essa atitude, me parece provável que venha a passar realmente muito tempo na própria companhia.

Os Chamberlains a encararam furiosos, mas Gideon Shaw riu com gosto do atrevimento dela.

– Gostei da feira – disse ele, os olhos azuis cintilando, e então olhou para

Susan. – E você parece ter esquecido, querida irmã, que a maioria desses supostos camponeses tem linhagens melhores do que os Shaws.

– Como eu poderia esquecer? – perguntou Susan bruscamente. – Você está sempre ansioso para me lembrar disso.

Livia cerrou os lábios para não rir.

– Devo me recolher agora – disse. – Desejo a todos uma boa noite.

– Ah, ainda não – pediu Shaw, em um tom suave. – A noite é uma criança, milady. Vamos jogar uma mão de cartas ou uma partida de xadrez?

Ela sorriu e perguntou em um tom inocente:

– Gosta de jogar, Sr. Shaw?

O olhar que ele lhe lançou em resposta era sutilmente sedutor, mas sua voz combinava com o tom inocente dela.

– Todo tipo de jogos.

Livia mordeu o lábio inferior do jeito que sempre inspirara Amberley a dizer que ela era adorável. *Que estranho*, pensou... Ela não fazia aquilo conscientemente havia muito tempo. E por isso se deu conta de como queria seduzir Gideon Shaw.

– Eu não jogo, a não ser que tenha certeza de que posso vencer – declarou Livia. – Portanto, sugiro darmos um passeio pela galeria de retratos, e o senhor poderá ver os meus ancestrais. Talvez se interesse em saber que a nossa árvore genealógica se orgulha de ter um pirata entre seus ancestrais. Um sujeito bastante cruel, pelo que me disseram.

– Meu avô também foi pirata – comentou Shaw. – Apesar de nos referirmos educadamente a ele como capitão do mar, o homem fez coisas que levariam um pirata a corar de vergonha.

Susan deixou escapar um som estrangulado.

– Não me juntarei a vocês, lady Olivia, pois é óbvio que meu irmão está determinado a difamar nossos ancestrais em qualquer oportunidade possível. Deus sabe com que propósito.

Livia tentou conter a onda de prazer que a invadiu diante da perspectiva de ficar a sós com Shaw novamente, mas, ainda assim, um rubor traiçoeiro coloriu seu rosto.

– Certamente, Sra. Chamberlain. Mais uma vez, lhe desejo uma boa noite.

As respostas dos Chamberlains, se houve alguma, foram inaudíveis. E, de qualquer modo, Livia não teria sido capaz de escutá-los: seus ouvidos estavam latejando com a pulsação disparada. Ela se perguntou o que o casal pensaria dela por andar pela casa com Shaw sem acompanhante, então decidiu, em um ímpeto de autoindulgência e alegria, que aquilo não importava. A noite *era* uma criança e, pela primeira vez em muito tempo, Livia também se sentia jovem.

Enquanto guiava Shaw até a galeria de retratos, Livia lhe lançou um olhar malicioso.

– Você é mau, por provocar a sua irmã assim – disse com severidade.

– É dever de um irmão atormentar a irmã mais velha.

– Vejo que cumpre o seu com uma eficiência inspiradora – comentou Livia, e o sorriso dele se alargou.

Os dois entraram na longa e estreita galeria de retratos, onde os quadros haviam sido pendurados em seis fileiras até o teto, claramente sem nenhuma intenção de ser uma exposição de arte, mas uma exibição de herança aristocrática. Na outra extremidade da galeria havia um par de tronos góticos enormes; os espaldares tinham quase dois metros e meio de altura e os assentos eram revestidos de almofadas que conseguiam ser mais duras do que uma tábua de madeira. Para os Marsdens, o conforto era de muito menos importância do que o fato de os tronos datarem do século XVI e representarem uma linhagem muito menos corrompida por influências estrangeiras do que a do monarca atual.

Enquanto atravessavam a galeria, a conversa rapidamente se desviou do assunto da ancestralidade para temas muito mais pessoais e, de alguma forma, Shaw conseguiu levar Livia a falar de seu relacionamento com Amberley. Havia inúmeras razões pelas quais Livia não deveria confiar nele. Ela ignorou todas. Por algum motivo, não queria esconder nada de Gideon Shaw, por mais chocante ou desagradável que fosse. Ela contou a ele até sobre o aborto que sofrera... e, enquanto conversavam, se viu sendo puxada para uma das cadeiras enormes e, de repente, estava sentada no colo dele.

– Eu não posso – sussurrou, aflita, olhando para a porta vazia da galeria. – Se alguém nos pegar assim...

– Vou ficar atento à porta – garantiu Shaw, passando o braço com firmeza ao redor da cintura dela. – É mais confortável assim, não é?

– Sim, mas...

– Pare de se mexer, meu bem, ou vai acabar nos constrangendo. Agora... você estava me dizendo...

Livia ficou quieta no colo dele, profundamente enrubescida. O termo carinhoso, por mais corriqueiro que fosse, o contato prolongado com o corpo dele e a simpatia no olhar de Shaw a desarmaram completamente. Ela se esforçou para se lembrar do que estavam falando antes. Ah, sim, do aborto espontâneo.

– A pior parte é que todos acharam que eu tive sorte por ter perdido o bebê – disse ela. – Ninguém usou exatamente essas palavras, mas era óbvio.

– Eu imagino que não teria sido fácil ser uma jovem solteira com um filho sem pai para criar – comentou Shaw com gentileza.

– Sim, eu sabia disso na época. Mas, ainda assim, sofri. Eu cheguei a achar que havia falhado com Amberley por não conseguir manter aquela última pequena parte dele viva. E agora há momentos em que acho difícil me lembrar exatamente da aparência de Amberley ou de sua voz.

– Você acha que ele gostaria que você cometesse sati?
– O que é isso?
– Uma prática hindu, na qual se espera que a viúva se atire na pira funerária do marido. O suicídio dela é considerado uma prova de devoção.
– E se a esposa morrer primeiro? O marido faz a mesma coisa?
Shaw deu um sorrisinho provocador.
– Não, ele se casa novamente.
– Eu deveria ter imaginado – comentou Livia. – Os homens sempre conseguem arranjar as coisas em benefício próprio.

Ele estalou a língua, fingindo reprovação.
– Você é muito jovem para ser tão desiludida.
– E quanto a você?
– Eu nasci desiludido.
– Não, isso não é verdade – afirmou ela em um tom decidido. – Algo o deixou assim. E você deve me contar o que foi.

Os olhos dele cintilaram com um toque de humor.
– Devo? Por quê?
– Porque é justo, depois de eu ter lhe contado sobre Amberley e o escândalo no qual me envolvi.
– Eu levaria o resto da noite para lhe contar sobre os meus escândalos, milady.
– Você me deve isso – insistiu Livia. – Certamente é cavalheiro a ponto de não se negar a pagar uma dívida com uma dama.
– Ah, eu sou mesmo um perfeito cavalheiro – retrucou Shaw com sarcasmo.

Ele enfiou a mão no bolso da camisa e pegou a garrafinha de prata. Então acomodou Livia na dobra do seu braço e usou as duas mãos para tirar a tampa. Livia arquejou baixinho ao se ver ligeiramente esmagada pelos músculos tensos dos braços dele. Quando concluiu a tarefa, Shaw relaxou os braços e levou a garrafinha aos lábios. Um cheiro de bebida cara chegou às narinas de Livia e ela o observou com cautela.

Shaw soltou um suspiro brando ao sentir o efeito calmante do bourbon.

– Muito bem, princesa Olivia... Como deseja o seu escândalo: *au tartare* ou bem-passado?

– Um meio-termo, talvez?

Shaw sorriu e tomou outro gole da bebida. Por um longo minuto os dois ficaram ali sentados em silêncio; Livia estava acomodada no colo dele em uma confusão de camadas de tecido, com a carne feminina confinada no espartilho. Ela viu a expressão hesitante nos olhos de Shaw enquanto ele avaliava quanto deveria lhe dizer, quais palavras transmitiriam mais eficientemente o que desejava... Então sua boca se curvou em uma expressão que misturava resignação e certo mau humor, e seus músculos voltaram a ficar tensos, como se ele estivesse prestes a dar de ombros.

– Antes de eu dizer qualquer coisa, você tem que entender a impressão dos Shaws... impressão, não, convicção... de que ninguém é bom o suficiente para eles.

– A que Shaws você está se referindo?

– À maior parte deles... meus pais em particular. Tenho três irmãs e dois irmãos e, acredite, os que são casados passaram por um inferno para conseguir que meu pai aprovasse os cônjuges. Para os meus pais, era infinitamente mais importante que os filhos se casassem com pessoas de origens corretas, com as linhagens e os dotes adequados, do que com alguém de quem realmente pudéssemos gostar.

– Ou amar – acrescentou Livia, com perspicácia.

– Sim.

Shaw olhou para a garrafinha de prata muito usada e passou o polegar pelo metal quente e gasto. Livia teve que desviar o olhar, surpresa com o desejo repentino e intenso que sentiu de que a mão dele estivesse em seu corpo. Felizmente, Shaw parecia perdido demais nos próprios pensamentos para reparar em como ela ficou tensa em seu colo.

– Eu sou... era... o segundo filho mais velho – disse ele, retomando a história. – Enquanto meu irmão, Frederick, se debatia contra o peso da expectativa, eu me tornei a ovelha negra da família. Quando cheguei à idade de me casar, a mulher por quem me apaixonei não estava nem perto dos padrões que minha família havia estabelecido. Naturalmente, isso só a tornou mais atraente para mim.

Livia ouviu com atenção, os olhos fixos no rosto de Shaw, que sorria, escarnecendo de si mesmo.

– Eu a alertei do que deveria esperar – continuou. – Avisei que provavelmente me renegariam, que seriam cruéis e que jamais aprovariam alguém que eles mesmos não tivessem escolhido. Mas ela disse que nada poderia abalar o amor que sentia por mim, que ficaríamos juntos para sempre. Eu sabia que seria deserdado, e isso não importava. Havia encontrado uma pessoa que me amava e, pela primeira vez na vida, teria a chance de provar para mim mesmo e para todos que não precisava da fortuna dos Shaws. Infelizmente, quando a levei para conhecer o meu pai, na mesma hora ficou clara a farsa que era aquele relacionamento.

– Ela sucumbiu sob a desaprovação do seu pai – sugeriu Livia.

Shaw deixou escapar uma risada sem humor, fechou o frasco de bebida e voltou a guardá-lo no bolso do paletó.

– "Sucumbiu" não é a palavra que eu usaria. Eles fizeram um acordo, os dois. Meu pai ofereceu dinheiro a ela para simplesmente esquecer o meu pedido de casamento e desaparecer, e ela respondeu com uma contraproposta. Os dois barganharam como uma dupla de corretores em uma agência de apostas, na minha frente, enquanto eu ouvia boquiaberto. Quando chegaram a uma quantia aceitável para ambos, minha amada partiu sem olhar nem uma vez para trás. Aparentemente, a perspectiva de se casar com um Shaw deserdado não era tão atraente quanto uma boa recompensa. Por um tempo, não consegui decidir quem eu odiava mais, se ela ou o meu pai. Logo depois, meu irmão Frederick morreu inesperadamente e me tornei o herdeiro natural. Meu pai deixou claro seu desapontamento comigo dali até o dia em que morreu.

Livia teve o cuidado de não demonstrar a compaixão que sentia, temendo que ele a interpretasse mal. Uma dúzia de lugares-comuns lhe vieram à cabeça sobre como Shaw algum dia certamente encontraria uma mulher digna do seu amor, e que talvez o pai só quisesse o melhor para ele... mas, diante da absoluta honestidade do momento, ela não foi capaz de se convencer a dizer nada tão banal. Em vez disso, permaneceu sentada em silêncio no colo de Shaw e, quando olhou para o rosto dele, descobriu que, em vez de parecer amargo ou desiludido, Shaw a fitava com um sorriso perplexo.

– Em que está pensando? – perguntou ele.

– Estava pensando na sorte que tenho. Embora só tenha tido Amberley por pouco tempo, ao menos tenho certeza de que fui amada de verdade uma vez na vida.

Os dedos dele tocaram o maxilar dela e a acariciaram com delicadeza. O toque gentil fez o coração de Livia disparar. Shaw manteve os olhos deliberadamente fixos nos dela enquanto as pontas dos dedos brincaram em sua pele até encontrar a concavidade macia atrás da orelha.

– Qualquer um amaria você.

Livia não conseguia desviar os olhos dos dele. Shaw era um homem perigoso, que oferecia sensações em vez de segurança, paixão em vez de proteção. Antes, ela jamais consideraria a possibilidade de ter um *affair* com um homem a quem não amasse. Mas havia algo muito tentador em relação a ele, uma promessa de prazeres maliciosos, de diversão, à qual ela achava impossível resistir.

Em um impulso, Livia se inclinou para a frente e encostou a boca na dele. A textura dos lábios de Shaw era macia, sedosa, fria a princípio, mas esquentou rapidamente. Como antes, os beijos dele foram brincalhões, ligeiros. Ele mordiscou os lábios dela com uma curiosidade gentil e, em seguida, voltou a pressionar os lábios com mais determinação. Depois de persuadi-la a abrir os lábios, Shaw se dedicou a um beijo longo, a língua explorando com delicadeza.

Quando se contorceu para chegar mais perto dele, Livia sentiu a tensão do corpo sob o dela, os músculos firmes do peito e do abdômen... e, mais abaixo, a pressão crescente que a fez enrubescer de súbito ao se dar conta do que se tratava. Shaw deslizou a mão pelas costas dela em círculos lentos, fazendo com que Livia se inclinasse mais na direção dele, até que uma das mãos dela encontrou a garrafinha de prata. O objeto de metal se colocou em seu caminho, interrompendo suas explorações e provocando um choque indesejado de realidade.

Livia se afastou, sorrindo e trêmula.

– Não vá ainda – murmurou Shaw, sentindo pela tensão em seu corpo que ela se preparava para sair do colo dele.

Livia afastou com relutância a mão que descansava em sua cintura.

– Não posso fazer isso diante dos olhos de toda a minha família, Sr. Shaw.

Ela indicou com um gesto as fileiras de ancestrais de expressões solenes nos quadros pendurados nas paredes.

Shaw respondeu com um sorriso lento.

– Por que não? Eles não me aprovam?

Livia fingiu pensar seriamente na pergunta enquanto fitava os rostos austeros dos Marsdens.

– Parece que não... Talvez precisem conhecê-lo melhor.

– Melhor não – retrucou ele. – Opiniões a meu respeito só pioram depois que me conhecem melhor.

Ela arqueou as sobrancelhas enquanto se perguntava se aquela declaração havia sido feita com sinceridade, se tivera a intenção de manipulá-la ou se fora apenas fruto do humor cáustico dele. Incapaz de determinar a resposta, Livia balançou a cabeça, com um sorriso relutante no rosto.

– Na verdade, quanto mais eu o conheço, mais gosto de você.

Em vez de responder, Shaw segurou o rosto dela entre as mãos, puxou-a para mais perto e beijou sua boca. O contato com os lábios dele dificilmente poderia ser chamado de romântico; foi duro demais, rápido demais, embora de uma intensidade deliciosa. No entanto, aquele beijo afetou Livia ainda mais profundamente do que a exploração lânguida e suave de alguns minutos antes.

Shaw soltou-a e ficou olhando enquanto ela saía do seu colo. O chão pareceu oscilar brevemente sob seus pés, antes que ela finalmente recuperasse o equilíbrio. Shaw se recostou no trono e encarou-a de um modo que provocou uma pontada funda no ventre de Livia.

– Em que está pensando? – sussurrou Livia, repetindo a pergunta que ele lhe fizera pouco antes.

Shaw respondeu com uma espantosa ausência de subterfúgios.

– Estou me perguntando quanto posso ter de você sem magoá-la.

Foi então que Livia teve certeza de uma coisa: antes que Gideon Shaw voltasse para a América, eles seriam amantes. E viu na expressão dos olhos de Shaw que ele também sabia disso. A certeza a encheu de uma expectativa que a deixou trêmula. Livia enrubesceu, se afastou alguns passos e deu boa-noite a Shaw. Mas, quando já estava se afastando, não conseguiu resistir a lançar um olhar por cima do ombro e dizer:

– Não tenho medo de me magoar.

Ele deu um sorriso débil.

– Não importa... você é a última pessoa no mundo a quem desejo causar qualquer mal.

⁓

Aline descobriu que a porta do seu quarto estava entreaberta ao ver a luz dourada de um lampião que se derramava convidativamente no corredor. Terrivelmente constrangida, ela entrou e hesitou ao ver a Sra. Faircloth esperando em uma cadeira perto da lareira. Seu banho habitual havia sido preparado no centro do cômodo, e havia uma chaleira de água quente na lareira.

Obviamente, bastou um único olhar incisivo para que a Sra. Faircloth entendesse tudo. Aline fechou a porta sem olhar para a governanta.

– Boa noite, Sra. Faircloth. Se puder abrir as costas do meu vestido, cuidarei do restante sozinha. Não preciso de mais nenhuma ajuda esta noite.

– Precisa, sim – afirmou a governanta, e se aproximou de Aline.

Uma ironia bem-humorada apaziguou um pouco a aflição de Aline. Não havia chance de a governanta ignorar aquela reviravolta nos acontecimentos sem dar seu palpite. Depois de ajudar Aline a tirar o vestido, a Sra. Faircloth foi buscar a chaleira na lareira e aqueceu o banho com mais água fervente.

– Imagino que esteja dolorida – disse a governanta. – A água quente vai ajudar.

Aline enrubesceu profundamente, soltou o espartilho e deixou que caísse no chão. A súbita entrada de oxigênio em seus pulmões a deixou tonta, e ela esperou até se sentir mais estável antes de acabar de se despir. A liga apertada que prendia as meias havia deixado círculos vermelho-escuros ao redor das coxas, e ela suspirou de alívio quando soltou-as e tirou as meias. Suspeitando que as coisas que havia feito com McKenna provavelmente eram visíveis em seu corpo, Aline se apressou a entrar na banheira e soltou um suspiro de prazer ao afundar na água.

A Sra. Faircloth se ocupou em arrumar uma coisa aqui e outra ali ao redor do quarto enquanto dois vincos surgiam entre as sobrancelhas grisalhas.

– Ele viu as cicatrizes? – perguntou ela baixinho.

Aline levantou o topo do joelho direito acima da superfície fumegante da água.

– Não. Consegui manejar a situação de modo que ele não as visse.

Ela estreitou os olhos ao sentir o ardor repentino das lágrimas, torcendo para que não rolassem.

– Ah, Sra. Faircloth, foi um erro enorme... E tão terrivelmente maravilhoso. Estar com ele foi como reencontrar uma parte da minha alma que tinha sido arrancada.

Aline fez uma careta autodepreciativa diante das próprias palavras melodramáticas.

– Eu entendo – disse a governanta.

– Entende mesmo?

Um brilho inesperado de humor surgiu nos olhos da Sra. Faircloth.

– Já fui jovem, por mais difícil que seja acreditar nisso.

– Quem a senhora...

– Não falo a respeito disso – declarou a governanta com firmeza. – E isso não tem nenhuma relevância para seu drama com McKenna.

A Sra. Faircloth não poderia ter escolhido uma palavra mais precisa. A situação com McKenna não era uma dificuldade, ou um problema, nem mesmo um dilema. Era realmente um drama.

Aline passou as mãos preguiçosamente pela água enquanto a Sra. Faircloth se aproximava para derramar um pouco de óleo com infusão de ervas na banheira.

– Eu me comportei como uma criança gulosa – disse Aline em um tom melancólico. – Peguei o que queria sem pensar nas consequências.

– O comportamento de McKenna não foi melhor do que o seu.

A Sra. Faircloth recuou até a cadeira perto do fogo.

– Agora vocês dois conseguiram o que queriam e parece que ambos estão em uma situação pior.

– O pior ainda está por vir – disse Aline. – Agora, precisarei afastá-lo sem jamais explicar por quê.

Ela fez uma pausa, esfregou o rosto com as mãos molhadas e acrescentou tristemente:

– Mais uma vez.

– Não precisa ser assim – retrucou a governanta.

– A senhora está sugerindo que eu conte a verdade a ele? Pois sabe muito bem qual seria a reação de McKenna.

– Nunca se pode conhecer completamente o coração de alguém, milady.

Ora, eu mesma a conheço desde o dia em que nasceu e ainda assim você tem a capacidade de me surpreender.

– O que eu fiz com McKenna hoje à noite... a surpreendeu?

– Não.

Por alguma razão, a rapidez da resposta da Sra. Faircloth fez com que as duas começassem a rir. Aline apoiou a nuca na borda da banheira e flexionou os joelhos, ansiando para que o calor do banho suavizasse o incômodo em suas cicatrizes.

– Minha irmã já voltou da feira?

– Sim, ela voltou na companhia do Sr. Shaw e dos Chamberlains, há pelo menos três horas.

– E como ela estava? Parecia feliz?

– Até demais.

Aline deu um sorrisinho.

– É possível alguém se sentir feliz demais?

A Sra. Faircloth franziu a testa.

– Só espero que lady Livia tenha ciência do tipo de cavalheiro que o Sr. Shaw é. Ele com certeza já se envolveu com centenas de mulheres antes dela e continuará fazendo isso por muito tempo depois que deixar Stony Cross.

Aquelas palavras fizeram o sorriso de Aline desaparecer.

– Vou falar com ela amanhã. Talvez, juntas, possamos colocar a cabeça em ordem.

– Não é a cabeça de vocês que precisa ser colocada em ordem – disse a Sra. Faircloth, e Aline fez uma careta para ela.

Capítulo 14

Para desapontamento de Livia, Gideon Shaw não apareceu em nenhum momento no dia seguinte. Sua ausência no café da manhã e no almoço não foi comentada por ninguém do grupo de americanos, que pareciam ver o desaparecimento de Shaw como um evento corriqueiro. Depois de convencer a Sra. Faircloth a fazer algumas indagações discretas sobre o paradeiro do convidado, Livia descobriu que ele havia simplesmente se fechado no alojamento dos solteiros e avisado que não queria ser incomodado de forma nenhuma.

– Ele está doente? – perguntou Livia, imaginando-o de cama, indefeso e febril. – Será que deve mesmo ser deixado sozinho nessa situação?

– É de imaginar que a doença dele seja o excesso de bebida – retrucou a Sra. Faircloth em um tom de desaprovação. – Nesse caso, o Sr. Shaw sem dúvida deve ser deixado a sós. Há poucas imagens mais desagradáveis do que um cavalheiro caindo de bêbado.

– Que razão ele teria para fazer isso? – perguntou Livia, o tom ainda preocupado.

Parada diante da enorme bancada de carvalho da cozinha, onde as criadas haviam acabado de abrir e cortar a massa dos doces que seriam servidos, Livia fez pequenos círculos com a ponta do dedo na grossa camada de farinha que cobria a mesa.

– O que poderia tê-lo aborrecido? Ele parecia tão bem ontem à noite...

A Sra. Faircloth esperou que as criadas se afastassem para levar a massa para a despensa antes de responder.

– Bêbados não precisam de nada em particular para se aborrecerem.

Livia não gostou das imagens que a palavra invocava: homens nojentos, cambaleantes e ridículos, que diziam coisas desagradáveis, tropeçavam em móveis invisíveis e terminavam estatelados no chão. Embora fosse sabido que quase todos os homens bebiam em excesso de vez em quando, nenhum era considerado um bêbado até se tornar óbvio que sua sede era perpétua e que ele não tinha capacidade de administrar a quantidade de álcool ingerida. Livia conhecera poucos homens assim. Na verdade, nunca vira Marcus embriagado, já que ele sempre mantinha um rígido autocontrole.

– Shaw não é um bêbado – retrucou Livia em um sussurro, preocupada com os ouvidos atentos dos criados. – Ele é apenas, bem...

Ela parou e franziu a testa com força.

– A senhora está certa, ele é um bêbado – admitiu. – Mas como eu desejaria que não fosse! Se ao menos alguém ou alguma coisa pudesse inspirá-lo a mudar...

– Esse tipo de homem não muda – murmurou a Sra. Faircloth em um tom carregado de certeza e consternação.

Livia se afastou da bancada quando uma das criadas se aproximou para limpá-la com um pano úmido. Ela espanou os vestígios de farinha das mãos e cruzou os braços.

– Alguém precisa ir até lá e se certificar de que ele está bem.

A governanta fitou-a com desaprovação.

– Se eu fosse você, milady, deixaria esse assunto de lado.

Livia sabia que a Sra. Faircloth estava certa, como sempre. No entanto, os minutos e horas se arrastavam e, quando a hora do jantar se aproximava, ela foi procurar Aline – que, agora que Livia pensava a respeito, parecera bastante distraída. Pela primeira vez naquele dia, Livia deixou brevemente de lado sua obsessão com Gideon Shaw para se perguntar como a irmã estava lidando com McKenna. Livia vira os dois caminhando juntos na feira e, é claro, ouvira sobre a serenata com "The Rose of Tralee". Achara interessante o fato de McKenna, que ela sempre considerara um homem muito contido e reservado, ter apelado para uma demonstração pública de seu interesse por Aline.

Mas a verdade era que provavelmente aquilo não surpreendera ninguém, já que estava claro para todos que Aline e McKenna tinham nascido um para o outro. Havia alguma coisa invisível, mas ainda assim irrefutável, que fazia deles um casal. Talvez fosse o modo como ambos estavam sempre lançando olhares um para o outro quando achavam que não eram notados... olhares de encanto e desejo. Ou como o tom de McKenna mudava sutilmente quando ele falava com Aline, tornando-se mais profundo, mais gentil. Não importava quanto os dois procurassem se comportar de modo circunspecto, qualquer pessoa diria que Aline e McKenna estavam unidos por uma força muito mais poderosa que nenhum dos dois era capaz de conter. Eles pareciam querer respirar o mesmo ar. A ânsia mútua que sentiam era dolorosamente óbvia. E Livia estava convencida de que McKenna idolatrava a irmã dela. Talvez fosse errado, mas Livia não conseguia evitar desejar que Aline tivesse coragem de confiar a McKenna a verdade sobre o acidente que sofrera.

Absorta nos próprios pensamentos, Livia acabou encontrando a irmã no escritório particular de Marcus, o mesmo que o pai deles sempre usara. Assim como o falecido conde, o cômodo era feito de ângulos duros. As paredes eram cobertas por painéis de pau-rosa encerado, decoradas apenas por uma fileira de vitrais retangulares. Embora Aline fosse até ali com frequência para conversar com Marcus sobre assuntos da casa, os dois pareciam estar debatendo sobre algo muito mais pessoal naquele momento. Na verdade, pareciam estar discutindo.

– Não vejo por que você deveria tomar esse assunto para si... – dizia Aline, irritada, no momento em que Livia entrou no cômodo após bater rapidamente na porta.

Nenhum dos irmãos pareceu particularmente entusiasmado ao vê-la.

– O que você quer? – perguntou Marcus em um grunhido.

Sem dar atenção à grosseria do irmão, Livia se dirigiu a Aline.

– Eu gostaria de conversar com você antes do jantar. É sobre... Bem, mais tarde explicarei.

Livia fez uma pausa e olhou para os dois com as sobrancelhas erguidas.

– Por que estão discutindo?

– Vou deixar que Marcus explique – falou Aline, secamente.

Ela se sentou no canto da escrivaninha grande e inclinou o corpo para trás, para apoiar a mão no tampo lustroso de madeira.

Livia olhou com desconfiança para Marcus.

– O que aconteceu? O que você fez?

– A coisa certa – respondeu ele.

Aline soltou uma risadinha zombeteira.

– Como assim? – perguntou Livia. – Marcus, vamos ficar aqui brincando de adivinhação ou você vai simplesmente me dizer o que houve?

Marcus ficou de pé diante da lareira apagada. Se fosse um homem alto, talvez tivesse conseguido apoiar o cotovelo no console da lareira, em uma pose despojada e elegante. Mas, como não era o caso, ele conseguiu quase o mesmo efeito apoiando os ombros no console.

– Eu simplesmente assumi a tarefa de mandar um recado para alguns dos potenciais investidores de Shaw, todos conhecidos meus, alertando-os para que sejam cautelosos em relação à investigação das fundições dele. Informei-os sobre alguns problemas em potencial no acordo que Shaw e McKenna propuseram. Alertei-os de que, na ânsia dos americanos de expandirem seus negócios, não temos qualquer garantia contra uma queda na qualidade da produção, o comprometimento da estrutura, a má qualidade do serviço e até mesmo fraude...

– Isso é loucura – interrompeu-o Aline. – Você só está agindo graças ao típico medo dos ingleses de produzir em larga escala. Não tem qualquer evidência de que isso será um problema para as fundições de Shaw.

– Também não tenho prova de que não será – argumentou Marcus.

Aline cruzou os braços e encarou o irmão com uma expressão desafiadora.

– Prevejo que seus esforços não terão qualquer resultado, Marcus... Shaw e McKenna vão se provar mais do que capazes de acalmar qualquer receio que os investidores possam ter.

– Veremos. Também mandei um recado para lorde Elham, que tem uma cadeira no conselho da Somerset Shipping Company, a companhia de navegação, e agora ele vai pensar duas vezes antes de vender seus direitos de atracação para o americano. Direitos esses que são uma parte essencial dos planos de Shaw.

Livia acompanhava a conversa, absolutamente perplexa, tendo uma leve noção apenas de que o irmão estava determinado a dificultar os futuros negócios de Shaw e McKenna.

– Por que você faria isso? – perguntou a ele.

– Simples – disse Aline, antes que Marcus pudesse responder. – Ao colocar obstáculos no caminho do Sr. Shaw, Marcus garante que ele e McKenna tenham que ir imediatamente a Londres, para lidar com todo o prejuízo que ele provocou.

Livia ficou olhando para o irmão e sentiu a fúria crescer em seu peito.

– Como você foi capaz de uma coisa dessas?

— Porque tenho a intenção de manter esses dois desgraçados o mais longe que eu puder das minhas irmãs – declarou Marcus. – Agi pensando no seu bem, no bem de vocês duas, e um dia vocês vão se convencer da sabedoria do que fiz.

Livia olhou ao redor do cômodo em busca de alguma coisa que pudesse jogar em cima do irmão.

— Você está agindo exatamente como o nosso pai, seu *idiota* arrogante e enxerido.

— Neste exato momento – retrucou Marcus, em um tom severo –, Shaw está se afogando em uma garrafa de qualquer coisa depois de passar o dia todo enfurnado em um quarto escuro. Que belo elemento para você se envolver, Livia. Como Amberley ficaria feliz.

Livia ficou muito pálida diante do sarcasmo do irmão. Dominada pela raiva e pela mágoa, saiu pisando firme do escritório sem nem se dar ao trabalho de fechar a porta.

Aline encarou o irmão com os olhos semicerrados.

— Agora você foi longe demais – alertou em um tom gentil. – Nunca se esqueça, Marcus, de que algumas coisas, depois que são ditas, não podem ser retiradas.

— Livia faria bem em se lembrar disso também – retorquiu Marcus. – Você ouviu o que *ela* acabou de dizer.

— Sim, que você está agindo exatamente como o nosso pai. E você discorda?

— Categoricamente.

— Marcus, você nunca soou, agiu, ou se pareceu mais com ele do que nos últimos minutos.

— Isso não é verdade! – reagiu Marcus, ultrajado.

Aline ergueu as mãos com se para se defender e, quando voltou a falar, sua voz soou subitamente cansada.

— Não vou perder tempo discutindo isso. Mas talvez seja bom suar esse seu cérebro tão capaz para considerar uma coisa, meu caro: de que outra maneira você poderia ter lidado com a situação? Porque você optou pelo caminho mais curto e mais eficiente para alcançar seu objetivo, sem levar em consideração os sentimentos de ninguém. E se isso não se parece com o nosso pai...

Aline fez uma pausa, balançou a cabeça e soltou um suspiro.

— Vou procurar Livia.

Aline deixou o escritório do irmão impenitente e saiu às pressas em busca da irmã. O esforço de caminhar tão rápido fez com que as cicatrizes repuxassem a pele e ela soltou um suspiro de impaciência.

– Livia, para onde você foi? Pelo amor de Deus, espere um momento para que eu consiga alcançá-la.

Encontrou a irmã parada no corredor, o rosto vermelho de fúria. De repente, Aline se lembrou de uma ocasião, quando Livia era bem pequena, em que ela se frustrara ao construir uma torre de blocos de madeira alta demais para permanecer de pé. Livia voltara a construir a torre cambaleante vezes sem conta, e chorava de raiva cada vez que ela tornava a cair... Parecia incapaz de aceitar que deveria construir uma estrutura menos ambiciosa.

– Ele não tinha o direito – disse Livia, então, tremendo com a violência de seus sentimentos.

Aline fitou-a com carinho.

– Marcus foi arbitrário e arrogante – concordou –, e obviamente fez a coisa errada. Mas nós duas precisamos ter em mente que ele fez isso por amor.

– Não me importo com a motivação dele, Aline... isso não altera o resultado do que fez.

– Que é...?

Livia encarou a irmã com irritação, como se Aline estivesse sendo propositalmente obtusa.

– Que eu não voltarei a ver o Sr. Shaw, é claro!

– Marcus está presumindo que você não pretende deixar Stony Cross. Afinal, você realmente não saiu daqui desde a morte de Amberley. Mas o que parece não ter ocorrido nem a você nem a Marcus é que você pode ir a Londres.

Aline sorriu ao perceber a expressão de surpresa que surgia no rosto de Livia.

– A-acho que eu poderia – disse Livia em um tom hesitante.

– Então por que não faz isso? Não há ninguém que possa impedi-la.

– Mas Marcus...

– O que ele poderia fazer? – questionou Aline. – Trancar você no quarto? Amarrá-la a uma cadeira? Vá para Londres se quiser, e fique na residência Marsden. Eu lidarei com Marcus.

– Parece um pouco ousado demais, não é? Ir atrás do Sr. Shaw e...

– Você não está indo atrás dele, Livia – tranquilizou Aline depressa. – Está indo fazer compras na cidade... tarefa há muito adiada, devo dizer. Precisa visitar a modista, já que tudo que possui está lamentavelmente fora de moda. E qual é o problema se estiver em Londres, fazendo compras, no momento em que o Sr. Shaw também estará na cidade?

Livia subitamente sorriu.

– Você iria comigo, Aline?

– Não, preciso ficar em Stony Cross com nossos convidados. E...

Ela hesitou por um longo momento.

– Também acho que seria melhor me manter longe de McKenna.

– Como estão as coisas entre vocês? – perguntou Livia. – Na feira vocês pareciam...

– Tivemos uma noite adorável – falou Aline, em um tom leve. – Nada aconteceu... e espero que jamais venha a acontecer.

Ela sentiu uma pontada aguda de desconforto por mentir para a irmã. Mas a experiência com McKenna na noite da véspera havia sido intensa e pessoal demais... Aline não se sentia em condições de colocar aquilo em palavras.

– Mas você não acha que McKenna...

– É melhor você começar a se preparar – aconselhou Aline. – Vai precisar de uma acompanhante. Não tenho dúvida de que a tia-avó Clara aceitaria ficar na nossa casa com você, ou talvez...

– Vou convidar a Sra. Smedley, do vilarejo – disse Livia. – Ela é de uma família respeitável e adoraria uma viagem a Londres.

Aline franziu a testa.

– Santo Deus, a Sra. Smedley mal consegue ouvir alguma coisa e é cega como um morcego. Acho que não sou capaz de imaginar uma acompanhante menos eficiente.

– Exatamente – concordou Livia, com tanta satisfação que Aline não conseguiu conter uma gargalhada.

– Muito bem, então, leve a Sra. Smedley. Mas se eu fosse você, faria tudo com a máxima discrição até partir.

– Sim, tem razão.

Livia deu as costas à irmã com uma expressão de empolgação furtiva, e se apressou a atravessar o corredor.

Aline chegou à conclusão de que era justo alertar McKenna das maquinações do irmão, e decidiu abordá-lo depois do jantar. No entanto, acabou tendo oportunidade de falar com ele antes do que esperava, já que a refeição terminou de forma precipitada e profundamente constrangedora. A ausência de Gideon Shaw foi impossível de ignorar e a irmã dele parecia de péssimo humor.

Ao ver que Susan consumia o vinho com demasiada liberalidade durante a refeição, Aline trocou um olhar sutil com o primeiro lacaio, deixando claro que o vinho deveria ser batizado com uma boa quantidade de água. Em um instante, o lacaio já havia entregado o jarro de vinho a um subordinado, que levou-o discretamente à copa e logo o trouxe de volta. Todo o procedimento se deu de forma imperceptível para os convidados, com exceção de McKenna, que deu um breve sorriso para Aline.

Quando o primeiro prato – sopa de aspargos e salmão com molho de lagosta – foi removido, a conversa se desviou para o assunto das negociações que aconteceriam em Londres. O Sr. Cuyler perguntou inocentemente a Marcus como ele achava que transcorreria a situação, e Marcus respondeu com frieza:

– Não creio que seja possível discutir adequadamente a questão na ausência do Sr. Shaw, já que o resultado dependerá fortemente da atuação dele. Talvez seja melhor esperarmos até que ele não esteja tão indisposto.

– Indisposto – comentou Susan Chamberlain com uma risada debochada. – Está se referindo ao hábito do meu irmão de se embriagar do nascer ao pôr do sol? Que chefe de família ele está se saindo, não acha?

A conversa subitamente parou. Apesar de ter se surpreendido com a hostilidade com que Susan se referira ao irmão, Aline não demonstrou seu desconforto e tentou aliviar a tensão.

– Ao que me parece, Sra. Chamberlain – falou –, sua família prosperou sob a tutela do Sr. Shaw.

– Isso não teve nada a ver com ele – retrucou Susan em um tom zombeteiro, sem dar atenção às tentativas do marido de calá-la. – Vou dizer o que quero! Por acaso devo tratar Gideon com deferência só porque ele teve a sorte dos tolos de ser o próximo na linha de sucessão quando o pobre Frederick morreu?

Susan contorceu os lábios com amargura.

– O motivo para os Shaws terem prosperado, lady Aline, foi meu irmão ter colocado a riqueza da família à mercê de um imigrante sem berço que por acaso teve sorte em algumas de suas escolhas.

Susan Chamberlain começou a rir.

– Um bêbado e um estivador... que bela dupla. E o meu futuro está inteiramente nas mãos desses dois. Muito divertido, não acha?

Ninguém mais pareceu compartilhar do humor dela, e seguiu-se um longo momento de silêncio. A expressão de McKenna era impenetrável. Ele não parecia afetado pelas palavras de Susan, como se estivesse acostumado com ataques venenosos. Aline se perguntou quantos insultos e afrontas McKenna tivera que suportar ao longo dos anos apenas por ter cometido o pecado imperdoável de ter que trabalhar para se manter.

Ele se levantou e inclinou-se em um cumprimento a todos na mesa, o olhar encontrando brevemente o de Aline.

– Peço licença – murmurou. – Estou sem apetite.

Todos lhe deram boa-noite, menos Susan, que se dedicou a afogar seu ressentimento em mais uma taça de vinho.

Aline sabia que deveria permanecer na mesa para aliviar a atmosfera carregada com conversas leves. Mas quando olhou para a cadeira vazia de McKenna, a ânsia de segui-lo se tornou insuportável. *Fique onde está e faça o que deve fazer*, disse a si mesma com severidade, mas a cada segundo que passava, a urgência de ir atrás dele tornava-se mais aguda, até seu coração estar disparado e o suor, escorrendo por baixo do vestido. Aline se levantou da mesa de repente, o que obrigou os cavalheiros a se levantarem também.

– Peço que me perdoem... – murmurou, tentando inventar uma desculpa para sua súbita partida. – Eu...

Como não conseguiu pensar em nada, disse apenas:

– Me deem licença.

E, com isso, Aline simplesmente deixou o salão de jantar.

Ela ignorou os sussurros que acompanharam a sua partida, e saiu correndo atrás de McKenna. Quando chegou ao topo da escada, descobriu que ele a aguardava. Provavelmente ouvira seus passos.

Ondas de frio e calor percorreram o corpo de Aline de forma alternada enquanto ela e McKenna se encaravam. Os olhos dele cintilavam no rosto moreno, a expressão ardente invocando a lembrança de seus corpos embolados na floresta... do corpo dela se contorcendo, do membro dele a preenchendo.

Constrangida, Aline fechou os olhos e sentiu a vermelhidão cobrir seu rosto. Quando finalmente conseguiu encará-lo de novo, os olhos de McKenna ainda tinham o mesmo brilho inquietante.

– Todos os Shaws são assim? – perguntou Aline, referindo-se a Susan Chamberlain.

– Não, ela é a mais gentil – retrucou ele com ironia, arrancando uma gargalhada dela.

Aline torceu os dedos e perguntou:

– Posso falar com você por um minuto? Tenho algo importante que gostaria de dizer.

A expressão dele era de alerta quando perguntou:

– Aonde devemos ir?

– Vamos à sala de estar – sugeriu Aline, pensando que o cômodo no segundo andar era o mais apropriado para aquele tipo de conversa.

– Correremos o risco de sermos interrompidos lá – observou McKenna.

– Fecharemos a porta.

– Não.

Ele pegou a mão dela e a puxou para que o seguisse.

Aline achou divertida a postura autoritária dele e o acompanhou sem resistência. Seu coração disparou quando se deu conta de para onde McKenna a estava levando.

– Não podemos ir para o meu quarto – disse ela em um tom cauteloso, olhando de um lado para o outro no longo corredor. – É para lá que você... Não, *realmente* não podemos...

McKenna ignorou os protestos dela, parou diante da porta do quarto onde Aline dormira a vida toda e a abriu. Bastou um breve olhar para o corpo grande, de ombros largos, para Aline se convencer de que não adiantava discutir. Ela não conseguiria empurrá-lo para fora do quarto. Então deixou escapar um suspiro exasperado, entrou no cômodo atrás dele e fechou a porta.

Havia uma lamparina em uma mesa próxima da entrada e Aline parou para acendê-la com gestos hábeis. A chama lançou sombras pelo cômodo e pelo quarto de vestir mais além. Ela pegou a lamparina pela base de porcelana pintada e seguiu McKenna até o gabinete, o espaço privado em que ele nunca ousara entrar quando eram mais jovens.

Uma espreguiçadeira – a única peça de mobília no cômodo – estava cheia de almofadas bordadas. Perto dela, uma fileira de pérolas pendia de um gancho dourado, ao lado de uma coleção de bolsinhas decoradas com contas. Pelo canto do olho, Aline viu McKenna tocar em uma das bolsas delicadas, que pareceu absurdamente pequena ao lado da mão dele.

Ela foi até a janela antiga do gabinete. Os painéis de vidro marcados pelo tempo tornavam a vista dos campos do lado de fora agradavelmente borrada, como se a pessoa estivesse olhando através da água. Os outros três lados do *boudoir* eram cobertos por placas quadradas de espelho, criando uma miríade de reflexos que se multiplicavam. Quando McKenna parou atrás dela, Aline viu o rosto dele e o dela reproduzidos infinitas vezes sob a luz da lamparina.

McKenna andou ao redor, foi até a janela e pegou um objeto no peitoril pintado. Era um brinquedo de criança, um cavalinho de metal com a figura de um cavaleiro montado. Aline percebeu que ele havia reconhecido o objeto... aquele tinha sido o brinquedo favorito dele, tão amado e usado que a maior parte da tinta que o cobria havia saído. Para alívio de Aline, McKenna deixou o brinquedo onde estava sem fazer comentários.

– O que você quer me dizer? – perguntou ele baixinho.

Aline ficou fascinada pela combinação perfeita de dureza e ternura no rosto de McKenna: o ângulo ousado do nariz, a curva sedutora do lábio inferior, o modo como os cílios longos e sedosos lançavam sombras sobre os malares.

– Temo que meu irmão tenha tornado os negócios de vocês mais difíceis do que esperavam – disse ela.

O olhar dele ficou mais atento.

– Como assim?

Aline explicou o que Marcus fizera e McKenna ouviu com uma ausência de alarme que a tranquilizou.

– Vai ficar tudo bem – garantiu ele quando ela terminou de falar. – Posso afastar as preocupações dos investidores. E vou encontrar uma maneira de convencer Elham de que é do interesse dele nos vender os direitos de atracação. Se não der certo, construiremos nossas próprias docas.

Aline sorriu diante da autoconfiança dele.

– Isso não seria fácil.

– Nada que valha a pena é.

– Sei que você deve estar furioso com Marcus, mas ele só fez isso guiado pelo desejo equivocado de...

– Proteger você e a sua irmã – completou McKenna quando ela hesitou. – Eu dificilmente poderia culpá-lo por isso. Alguém precisa mantê-la a salvo de homens como eu – disse ele, em um tom muito gentil.

Ao se virar, Aline deparou com os painéis de espelho, viu o mosaico do próprio rosto enrubescido... e o modo como a luz da lamparina deslizava pelos cabelos negros e brilhantes de McKenna quando ele parou atrás dela. Seus olhares se encontraram em meio às imagens fragmentadas.

– Você vai ter que partir imediatamente para Londres, não é mesmo? – perguntou ela.

– Sim. Amanhã.

– O-o que vai fazer a respeito do Sr. Shaw?

Ele inclinou a cabeça sobre a de Aline até seu hálito aquecer a têmpora dela. Então levou uma das mãos ao ombro nu acima do vestido, deixando a ponta dos dedos roçarem a pele pálida com a leveza das asas de uma borboleta.

– Acho que terei que deixá-lo sóbrio.

– Acho tão lastimável que ele tenha escolhido...

– Não quero falar sobre Shaw.

McKenna virou-a para que o encarasse e deixou a mão subir pelo pescoço de Aline até seus dedos bronzeados a segurarem pelo queixo.

– O que você está fazendo? – perguntou Aline, ficando tensa ao sentir a outra mão dele deslizar pelas costas do seu vestido.

– Exatamente o que você sabia que eu faria se me deixasse entrar aqui.

Enquanto começava a abrir o vestido dela, McKenna beijou-a, a aspereza da barba fazendo a pele do rosto dela vibrar.

– Você não me deixou escolha – protestou Aline. – Saiu me puxando e...

Ele a calou com outro beijo enquanto seus dedos continuaram trabalhando até revelar os cadarços do espartilho. Enrolou os cordões finos nos dedos e puxou até afrouxá-los e libertar Aline. O espartilho caiu no chão, sob o vestido que ela ainda usava. O corpo exposto parecia suave e opulento, ansiando pelas mãos dele.

Aline sentiu o coração disparado ecoar em seus ouvidos enquanto a boca de McKenna possuía a dela com beijos doces e vorazes. O cheiro quente e másculo da pele dele, de traços de colônia somados ao toque pungente do tabaco, encheu-a de um prazer inebriante. Ela se sentiu absurdamente empolgada com a ideia de tê-lo novamente dentro de si, ao mesmo tempo que uma vozinha em seu interior a alertava para não permitir que McKenna a explorasse a seu bel-prazer.

– Rápido – pediu ela, a voz instável. – Só... seja rápido, por favor...

As palavras foram esmagadas pela boca de McKenna, em beijos mais ardentes e deliciosos, e o corpo excitado dele chegou ainda mais perto, deixando-a zonza. As mãos de McKenna deslizaram para dentro do vestido aberto, acompanhando a linha delicada das costas até a curva arredondada das nádegas. Aline sentiu uma pontada de desejo entre as pernas, a carne ainda protegida tornando-se relaxada e quente, e esticou o corpo para que fosse cortejado com malícia e gentileza pelos dedos dele.

McKenna afastou a boca da de Aline, virou-a de costas e pousou as mãos em seus ombros.

– Fique de joelhos – sussurrou ele.

A princípio, Aline não compreendeu. Mas a pressão das palmas das mãos dele a guiou e ela se viu ajoelhada diante da espreguiçadeira, entre as ondas do tecido cintilante do vestido. A visão da estampa da almofada bordada ficou borrada quando Aline ouviu o som de McKenna despindo o paletó. A peça de roupa aterrissou em cima da espreguiçadeira, ao lado dela. Mais farfalhar de tecidos, de roupas sendo despidas, então McKenna se ajoelhou atrás dela.

Ele enfiou a mão com habilidade por baixo da saia de Aline, afastando metros de camadas de tecido, até encontrar o corpo vulnerável abaixo. Aline sentiu McKenna agarrar seus quadris, os polegares cravados na maciez de suas nádegas. Uma das mãos dele desceu até o meio das pernas dela, buscando a abertura das calçolas. Ele pareceu avaliar com os dedos o tamanho da abertura com borda de renda, e Aline estremeceu ao senti-lo roçar os pelos embaixo do tecido. McKenna usou as duas mãos para rasgar a abertura e aumentá-la alguns centímetros. Com gentileza, ajustou a posição dela, empurrando-a para que ela se apoiasse na espreguiçadeira e forçando as coxas com as dele até tê-la aberta à sua frente.

McKenna se aproximou mais de Aline por trás e cobriu-a com o próprio corpo, os ombros ligeiramente curvados.

– Calma – murmurou, sentindo-a estremecer. – Calma. Não vou machucá-la desta vez.

Aline não pôde responder. Só conseguia tremer e esperar, fechando os olhos ao apoiar o rosto no braço dele. Ela sentiu os lábios de McKenna se moverem e alguma coisa roçar entre as pernas dela: era o membro dele cutucando a carne delicada que ele expusera. McKenna enfiou a mão livre por baixo da saia dela e foi descendo pela frente do seu corpo, passando pelo abdômen, até seus dedos encontrarem o sexo. Ele abriu passagem entre os pelos macios e foi além. Aline, por sua vez, empurrou os quadris para trás contra o corpo sólido que a dominava. Sentindo os dedos dele roçarem o ponto mais sensível do seu sexo em movimentos circulares, ela gemeu diante da sedução gentil.

A mão de McKenna se afastou e tocou seu rosto, e ele usou a ponta do dedo médio para acariciar seu lábio inferior. Aline abriu a boca obedientemente e deixou o dedo dele invadir a umidade cálida. McKenna enfiou a mão mais uma vez por baixo da saia dela e seu dedo agora estava úmido quando a acariciou. Então foi excitando-a lentamente, massageando a umidade que se espalhava pelo sexo quente até Aline agarrar o assento do divã e enfiar a testa suada entre as almofadas. Um som trêmulo escapou de sua garganta quando sentiu o dedo de McKenna penetrá-la, deslizando cada vez mais fundo até a carne intumescida envolver cada junta. Aline ergueu as nádegas para se moldar ao máximo ao corpo dele e aguardou, agoniada de desejo, enquanto ele continuava a penetrá-la com o dedo em movimentos gentis e circulares, preparando-a para a invasão que se seguiria.

Aline sentiu mais uma vez aquele cutucão sutil e enlouquecedor do membro dele, um roçar provocante da carne rígida e sedosa. Ela prendeu a respiração e permaneceu absolutamente passiva, as coxas abertas em uma entrega impotente. McKenna penetrou-a em uma arremetida lenta... Mais uma vez, Aline experimentou a impressionante sensação de preenchimento, mas agora houve apenas um brevíssimo momento de dor. Ele arremeteu mais fundo, sem encontrar qualquer resistência, e sentiu as profundezas pulsantes do corpo dela o receberem com entusiasmo. Cada vez que ele recuava, Aline se contorcia para trazê-lo mais para perto. Enquanto isso, os dedos de McKenna brincavam com os pelos úmidos do sexo dela, roçando delicadamente aquele ponto mais sensível, acariciando-o com gentileza em contraste com o ritmo das arremetidas. A sensação foi se tornando cada vez mais intensa, e a cada arremetida deliciosa o membro rígido penetrava ainda mais fundo no canal úmido de Aline. O prazer se intensificou, acumulando-se naquele ponto do corpo dela que McKenna dominava de forma consumada naquele momento, até ela não conseguir mais suportar. Aline arqueou o corpo contra os dedos dele, estremecendo incontrolavelmente, abafando os gemidos contra o assento da espreguiçadeira. McKenna a conteve com um grunhido, penetrando-a com mais força até que ele também deixou escapar um som rouco e se derramou com intensidade dentro dela.

Os dois permaneceram colados, ofegantes, por um longo minuto, os corpos unidos, enquanto o peso de McKenna quase esmagava o corpo dela. Aline não queria voltar a se mexer nunca mais. Ela permaneceu de olhos fechados, os cílios úmidos colados ao rosto. Quando sentiu McKenna se afastar, mordeu o lábio para conter um gemido de protesto. E permaneceu debruçada nas almofadas, em um amontoado de seda e roupas de baixo rasgadas, os membros fracos após o encontro sexual.

McKenna voltou a se vestir e procurou o paletó que descartara. Precisou pigarrear antes de falar, e sua voz soou rouca.

– Sem promessas nem arrependimentos... exatamente como você queria.

Aline não se moveu enquanto ele deixava o *boudoir*. Ela esperou até que McKenna saísse de seus aposentos, até ouvir o som da porta se fechando, e só então permitiu que as lágrimas deslizassem pelo rosto.

⁂

O jantar longo e infernal terminara. Embora Livia soubesse que quase todos em Stony Cross Park desconfiavam que ela visitaria o alojamento de solteiros, achou que o mais decente a fazer era ser discreta. Ela usou o caminho que seguia pela lateral da mansão e se manteve junto à sebe verde antes de entrar sem ser vista na residência silenciosa. Sem dúvida, teria sido mais sábio deixar as coisas como estavam, mas sua preocupação com Gideon Shaw a impeliu a ir vê-lo. Depois de se certificar que ele estava bem, ela voltaria à mansão e encontraria um bom romance com que se ocupar.

Livia bateu na porta e esperou, tensa, uma resposta. Nada. Ela franziu a testa e bateu de novo.

– Olá! – chamou. – Olá! Alguém está me ouvindo?

Quando já começava a pensar na possibilidade de ir buscar uma chave com a Sra. Faircloth, a porta vibrou e estalou enquanto era destrancada. Uma fresta foi aberta com cautela, revelando o rosto do valete de Shaw.

– Sim, milady?

– Vim ver o Sr. Shaw.

– O Sr. Shaw não está recebendo visitas a esta hora, milady.

A porta começou a se fechar, mas Livia enfiou o pé na fresta para impedir.
– Não vou embora até ver o Sr. Shaw – falou.
O olhar do valete demonstrou uma profunda irritação, embora seu tom permanecesse cortês.
– O Sr. Shaw não está em condições de recebê-la, milady.
Livia decidiu ser objetiva.
– Ele está bêbado?
– Como um gambá – confirmou o valete, azedo.
– Então mandarei trazer chá e sanduíches.
– O Sr. Shaw pediu mais conhaque.
Livia trincou o maxilar e afastou o rapaz do caminho para passar. Como era um criado, o valete não teve como detê-la – nenhum serviçal ousaria encostar a mão em uma dama da casa. Ela ignorou os protestos dele e olhou ao redor do saguão escuro. O ar estava carregado com o cheiro de bebida alcoólica e tabaco.
– Nada de conhaque – falou Livia, em um tom que não deixava qualquer margem para discussão. – Vá até a casa e traga um bule de chá e uma travessa de sanduíches.
– Ele não vai aceitar bem essa troca, milady. Ninguém se coloca entre o Sr. Shaw e o que ele deseja.
– Bem, está na hora de alguém fazer isso – retrucou Livia, e mandou-o fazer o que ela ordenara.
O valete partiu relutante, e Livia se aventurou mais para dentro do alojamento de solteiros, que estava bem escuro. Um lampião enchia o quarto principal com uma luz âmbar suave. O chacoalhar inconfundível de gelo em um copo chegou aos ouvidos dela. Presumindo que Shaw estaria em um estupor alcoólico, Livia entrou no quarto.
O que viu a fez arquejar.
Gideon Shaw estava reclinado dentro de uma banheira que fora colocada perto do fogo, a cabeça apoiada na borda de mogno e uma perna pendurada por cima da lateral. Segurava um copo cheio de gelo e seu olhar encontrou o dela enquanto bebia um gole. O vapor subia em véus da banheira, condensando-se nas curvas douradas dos ombros dele. Gotas de água cintilavam nos pelos do peito e nos círculos pequenos dos mamilos.
Santo Deus, pensou Livia, zonza. Cavalheiros sofrendo os efeitos do excesso de bebida alcoólica costumavam ter uma péssima aparência. "A

cabeça da morte sobre um cabo de vassoura" era como Marcus costumava descrevê-los. No entanto, Livia nunca vira nada tão magnífico quanto Gideon Shaw com a barba por fazer e os cabelos desalinhados, dentro de uma banheira.

Shaw ergueu o corpo, a expressão irritada, fazendo com que a água batesse contra a borda da banheira. Filetes cintilantes escorreram pela superfície musculosa do peito dele.

– O que você está fazendo aqui? – perguntou rispidamente.

Livia estava tão fascinada que mal conseguiu responder. Ela se obrigou a desviar o olhar do corpo dele e umedeceu os lábios com a ponta da língua.

– Vim ver se você estava bem.

– Agora já viu – replicou ele com frieza. – Estou bem. Vá embora.

– Você não está bem – falou Livia. – Está embriagado e provavelmente não comeu nada o dia todo.

– Vou comer quando tiver fome.

– Precisa de alguma coisa mais nutritiva do que o conteúdo desse copo, Sr. Shaw.

O olhar duro dele encontrou o dela.

– Sei muito bem do que preciso, rapariga presunçosa. Agora vá embora, caso contrário vai conhecer o verdadeiro Gideon Shaw.

Livia nunca fora chamada de rapariga antes. Supôs que deveria se sentir ofendida, mas acabou não conseguindo conter um sorrisinho.

– Sempre achei tão pomposo isso de alguém se referir a si mesmo na terceira pessoa.

– Sou um Shaw – retrucou ele, como se aquilo fosse uma desculpa perfeitamente aceitável para ser pomposo.

– Sabe o que vai acontecer se você continuar a beber desse jeito? Vai acabar se transformando em um caco de homem, com um narigão vermelho e uma barriga enorme.

– É mesmo? – disse ele, ainda frio, e virou o resto da bebida em um gole lento.

– Sim, e o seu cérebro acabará podre.

– Mal posso esperar.

Shaw se debruçou por cima da borda da banheira e pousou o copo com gelo no tapete.

– *E* vai ficar impotente – completou Livia em um tom triunfante. – Mais cedo ou mais tarde, o álcool rouba a virilidade de um homem. Quando foi a última vez que fez amor com uma mulher, Sr. Shaw?

Obviamente o comentário foi desafiador demais para ele resistir. Shaw se levantou da banheira com uma expressão zombeteira no rosto.

– Está pedindo uma prova da minha potência? Pois fique à vontade... venha e aproveite.

Conforme o olhar de Livia percorria o corpo extremamente excitado de Shaw, seu rosto foi ficando cada vez mais vermelho.

– Hã... é melhor eu ir agora. Vou deixá-lo para que pense no que eu disse...

Ela se virou para fugir, mas, antes que conseguisse dar um passo, Shaw alcançou-a e segurou-a por trás. Livia parou e fechou os olhos ao sentir o corpo úmido pressionado às suas costas. O braço molhado envolveu-a logo abaixo dos seios.

– Ah, estou pensando no que me disse, milady – falou Shaw, a boca colada ao ouvido dela. – E acabei de chegar à conclusão de que só há uma forma eficiente de refutar seu argumento.

– Não há necessidade – disse Livia em um arquejo.

Shaw moveu o braço e envolveu o seio esquerdo dela com a mão. O calor e a umidade do corpo dele atravessaram o tecido, fazendo com que o mamilo enrijecesse na palma da mão dele.

– *Ah...*

– Você não deveria inventar calúnias sobre minha virilidade. É um assunto a respeito do qual nós, homens, somos muito sensíveis.

Livia começou a tremer e deixou a cabeça cair para trás, encostando-se no ombro dele. A mão quente dele deixou o seio esquerdo dela e subiu até a pele exposta do pescoço, para logo descer novamente até o decote do vestido. Livia se sobressaltou quando o sentiu tocar a ponta rígida do seu mamilo.

– Terei que me lembrar disso – sussurrou ela.

– Faça isso.

Shaw virou-a em seus braços e colou a boca na dela. A maciez dos lábios dele, cercados pela pele áspera por causa da barba por fazer, era absurdamente excitante. Livia arqueou o corpo para se colar mais ao dele e deixou as mãos deslizarem pelo corpo úmido. Em meio ao torpor do momento, ao se dar conta de que estava prestes a ter seu primeiro amante depois de Amberley, Livia tentou recuar... mas era impossível pensar, com Gideon beijando-a por toda parte. Os dois caíram de joelhos sobre o tapete molhado.

Gideon empurrou Livia para que se deitasse e se acomodou entre as camadas de saias dela. Ele abriu os primeiros botões do corpete do vestido e afastou a camisa de baixo dela, revelando as curvas opulentas dos seios. Livia queria que Shaw os beijasse. Queria a boca dele colada à dela, a língua dele... a mera ideia lhe arrancou um gemido profundo.

A respiração dele estava acelerada quando ajeitou mais o corpo acima do de Livia e esticou a mão para pegar alguma coisa além da cabeça dela. Livia ouviu o tilintar do gelo derretendo e, por um momento, se perguntou se ele ia beber bem naquela hora. Mas Gideon pegou um pedaço de gelo de dentro do copo, enfiou na boca e, para espanto de Livia, inclinou a cabeça sobre a dela. Ele capturou o bico do seio em um beijo gelado, usando a língua em golpes delicados e frios. Livia se contorceu com um grito de espanto, mas Gideon a manteve firme e continuou o que estava fazendo até o gelo se dissolver e o calor voltar à boca dele. O peso do membro muito rígido pressionava a parte interna da coxa dela enquanto cada carícia da língua provocava uma pontada de prazer no ventre de Livia. Ela deixou as mãos deslizarem pelos cabelos dourados, cheios e úmidos, e sustentou o olhar dele enquanto erguia os quadris.

Mas Gideon se afastou subitamente e rolou para o lado com um gemido.

– Não – disse em uma voz rouca. – A primeira vez não pode ser assim. Estou bêbado demais para fazer isso como se deve, e não vou insultá-la dessa forma.

Livia o encarou sem entender, zonza demais de desejo para conseguir pensar com clareza. Seus seios vibravam e latejavam.

– Eu não me sentiria insultada. Na verdade, você estava se saindo muito bem...

– E no chão... – murmurou ele. – Meu Deus. Perdoe-me, Livia. Você não merece ser tratada dessa forma.

– Você está perdoado – ela apressou-se a dizer. – E não estava nem um pouco desconfortável. Eu *gosto* deste tapete. Vamos voltar a...

Mas Gideon já se colocara de pé. Mais tarde, Livia viria a saber que Gideon tinha verdadeiro horror a agir de forma não cavalheiresca. Ele encontrou um roupão, vestiu-o e amarrou o cinto. Então se virou para Livia e a ajudou a ficar de pé.

– Me perdoe – falou enquanto endireitava as roupas dela e fechava os botões do vestido com gestos desajeitados.

– Está tudo bem, *de verdade*...

– Você precisa ir embora, Livia. Agora, antes que eu jogue você no chão outra vez.

Apenas o orgulho a impediu de dizer a ele como aquela ideia a agradava, uma vez que ele estava tão obviamente determinado a se livrar dela. Livia soltou um suspiro de derrota e permitiu que ele a conduzisse para fora do quarto.

– Mandei seu valete ir buscar uns sanduíches – disse ela, seguindo pelo corredor na frente dele.

– É mesmo?

– Sim, e espero que coma todos. E chega de conhaque para você hoje.

– Não estou com fome.

Livia tornou a voz o mais severa possível.

– Mas vai comer mesmo assim, como parte da sua penitência por tentar me violar no chão...

– Está bem – apressou-se a dizer Gideon. – Eu vou comer.

Livia disfarçou um sorriso e permitiu que ele abrisse a porta para ela. Só quando ouviu a porta ser trancada atrás de si Livia deixou escapar um suspiro trêmulo e terminou a frase.

– Mas como eu queria que você tivesse terminado o que começou!

Capítulo 15

Teria sido exagero dizer que Gideon estava totalmente sóbrio quando McKenna o colocou na carruagem no dia seguinte. No entanto, ao menos estava limpo e barbeado, o rosto pálido sob os cabelos loiros e brilhantes muito bem penteados. Estavam indo para o Rutledge, um hotel em Londres composto por quatro construções luxuosas que recebiam prósperos cavalheiros e famílias estrangeiras. McKenna torcia para que as negociações o mantivessem tão ocupado que finalmente pudesse parar de pensar em Aline. Ao menos por alguns minutos.

Um gemido baixo veio da parte de Gideon. Dominado por uma náusea quase palpável, o americano não havia dito praticamente nada até aquele momento.

– Maldição – disse Gideon, com a capacidade de percepção ainda turva. – Estou viajando de costas. Pode trocar de lugar comigo?

McKenna se lembrou da aversão do amigo a encarar a parte de trás da carruagem quando viajava, e atendeu seu pedido. Reacomodado, Gideon pousou o pé em cima do assento oposto, sem se preocupar com o veludo fino que o forrava.

– Em que está pensando? – perguntou ele, apoiando a cabeça na mão, como se para evitar que ela caísse do ombro. – Já conseguiu levar lady Aline para a cama?

McKenna o encarou com os olhos semicerrados.

Gideon suspirou e esfregou as têmporas doloridas.

– Vou lhe dizer... há alguma coisa em relação a essas Marsdens e suas vaginas aristocráticas que as torna irresistíveis.

O comentário objetivo expressava tão perfeitamente os sentimentos de McKenna que ele deu um sorriso sem humor.

– Parece que você desenvolveu um interesse por Livia.

– Sim – foi a resposta nada satisfeita. – Um interesse que me rendeu o pior caso de bolas doloridas que já tive em anos.

McKenna ficou perturbado ao se dar conta de que o amigo estava fortemente atraído pela irmã de Aline. Parecia um par inapropriado em todos os sentidos.

– Você não é velho demais para ela?

Gideon procurou sua fiel garrafinha de prata e ficou profundamente aborrecido ao se dar conta de que havia se esquecido de enchê-la. Depois de jogá-la no chão da carruagem, fixou os olhos em McKenna, com uma expressão vidrada.

– Eu sou demais em *tudo* para ela. Velho demais, esgotado demais, embriagado demais... A lista é interminável.

– É melhor tomar cuidado, senão Westcliff vai picá-lo em pedacinhos e servi-lo como acompanhamento do ganso de Natal.

– Se ele agir depressa, terá a minha benção – retrucou Gideon em um tom moroso. – Maldito seja você, McKenna, gostaria de não ter permitido que me convencesse a visitar Stony Cross. Deveríamos ter ido direto para Londres, cuidado dos nossos negócios e voltado para Nova York o mais rápido possível.

– Você não precisava ter vindo comigo – argumentou McKenna.

– Eu tinha essas ideias equivocadas de que seria capaz de mantê-lo afastado de qualquer confusão. E queria ver que tipo de mulher era capaz de transformar você em um palerma.

Perturbado, McKenna olhou pela janela, para os campos verdes que passavam ao lado deles. *Apenas lady Aline Marsden*, pensou, irritado. Uma mulher tão seletiva que preferira permanecer solteira a aceitar um pretendente que estivesse abaixo dos seus padrões.

– Quero levá-la de volta comigo para Nova York – anunciou.

Gideon ficou em silêncio por um longo tempo.

– Lady Aline deu alguma indicação de que está disposta a considerar uma proposta dessas?

– Não. Na verdade, a dama em questão deixou claro que qualquer coisa além de uma sessão de cinco minutos de sexo dentro de um gabinete está fora de questão. Porque não pertenço à mesma classe que ela.

Gideon não pareceu nada surpreso.

– Naturalmente. Você é um homem que trabalha, inserido em uma cultura que valoriza a indolência e despreza a ambição.

– Você *também* trabalha.

– Sim, mas não com regularidade, e todos sabem que não trabalho por necessidade. E meu dinheiro é antigo, ao menos pelos padrões de Nova York.

Gideon parou por um instante e ficou pensativo antes de continuar.

– Não me entenda mal, McKenna... você é o melhor homem que já conheci, e eu daria a minha vida por você se fosse necessário. Mas a verdade é que, socialmente falando, você não está apenas um degrau abaixo de lady Aline. Está aos pés da montanha em cujo topo ela se encontra.

As palavras não ajudaram nem um pouco a melhorar o humor de McKenna. No entanto, sempre podia contar com Gideon para ser sincero com ele – e McKenna apreciava mais essa característica do que incontáveis mentiras bem-intencionadas. Ele aceitou o comentário com um aceno de cabeça, então franziu a testa e fixou os olhos em seus sapatos pretos bem engraxados.

– Eu não diria que a sua situação é completamente irremediável – continuou Gideon. – Você tem algumas vantagens que inspirariam muitas mulheres, até lady Aline, a ignorar o fato de você não passar de um vira-lata que se deu bem. As damas parecem achá-lo bastante atraente, e Deus sabe que não lhe falta dinheiro. Não venha me dizer que não consegue convencer uma solteirona de 31 anos, de Hampshire, a se casar com você. Ainda mais se ela já demonstrou disposição para, bem... favorecê-lo, como parece ser o caso.

McKenna encarou o amigo com firmeza.

– Quem mencionou casamento?

A pergunta pareceu pegar Gideon desprevenido.

– Você acabou de dizer que quer levá-la para Nova York.

– Não como minha esposa.

– Como amante? – perguntou Gideon, incrédulo. – Você não pode estar realmente acreditando que lady Aline se rebaixaria a esse tipo de arranjo.

– Eu farei com que ela aceite... usando qualquer meio necessário para isso.

– E quanto ao relacionamento dela com lorde Sandridge?

– Colocarei um fim nisso.

Gideon o encarou, parecendo desconcertado.

– Meu Deus. Eu estou entendendo mal, McKenna, ou você realmente pretende arruinar as chances de lady Aline de algum dia se casar, manchar o nome dela em dois continentes, cortar seus laços com a família e os amigos e destruir qualquer esperança de que possa vir a ter uma posição decente na sociedade? Além de provavelmente colocar um filho bastardo no ventre dela no processo?

A ideia fez McKenna dar um sorriso frio.

– Uma Marsden dando à luz o bastardo de um bastardo... sim, isso me atenderia muito bem.

Gideon estreitou os olhos.

– Santo Deus... Eu jamais teria imaginado que você fosse capaz de tamanha perversidade.

– Você não me conhece, então.

– Ao que parece, não – murmurou Gideon, e balançou a cabeça, espantado.

Embora estivesse claro que ele gostaria de continuar a conversa, um trecho particularmente acidentado da estrada obrigou Shaw a se recostar no assento e segurar a cabeça com um gemido.

McKenna voltou-se para a janela, com o sorriso frio ainda nos lábios.

O prazer de Marcus pela partida de Shaw e McKenna durou apenas um dia: até ele descobrir que Livia iria para Londres na manhã seguinte à partida dos cavalheiros. Fora uma façanha e tanto arrumar as malas e fazer todos os arranjos necessários para a viagem em segredo. Aline poderia jurar que um dos criados acabaria deixando escapar alguma informação antes que Livia tivesse realmente partido. No entanto, graças à Sra. Faircloth, os lábios de todos permaneceram selados, da despensa aos estábulos, já que ninguém teve coragem de revelar os planos de Livia e incorrer na ira da governanta.

Quando a carruagem de Livia finalmente se afastou da casa, o sol já começara a mostrar seus primeiros raios débeis no caminho que partia de Stony Cross. Aline deixou escapar um suspiro de alívio e ficou parada no saguão de entrada, usando um vestido leve para a manhã e chinelos já muito gastos. Ela sorriu para a Sra. Faircloth, cuja óbvia ambivalência em relação às ações de Livia não impedira que ela fizesse o que fosse necessário para ajudar.

– Sra. Faircloth – falou Aline.

Ela deu a mão à governanta e as duas entrelaçaram os dedos por um momento. – Há quantos anos a senhora assiste aos Marsdens fazerem coisas que não aprova?

A governanta sorriu diante da pergunta retórica, e as duas permaneceram ali, em um silêncio afetuoso, vendo a carruagem desaparecer para fora da propriedade.

Uma voz as sobressaltou, e Aline se virou para encontrar o olhar desconfiado do irmão. Marcus vestia trajes de caça, os olhos frios e negros se destacando nos ângulos duros do rosto.

– Poderiam me dizer o que está acontecendo? – perguntou bruscamente.

– Com certeza, meu caro.

Aline desviou os olhos para a Sra. Faircloth.

– Obrigada, Sra. Faircloth... tenho certeza de que precisa cuidar de algumas coisas agora.

– Sim, milady.

A resposta rápida e agradecida da governanta demonstrou que não tinha o menor desejo de estar presente durante uma das raras explosões de mau gênio de Marcus. Ela se afastou, apressada, a saia negra esvoaçando atrás de si.

– Quem estava naquela carruagem? – perguntou Marcus, incisivo.

– Vamos para a sala de estar? – sugeriu Aline. – Pedirei chá, e...

– Não me diga que era Livia.

– Certo, então não direi. – Ela fez uma pausa antes de acrescentar, envergonhada: – Mas era. E antes que você fique tenso por causa disso...

– Por tudo que é mais sagrado, a minha irmã *não* saiu correndo para Londres atrás de um maldito libertino! – disse Marcus em uma fúria assassina.

– Livia vai ficar perfeitamente bem – apressou-se a garantir Aline. – Ela vai ficar em nossa residência, está levando uma acompanhante, e...

– Vou atrás dela agora mesmo.

Ele endireitou os ombros musculosos e se virou para a porta. Mas, por melhores que fossem as intenções de Marcus, sua atitude autoritária chegara ao limite.

– Não! Você não vai, Marcus – disse Aline que, embora não erguesse a voz, o fez estacar. – Se ousar tentar segui-la, vou atirar no seu cavalo com você já montado nele.

Marcus se virou para encará-la com incredulidade.

– Santo Deus, Aline, eu não preciso nem dizer o que Livia está arriscando...

– Eu sei perfeitamente o que Livia está arriscando. E ela também sabe.

Aline passou pelo irmão e foi para a sala de estar que ficava ao lado do saguão de entrada. Ele a seguiu.

Marcus fechou a porta com um movimento hábil do pé.

– Me dê uma boa razão para ficar parado aqui sem fazer nada a respeito.

– Livia vai se ressentir para sempre se você interferir.

Os dois se encararam por um longo tempo. Aos poucos, a fúria pareceu abandonar o corpo de Marcus e ele se deixou cair pesadamente na cadeira mais próxima. Aline não conseguiu evitar sentir uma pontada de pena do irmão, porque sabia que, para um homem como ele, a impotência de agir que lhe fora imposta era o pior tipo de tortura.

– Por que tem que ser ele? – perguntou em um grunhido. – Livia não poderia ter escolhido um rapaz decente de uma sólida família inglesa?

– O Sr. Shaw não é assim tão terrível – comentou Aline, sem conseguir conter um sorriso.

Ele a encarou com uma expressão sombria.

– Você está se recusando a ver qualquer coisa além daqueles cabelos loiros e daquele charme vazio, sem falar na maldita insolência americana que as mulheres parecem achar tão atraente.

– Você se esqueceu de mencionar todo aquele belo dinheiro americano – provocou Aline.

Marcus ergueu os olhos, claramente se perguntando o que havia feito para merecer tamanho desgosto.

– Ele vai usá-la, e depois vai partir o coração dela – falou em uma voz sem expressão.

Só quem o conhecesse bem perceberia a ponta de medo e preocupação em seu tom.

– Ah, Marcus – disse Aline com carinho. – Livia e eu somos mais fortes do que você parece achar. E, cedo ou tarde, todos devem se arriscar a ter o coração partido.

Ela parou ao lado da cadeira do irmão e passou a mão por seus cabelos negros ao acrescentar:

– Até você.

Marcus deu de ombros, irritado, e se desvencilhou da mão dela.

– Eu não assumo riscos desnecessários.

– Nem por amor?

– Especialmente por amor.

Aline balançou a cabeça com um sorriso afetuoso nos lábios.

– Pobre Marcus... torço muito pelo dia em que vai sucumbir aos encantos de uma mulher.

Marcus se levantou da cadeira.

– Você vai ter que esperar um longo tempo para isso – retrucou ele, e saiu da sala com o passo brusco de sempre.

O Rutledge Hotel estava passando por uma impressionante metamorfose que, quando concluída, o tornaria, sem dúvida, o hotel mais moderno e elegante da Europa. Nos últimos cinco anos, o proprietário, Harry Rutledge – um cavalheiro de origem um tanto misteriosa –, havia adquirido, silenciosa e implacavelmente, todos os terrenos da rua entre o Teatro Capitol e a margem do rio, no coração do distrito teatral de Londres. Dizia-se que, em sua ambição de criar o melhor hotel da Inglaterra, Rutledge havia visitado a América para observar o que havia de mais moderno em projetos e serviços na área de hotelaria; lá, o setor estava se desenvolvendo muito mais rapidamente do que em qualquer outro lugar. Naquele momento, o Rutledge Hotel consistia em uma fileira de casas particulares, mas aquelas estruturas logo seriam derrubadas, dando lugar à construção de um prédio monumental, como Londres nunca vira.

Embora lorde Westcliff tivesse oferecido a McKenna e Gideon o uso da residência Marsden, os dois haviam optado pela localização mais conveniente do Rutledge. Não foi surpresa que Harry Rutledge se identificasse como um amigo próximo de Westcliff, o que levou Gideon a comentar, com azedume, que o conde sem dúvida tinha uma boa quantidade de conhecidos.

Depois de se acomodar em uma suíte mobiliada em mogno e metal, Gideon logo descobriu que a reputação da qualidade dos serviços ali prestados era merecida. Após uma noite de sono profundo e um café da manhã que consistiu em crepes e ovos de tarambola-dourada, raros naquela época, Gideon decidira rever sua opinião sobre Londres. E se vira obrigado a admitir que uma cidade com tantos cafés, jardins e teatros não poderia ser tão ruim. Além disso, era a cidade natal do sanduíche e do guarda-chuva moderno, com certeza duas das maiores invenções da humanidade.

Um dia inteiro de reuniões e um longo jantar em uma taberna local deveriam ter deixado Gideon exausto, mas ele teve dificuldade de pegar no sono à noite. O motivo de tanta inquietude não era mistério algum: seu costumeiro talento para o autoengano parecia tê-lo abandonado temporariamente. Tinha muito medo de estar se apaixonando por Livia Marsden. A cada segundo que passava acordado, ele a queria, a adorava, ansiava por ela. No entanto, sempre que Gideon tentava pensar no que fazer a respeito de Livia, era incapaz de chegar a uma solução. Ele não era do tipo que se casava e, mesmo se fosse, gostava demais de Livia para expô-la ao cardume de tubarões que era a família Shaw. Mas, acima de tudo, Gideon tinha um relacionamento íntimo demais com a bebida para considerar a hipótese de tomar uma esposa e não acreditava ser capaz de mudar sua relação com a bebida, mesmo se quisesse.

Uma tempestade intermitente havia começado a cair lá fora, os trovões sacudindo tudo do lado de dentro. Gideon abriu alguns centímetros de uma janela para deixar entrar no quarto o cheiro da chuva de verão. Deitado entre os lençóis recém-passados, inquieto, tentou – sem sucesso – parar de pensar em Livia. Em algum momento no meio da noite, foi salvo daquela angústia por batidas na porta do quarto e pela voz baixa do valete na sequência.

– Sr. Shaw? Perdão, Sr. Shaw... Há alguém esperando pelo senhor no saguão de entrada. Eu pedi que voltasse em uma hora mais adequada, mas ela não quer ir embora.

Gideon se esforçou para se sentar na cama, bocejou e coçou o peito.

– Ela?

– Lady Olivia, senhor.

– Livia? – repetiu Gideon, estupefato. – Ela não pode estar aqui. Está em Stony Cross.

– Na verdade, ela está aqui, sim, Sr. Shaw.

– Jesus.

Gideon saltou da cama como se tivesse tomado um choque e procurou apressadamente um roupão para cobrir sua nudez

– Aconteceu alguma coisa? – perguntou, aflito. – Ela parece bem?

– Molhada, senhor.

Ainda por cima estava chovendo, percebeu Gideon em uma preocupação crescente, perguntando a si mesmo por que diabos Livia teria ido até ali no meio de uma tempestade.

– Que horas são?

O valete, que parecia ter vestido as roupas amassadas com grande pressa, deu um suspiro sofrido.

– São duas horas da manhã.

Preocupado demais para se dar o trabalho de encontrar os chinelos ou pentear os cabelos, Gideon saiu a passos rápidos do quarto e seguiu o valete até o saguão de entrada.

E lá estava Livia, parada em uma pequena poça d'água. Ela sorriu para Gideon, embora os olhos castanho-esverdeados parecessem hesitantes sob a aba do chapéu encharcado. Naquele exato momento, ao encará-la do outro lado do saguão de entrada, Gideon Shaw, cínico, hedonista, bêbado, libertino, se apaixonou perdidamente. Ele nunca havia se sentido tão à mercê de outro ser humano, tão enfeitiçado e tão tolamente esperançoso. Mil palavras de afeto se agitaram em sua mente, e Gideon se deu conta, melancolicamente, de que era tão palerma quanto acusara McKenna de ser na véspera.

– Livia – disse baixinho, se aproximando dela.

O olhar de Gideon percorreu o rosto afogueado e molhado de chuva enquanto notava que ela parecia um anjo desarrumado.

– Está tudo bem?

– Perfeitamente bem.

O olhar dela percorreu o roupão dele até os pés descalços, e ela enrubesceu ainda mais ao se dar conta de que ele estava nu por baixo daquela única peça de roupa.

Incapaz de conter a vontade de tocá-la, Gideon estendeu a mão para o casaco molhado de Livia, deixando cair uma cascata de gotas d'água no chão. Ele entregou o casaco para o valete, que o pendurou em um gancho próximo. Em seguida, o chapéu encharcado, então Livia ficou parada, tremendo, diante dele, a barra da saia também encharcada e enlameada.

– Por que você está na cidade? – perguntou Gideon com gentileza.

Livia deu de ombros de um jeito atrevido, os dentes batendo de frio.

– Eu precisava f-fazer algumas compras. Estou na residência da família, mas, como estamos hospedados em lugares tão p-próximos, pensei em lhe fazer uma visita.

– No meio da madrugada?

– As lojas só abrem às nove – retrucou dela em um tom sensato. – Isso nos dá algum tempo para c-conversar.

Ele a fitou com uma expressão irônica.

– Sim, cerca de sete horas. Vamos conversar na sala de estar?

– Não... no seu quarto.

Livia abraçou o próprio corpo em um esforço para parar de tremer.

Gideon buscou os olhos dela, procurando alguma incerteza, mas só encontrou um anseio que se comparava ao dele. Livia sustentou o olhar dele enquanto continuava a tremer. *Ela está com frio*, pensou Gideon. E ele poderia esquentá-la.

Subitamente, Gideon se pegou agindo antes de se dar tempo para pensar com sensatez. Ele gesticulou indicando ao valete que se aproximasse e murmurou algumas orientações no ouvido dele, para que mandasse embora o criado e a carruagem que estavam aguardando no lado de fora e avisasse que lady Olivia precisaria ser levada de volta para a casa dela em uma hora discreta pela manhã.

Ele então pegou Livia pela mão, passou o braço pelas costas dela e guiou-a até o quarto.

– A minha cama não está feita. Eu não estava esperando companhia hoje.

– Espero mesmo que não – comentou ela, em um tom recatado, como se não estivesse prestes a se lançar em um *affair* com ele.

Depois de fechar a porta do quarto, Gideon acendeu a lareira. Livia ficou parada obedientemente diante dele, banhada pela luz alaranjada e bruxuleante, enquanto ele começava a despi-la. Ela permaneceu silenciosa e dócil, erguendo os braços quando necessário, saindo de dentro do vestido quando ele caiu, molhado, aos seus pés. Gideon despiu, uma por uma, as peças de roupa molhadas – camadas de musselina, algodão e seda – e deixou-as nas costas de uma cadeira. Quando Livia finalmente estava nua, a luz do fogo cintilando ao longo do corpo esguio, dos longos cabelos castanhos, Gideon não parou para olhar para ela. Em vez disso, despiu o próprio roupão e cobriu-a com ele, envolvendo-a com a seda que havia sido aquecida por sua pele. Livia arquejou baixinho quando Gideon a pegou no colo e a carregou até a cama, pousando-a entre os lençóis amarrotados. Ele arrumou as cobertas ao redor de Livia e se juntou a ela ali embaixo, puxando-a para seus braços. Com o corpo encaixado nas costas dela, Gideon descansou o rosto junto aos seus cabelos.

– Está bom assim? – perguntou em um sussurro.

Livia deixou escapar um suspiro profundo.

– Ah, sim.

Ficaram deitados juntos, daquele jeito, por um longo tempo até a tensão de Livia ceder e seu corpo envolto em seda estar aquecido e relaxado. Ela moveu um dos pés, explorando com os dedos a perna peluda dele. Gideon respirou fundo ao sentir os quadris bem-feitos se moverem para trás até estarem encaixados aos dele. Havia apenas uma fina camada de tecido entre os dois, e Livia não poderia deixar de notar a extensão rígida da ereção dele.

– Você está sóbrio? – perguntou ela, se aconchegando mais.

Gideon estava profundamente excitado com aquele voluptuoso corpo roçando contra sua carne sensível e intumescida.

– Por acaso, sim, apesar dos meus esforços para evitar isso – respondeu ele, em uma voz rouca. – Por que pergunta?

Livia pegou a mão dele e levou-a ao seio.

– Então agora você pode me seduzir sem alegar depois que não sabia o que estava fazendo.

O doce volume sob os dedos dele era tentador demais para que Gideon conseguisse resistir. Ele acariciou-a com toques suaves por cima da seda, então deixou a mão deslizar por baixo do roupão.

– Livia, meu bem, o mais lamentável é que eu quase sempre sei o que estou fazendo.

Ela arquejou baixinho ao sentir a carícia aveludada do polegar e do indicador dele em seu mamilo.

– Por que isso é lamentável?

– Porque, em momentos como este, a minha consciência está gritando para que eu deixe você em paz.

Livia se virou nos braços dele e deslizou a coxa por cima do quadril dele.

– Pois diga *isto* à sua consciência – falou, e colou a boca à dele.

Gideon não precisou de mais encorajamento, e se apossou dos lábios dela em beijos lentos, suaves, gentilmente exigentes. Abriu o roupão de seda como se estivesse tirando a casca de uma fruta exótica e frágil, deixando-a nua diante dele. Então baixou a cabeça e sua boca percorreu com delicadeza a pele macia de Livia. Ao encontrar pontos mais vulneráveis, onde a pulsação vibrava mais forte, acariciou-a também com os lábios e a língua, mordiscando-a de leve até ela começar a balbuciar sons trêmulos de prazer. Gideon nunca sentira uma necessidade tão avassaladora de penetrar, invadir, possuir outro ser humano. Ele sussurrou o nome de Livia e tocou-a entre as coxas, sentiu sua carne sedosa e muito úmida e deixou os dedos deslizarem para dentro dela. Livia ficou rígida ao sentir o toque de Gideon, e sua pele enrubesceu de paixão enquanto ela abria e fechava as mãos freneticamente ao redor dos ombros dele.

Gideon continuou a provocá-la sem pressa, adorando ver a expressão de desamparo apaixonado, a entrega sensual de uma mulher sendo pouco a pouco levada ao clímax. Livia fechou os olhos enquanto se abandonava ao toque gentil dos dedos de Gideon, arquejando e arqueando o corpo de prazer. Quando chegou ao clímax, seu corpo se enrijeceu junto ao dele, e os dedos dos pés se contraíram com força.

– Isso – sussurrou Gideon, movendo o polegar em círculos ao redor do clitóris dela –, isso, minha linda, minha querida...

Lentamente, Gideon trouxe-a de volta, deixando os dedos correrem eroticamente ao longo dos pelos entre as coxas, beijando seus seios até Livia estar calma e quieta embaixo dele. Então seus lábios desceram até a pele macia do abdômen dela e ele abriu suas coxas com as mãos.

Livia gemeu quando a língua de Gideon a encontrou enquanto seu polegar penetrava a entrada intumescida de seu corpo. Ele a mordiscou e a excitou, adorando ouvir os sons de prazer que ela deixava escapar, adorando ver a ondulação rítmica dos quadris que se elevavam em direção à boca exigente dele. Ao sentir a contração delicada dos músculos em seu polegar, Gideon percebeu que Livia estava à beira de outro orgasmo, e recolheu lentamente a mão. Ela deixou escapar um gritinho de protesto e esticou o corpo inteiro na direção dele. Gideon posicionou o próprio corpo, abriu as coxas trêmulas e penetrou a maciez quente e pulsante do corpo dela.

– Ah, Deus – sussurrou ele, subitamente incapaz de se mover, tamanha a intensidade do prazer que sentiu.

Gemendo, Livia passou os braços delgados ao redor das costas dele e ergueu os quadris para receber toda a extensão do membro rijo e puxá-lo para mais fundo. Gideon reagiu com movimentos compulsivos, tateando, empurrando, até arremeter de vez e o impacto delicioso da carne dele dentro da dela ser demais para suportar. Livia prendeu a respiração e estremeceu, o corpo se contraindo ao redor dele em uma carícia íntima. Gideon saiu de dentro dela com um grito rouco, o pênis pulsando em um alívio frenético junto ao abdômen de Livia.

Gemendo, ele se deixou cair ao lado dela, zonzo, sentindo a pulsação disparada latejando no peito, no ventre e nos ouvidos.

Um longo tempo se passou antes que um dos dois conseguisse dizer qualquer palavra. Livia levantou o rosto do ombro dele e deu um sorriso inebriado.

– Amberley nunca fez isso, no fim – disse, passando os dedos distraidamente nos pelos do peito dele.

Gideon sorriu diante da referência ao fato de ter saído de dentro dela no último segundo.

– Esse é o método de contracepção dos espiões.

– Dos espiões?

– Entramos e saímos sem deixar rastros – explicou, e ela empurrou-o com uma risadinha abafada.

Gideon segurou-a pelos pulsos com facilidade.

– Livia... eu preciso protegê-la das consequências do que estamos fazendo até...

– Eu sei – interrompeu ela, afastando-se dele.

Livia claramente não queria falar sobre nada sério naquele momento, então simplesmente saiu da cama e lançou um sorriso provocante para ele.

– Conversaremos a respeito disso mais tarde. Por ora...

– Sim?

– Venha me dar um banho – pediu, e Gideon atendeu-a sem hesitar.

Capítulo 16

Ao acordar pela primeira vez nos braços de Shaw, Livia teve a sensação de que o mundo havia se transformado enquanto dormia. Jamais imaginara que voltaria a experimentar uma conexão tão íntima com um homem. Talvez só quem já havia amado e perdido seu amor fosse capaz de apreciar verdadeiramente aquela magia, pensou, se aninhando nos pelos macios que cobriam o peito dele. No sono, o rosto de Gideon perdia a expressividade costumeira e seu semblante era o de um anjo sério. Livia sorriu e deixou o olhar percorrer a beleza severa das feições masculinas, a linha longa e reta do nariz, a sensualidade dos lábios, o bico-de-viúva que fazia com que um cacho de cabelos dourados caísse sobre a testa.

– Você é bonito demais para ser descrito em palavras – declarou quando ele bocejou e se espreguiçou. – É um espanto que consiga fazer com que lhe deem ouvidos seriamente, quando provavelmente qualquer um que o conheça queira apenas ficar olhando para você por horas.

A voz dele saiu rouca de sono.

– Não quero que ninguém me escute com seriedade. Isso seria perigoso.

Livia sorriu e afastou o cabelo da testa dele.

– Preciso voltar para casa antes que a Sra. Smedley acorde.

– Quem é a Sra. Smedley?

Gideon rolou na cama, prendeu-a sob o corpo e enfiou o nariz na curva quente do pescoço dela.

– Minha acompanhante. Ela é bem idosa, tem problemas de audição e também enxerga mal.

– Perfeito – comentou Gideon com um sorriso.

Ele desceu um pouco o corpo, ainda sobre o dela, envolveu os seios cheios com as mãos e beijou-os com delicadeza.

– Tenho reuniões de negócios hoje de manhã. Mas gostaria de acompanhar você e a Sra. Smedley a algum lugar esta tarde... Vamos tomar sorvetes de frutas, talvez?

– Sim, e quem sabe assistir a uma exibição de panorama em movimento.

A pele dela enrubesceu sob as carícias dele, e os mamilos se contraíram em reação ao contato úmido com sua língua.

– Gideon...

– Embora – murmurou ele – a vista do panorama em movimento jamais possa se comparar com esta.

– O sol está quase nascendo – protestou Livia, contorcendo-se sob o corpo dele. – Preciso ir.

– É melhor você rezar para que a Sra. Smedley durma até tarde hoje – falou Gideon, ignorando os protestos dela.

Muito mais tarde naquele dia, Gideon provou ser a companhia mais agradável que se poderia imaginar, especialmente para a Sra. Smedley, que parecia uma galinha altiva em seu vestido de seda marrom e com um arranjo de penas na cabeça. Ao olhar para Gideon através das grossas lentes dos óculos, a Sra. Smedley não conseguiu vê-lo bem o bastante para ficar impressionada com a beleza de tirar o fôlego. E o fato de Gideon ser americano não contava pontos a seu favor, já que a acompanhante tinha uma profunda desconfiança de estrangeiros.

No entanto, Gideon acabou conquistando-a graças a sua persistência. Depois de comprar os melhores lugares para assistirem ao panorama em movimento, que mostrava imagens de Nápoles e Constantinopla, ele se sentou ao lado da Sra. Smedley e gritou pacientemente as descrições do que estava sendo mostrado, dentro da enorme corneta acústica que a mulher segurava junto ao ouvido. Durante o intervalo, Gideon foi e voltou inúmeras vezes em busca de comida e bebida para ela. Depois, enquanto passeavam pelo Hyde Park, ele ouviu, contrito, o sermão em altos brados da Sra. Smedley sobre os males do uso do tabaco. Sua confissão humilde de que às vezes aproveitava os prazeres de um charuto levou a mulher mais velha a um êxtase de desaprovação e renovou suas energias para continuar a falar. Como o tabaco era desagradável, como seu uso corrompia um homem... e que se sentar em fumadouros o exporia à linguagem vulgar e obscena, o que não pareceu perturbá-lo tanto quanto deveria.

Ao ver o prazer crescente da Sra. Smedley em repreender Gideon, Livia não pôde conter um sorriso após outro. De vez em quando, o olhar dele encontrava o dela, e a expressão em seus olhos azuis também sorridentes fazia Livia prender a respiração.

Finalmente, o sermão sobre os males do tabaco deu lugar ao tema da etiqueta, até entrar na área mais delicada da corte amorosa, o que fez com que Livia se encolhesse por dentro, embora Gideon parecesse estar se divertindo imensamente com as opiniões da Sra. Smedley.

– As pessoas jamais deveriam se casar com quem lhes seja semelhante em forma, temperamento e aparência – aconselhou a acompanhante aos dois. – Um cavalheiro de cabelos escuros, por exemplo, não deve se casar com uma dama morena, assim como um homem corpulento não deve se casar com uma moça robusta. Os de sangue quente devem se unir aos de sangue frio, os nervosos, aos estoicos, e os apaixonados devem se casar com os racionais.

– Então não é aconselhável que dois indivíduos apaixonados se casem?

Embora não estivesse olhando para Livia, Gideon de algum modo conseguiu evitar o chute que ela mirou em sua canela, e o pé dela acabou encontrando um painel envernizado, sem maiores danos para nenhum dos envolvidos.

– De forma alguma – foi a resposta enfática da mulher. – Pense só na natureza agitada que teriam os filhos.

– Assustador – comentou Gideon, e ergueu uma sobrancelha para Livia, em uma expressão zombeteira.

– E a posição social é o mais importante – continuou a Sra. Smedley. – Somente pessoas em situação social equivalente devem se casar... ou, se houver alguma diferença, o marido deve ter uma posição superior à da esposa. É impossível para uma mulher estimar um homem que esteja baixo do seu status.

Livia ficou subitamente tensa, ao passo que Gideon permaneceu em silêncio. Não precisou olhar para ele para saber que estava pensando em McKenna e Aline.

Enquanto a Sra. Smedley continuava a falar, totalmente alheia ao fato de ninguém estar prestando atenção, Livia perguntou a Gideon:

– Terei a oportunidade de ver McKenna aqui em Londres?

Gideon assentiu.

– Amanhã à noite, se me der a honra de me acompanhar ao teatro.

– Sim, eu gostaria – respondeu ela, e fez uma pausa antes de perguntar em voz baixa: – McKenna mencionou minha irmã a você ultimamente?

– Pode-se dizer que sim – respondeu Gideon, em um tom irônico. – Ele está bastante amargo em relação a ela... e ansiando por vingança. As feridas que lady Aline provocou na alma de McKenna tanto tempo atrás foram muito profundas, quase letais.

Livia sentiu uma onda de esperança invadi-la, seguida de perto pelo desespero.

– Nada daquilo foi culpa de Aline – falou. – Mas ela jamais se obrigará a explicar o que aconteceu, ou por que se comportou daquela forma.

Gideon encarou-a com atenção.

– Por favor, me conte.

– Não posso – disse Livia, lamentando. – Prometi à minha irmã que jamais revelaria seus segredos. Uma vez, uma amiga me fez uma promessa semelhante e não cumpriu com a palavra, o que me causou um sofrimento imenso. Eu jamais trairia Aline dessa forma.

Incapaz de ler a expressão no rosto dele, ela franziu a testa, contrita.

– Você deve achar que estou errada por permanecer em silêncio, mas...

– Não é isso que estou pensando.

– Então *o que* está pensando?

– Que amo mais você a cada nova descoberta a seu respeito.

Livia parou de respirar por um segundo, aturdida com a confissão. E demorou algum tempo até conseguir voltar a falar.

– Gideon...

– Não se sinta obrigada a dizer o mesmo – murmurou ele. – Ao menos uma vez na vida, quero ter o prazer de amar alguém sem pedir nada em troca.

Havia dois tipos de frequentadores de teatros – os que realmente apreciavam a peça e a maioria, que só estava ali por razões puramente sociais. O teatro era um lugar para ser visto, para saber das últimas fofocas e para flertar. Livia estava sentada em um camarote com Gideon Shaw, McKenna, a Sra. Smedley e dois outros casais, e já desistira de qualquer tentativa de ouvir o que estava acontecendo no palco, já que a maior parte da audiência resolvera conversar durante toda a apresentação. Em vez disso, ela se recostou na cadeira e ficou observando o desfile de homens e mulheres que visitavam o camarote deles. Era impressionante a quantidade de atenção que dois industriais americanos abastados eram capazes de atrair.

Gideon era um especialista em conversas sociais, e parecia relaxado enquanto conversava com quem chegava. McKenna, por outro lado, era muito mais reservado, fazia poucos comentários e escolhia as palavras com cuidado. Nos trajes formais de noite, em preto e branco, ele era o perfeito contraponto moreno à elegância dourada de Gideon. Livia sentia-se bastante intimidada por McKenna e achava impressionante que Aline fosse capaz de manter um homem como aquele na palma de sua mão.

Quando Gideon foi pegar um copo de limonada para ela e um licor para a Sra. Smedley, Livia teve a oportunidade de conversar com McKenna com certa privacidade, já que a acompanhante era surda como uma porta. McKenna foi educado e um pouco distante, e certamente não parecia precisar da compaixão de ninguém, mas, ainda assim, Livia não conseguia evitar sentir pena dele. Apesar da fachada invulnerável, ela via sinais de fadiga no rosto moreno, e olheiras que denunciavam muitas noites insones. Livia sabia como era terrível amar alguém que não se podia ter – e era ainda pior no caso de McKenna, porque ele jamais saberia por que Aline o rejeitara. Quando a consciência pesada a lembrou da parcela de culpa que tivera na expulsão de McKenna de Stony Cross, tantos anos antes, Livia se sentiu enrubescer profundamente. E, para sua consternação, McKenna reparou no rubor revelador.

– Milady – murmurou ele –, minha companhia a perturba por algum motivo?

– Não – respondeu ela depressa.

McKenna sustentou o olhar de Livia enquanto retrucava com gentileza:

– Acho que isso não é verdade. Encontrarei outro lugar para assistir à peça, se isso diminuir o seu desconforto.

Quando Livia encarou aqueles olhos verde-azulados, lembrou-se do rapaz atrevido que McKenna já fora, e do pedido de desculpas que lhe devia havia doze anos. Ficou agitada ao pensar na promessa que fizera a Aline – mas a promessa fora de nunca falar das cicatrizes da irmã. Não de jamais revelar as manipulações do pai delas.

– McKenna – falou Livia, hesitante –, estou um pouco nervosa por causa de algo que fiz muito tempo atrás. Uma injustiça que cometi com você, na verdade.

– Está se referindo à época em que eu trabalhava em Stony Cross Park? – perguntou ele, franzindo ligeiramente a testa. – Você era só uma criança.

Livia se agitou no assento enquanto respondia em voz baixa:

– Temo que crianças sejam muito inclinadas a pequenas perversidades... e eu não era exceção. A responsável por você ser mandado embora para Bristol tão repentinamente fui eu.

McKenna fitou-a com súbita intensidade e permaneceu em silêncio enquanto ela prosseguia:

– Você sabe que eu costumava andar o tempo todo atrás de Aline, observando tudo que ela fazia. Eu a idolatrava. E, é claro, eu sabia da ligação de vocês. Acho que devo ter sentido certo ciúme, acho que desejava o amor e a atenção de Aline só para mim, já que a via como uma segunda mãe. Então, quando por acaso vi vocês dois na garagem das carruagens enquanto vocês...

Livia se interrompeu e enrubesceu ainda mais profundamente.

– Eu fiz a pior coisa possível... não me dei conta das possíveis consequências. Fui até meu pai e contei a ele o que havia visto. E foi por isso que você foi dispensado e mandado para Bristol. Mais tarde, quando vi o resultado dos meus atos, e como Aline estava sofrendo, senti o pior dos remorsos. Sempre me arrependi do que fiz e, embora não espere que você me perdoe, quero lhe pedir desculpas mesmo assim.

– Sofrendo? – repetiu McKenna, sem expressão na voz. – Lady Aline me mandou para Bristol porque se arrependia de ter tido qualquer tipo de sentimento por um criado. Ela sabia que eu logo me tornaria um constrangimento em sua vida...

– *Não* – interrompeu Livia, aflita. – Foi o nosso pai... Você não tem ideia de como ele era vingativo. Ele disse à minha irmã que se ela voltasse a ver você, ele o destruiria. Jurou que não descansaria até deixá-lo sem um lugar para morar e sem meios de se sustentar... que você acabaria morto ou na prisão. E Aline acreditou nele, porque sabia do que o nosso pai era capaz. Ela jamais quis que você fosse embora de Stony Cross... mas fez o que foi necessário para protegê-lo. Para salvá-lo. Na verdade, nosso pai só conseguiu um lugar como aprendiz para você em Bristol, em vez de largá-lo na rua, porque Aline exigiu.

McKenna encarou-a com uma expressão sarcástica.

– Então por que ela não me contou isso na época?

– Minha irmã achou que você arriscaria tudo para voltar para ela.

Livia abaixou os olhos para o colo e alisou a seda do vestido enquanto perguntava em um murmúrio:

– Ela estava errada?

Um silêncio interminável se seguiu.

– Não – sussurrou McKenna finalmente.

Livia ergueu os olhos e viu que McKenna olhava fixamente para o palco, sem ver nada. Ele parecia composto... a não ser que alguém reparasse na testa úmida de suor, no punho cerrado sobre a coxa, nos nós dos dedos pálidos. Ela se perguntou, preocupada, se teria revelado demais, mas agora que começara, achava difícil parar. Precisava consertar aquela situação, nem que fosse apenas para que McKenna soubesse a verdade sobre aquele episódio do próprio passado.

– Depois que você partiu – disse Livia –, Aline nunca mais foi a mesma. Ela amava você, McKenna... tanto que escolheu fazer com que a odiasse em vez de permitir que sofresse qualquer mal.

A voz dele estava carregada de profunda hostilidade.

– Se isso fosse verdade, a esta altura Aline já teria me contado tudo. O seu pai está morto, que o diabo guarde sua alma... e não há nada que impeça a sua irmã de esclarecer a situação.

– Talvez – sugeriu Livia com cautela – Aline não queira que você sinta qualquer obrigação em relação a ela. Ou talvez minha irmã tenha medo, por algum motivo que você ainda desconheça. Se você ao menos...

Ela ficou em silêncio quando McKenna abriu a mão subitamente indicando que parasse de falar, com o olhar ainda vidrado no palco. Ao perceber o ligeiro tremor na mão dele, Livia se deu conta de que a informação o aborrecera, quando ela achara que ele a receberia com gratidão, ou mesmo alívio. Ela mordeu o lábio e ficou sentada em silêncio, confusa, enquanto McKenna abaixava a mão e mantinha os olhos fixos em algum ponto distante.

Foi com alívio que Livia viu Gideon chegar ao camarote com a limonada que ela pedira. Ele olhou em alerta do rosto dela para o de McKenna, sentindo a tensão no ar. Quando voltou a se sentar ao lado de Livia, Gideon envolveu-a com seu jeito charmoso até o rubor constrangido em seu rosto ceder e ela conseguir sorrir com naturalidade.

McKenna, por outro lado, parecia fitar as entranhas do inferno. A transpiração em seu rosto aumentara e o que antes era uma bruma de suor se transformara em filetes; cada músculo do seu corpo parecia tenso e alerta. Era como se ele não tivesse a menor noção do que estava acontecendo ao seu redor, ou mesmo de onde estava. Quando não aguentou mais, McKenna se levantou do assento com um murmúrio e saiu rapidamente do camarote.

Gideon se voltou para Livia com um olhar espantado.

– Sobre o que vocês dois conversaram, em nome de Deus?

McKenna saiu do teatro para a rua, onde os vendedores ambulantes andavam para cima e para baixo em Covent Garden. Ele passou pelas enormes colunas que sustentavam o frontão de entrada e parou sob uma que estava em uma das extremidades, para se abrigar em sua sombra. A mente e o corpo dele eram puro caos. O eco das palavras de Livia zunia em seus ouvidos e tirava seu autocontrole. Furioso, ele se perguntava em que diabo deveria acreditar. A ideia de que tudo o que pensara por doze anos talvez não fosse verdade o abalava até o âmago. E o apavorava.

De repente, McKenna se lembrou das próprias palavras, tantos anos antes: *Aline... eu jamais deixaria você, a menos que me pedisse...*

Isso não era inteiramente verdade. Teria sido preciso bem mais do que aquilo, na verdade. Se McKenna tivesse guardado qualquer esperança de que Aline ainda o amava, ele teria continuado a voltar para ela, movido por um anseio muito maior do que a autopreservação.

E Aline sabia disso.

McKenna passou a manga do paletó elegante pelo rosto. Se aquilo fosse verdade, se Aline o fizera ir embora para protegê-lo da vingança do antigo conde... então ela o amara. Talvez não restasse mais nada daquele amor, mas ela já o havia amado. Ele se esforçou para não acreditar nisso, ao mesmo tempo que se via dominado por uma agonia de emoções que um corpo humano não parecia capaz de conter. Precisava ver Aline, perguntar se aquilo era verdade. Mas ele já sabia a resposta, confirmada por uma súbita certeza que emanava do fundo do seu ser.

Aline o amara... e a certeza disso o fez cambalear.

Alguns poucos passantes olharam com curiosidade para a figura do homem moreno apoiado na enorme coluna, a cabeça inclinada como um gigante abatido. No entanto, ninguém ousou parar e perguntar se ele estava bem. Todos pareceram sentir uma ameaça contida em sua imobilidade, como se talvez fosse um louco que, ao ser provocado, pudesse cometer algum ato desesperado. Era mais fácil, e muito mais seguro, simplesmente continuarem andando e fingirem que não o viram.

Gideon foi procurar Livia mais tarde naquela noite, esgueirando-se para dentro da casa e subindo até o quarto dela. Ele despiu-a com cuidado e fez amor com ela por um longo tempo, penetrando-a em arremetidas fundas e lânguidas, erguendo-a com gentileza para que mudassem de posição. Os gemidos de Livia foram abafados por beijos suaves e questionadores enquanto seu corpo trêmulo se ancorava ao peso do dele, com gratidão.

Ocorreu a Livia que ela fazia com Gideon coisas que nunca fizera com Amberley. Não havia ilusões naquela cama, nada a não ser um terrível e maravilhoso senso de honestidade que não deixava espaço para que a alma dela se escondesse. Livia queria que Gideon a conhecesse completamente, até seus defeitos. Alguma coisa nele – a intensidade física, talvez – parecia dissolver a reserva que ela se acostumara a usar como uma armadura, deixando-a livre para responder sem qualquer inibição às demandas dele. Fosse lá o que Gideon desejasse, Livia atendia com um prazer desavergonhado, e ele, por sua vez, a amava de maneiras que ela jamais teria pensado em pedir.

Após o sexo, permaneceram deitados, ofegantes e saciados. Livia estava em cima de Gideon, a perna jogada de qualquer maneira sobre a dele. Ela sentiu os dedos hábeis deslizando por seus cabelos até encontrar a curva quente do couro cabeludo sob os cachos delicados, acariciando-a por todo o caminho até chegar à nuca. Quando puxou a perna mais para cima, Livia sentiu a pressão do sexo dele contra a coxa, ainda semirrígido mesmo depois do clímax. Ela abaixou mão para acariciá-lo.

– Você é insaciável – acusou Livia, com um riso na voz.

Sorrindo, Gideon passou as mãos por baixo dos braços dela e puxou-a para que se acomodasse melhor em cima dele.

– Não mais do que você.

Livia se inclinou até encostar o nariz no dele.

– Devo confessar, Sr. Shaw, que estou ficando um tanto enamorada do senhor.

– Enamorada? – zombou ele. – Você está loucamente apaixonada por mim.

Livia sentiu o coração falhar uma batida, mas manteve o tom leve.

– Ora, por que eu seria tão tola a ponto de me apaixonar por você?

– Por inúmeras razões – informou ele. – Não apenas eu a satisfaço na cama como por acaso sou um dos homens mais ricos do mundo civilizado...

– Não me importo com o seu dinheiro.

– Maldição, como eu sei disso! – disse ele, começando a soar irritado. – Essa é uma das razões pelas quais preciso ter você.

– Ter?

– Me casar com você.

Livia franziu a testa e começou a deslizar para o lado, mas Gideon segurou-a pelos quadris e a manteve onde estava.

– É uma ideia que vale a pena considerar, não é?

– Não quando nos conhecemos há pouco mais de quinze dias!

– Então me diga por quanto tempo deseja que eu lhe faça a corte. Posso esperar.

– Você tem que voltar para Nova York.

– Posso esperar – repetiu ele, teimosamente.

Livia suspirou e abaixou o rosto sobre o peito dele, roçando seus pelos macios e encaracolados. Ela se forçou a ser sincera.

– Nada me convenceria a me casar com você, meu caro.

Gideon passou os braços ao redor dela e apertou-a com um pouco de força, correndo as mãos pelas suas costas em uma carícia longa e suplicante.

– Por que não?

– Porque gosto demais de você para vê-lo se autodestruir.

Livia sentiu uma súbita tensão no corpo longo sob o dela. Mais uma vez, fez menção de sair de cima dele, esperando que dessa vez Gideon a deixasse ir. Mas ele passou o braço com força ao redor das costas esguias e usou a outra mão para pressionar a cabeça dela com mais força junto ao peito. Seu tom era resignado quando falou:

– Você quer que eu pare de beber.

– Não... não quero ter qualquer influência nessa decisão.

– Mas consideraria a possibilidade de se casar comigo se eu o fizesse?

Diante da longa hesitação de Livia, Gideon a fez erguer a cabeça e olhar para ele.

– Sim – respondeu ela com relutância. – Nesse caso, eu provavelmente consideraria a ideia.

A expressão de Gideon, com os lábios torcidos, era como se ele estivesse olhando dentro de si mesmo e não gostasse nada do que via.

– Não sei se sou capaz de parar – murmurou ele com uma franqueza que Livia admirou, mesmo não gostando do teor das palavras. – Não sei se eu quero parar. Prefiro continuar a beber e ainda assim ter você.

– Isso não é possível – disse ela sem rodeios. – Apesar de você ser um Shaw.

Gideon se virou de lado e acomodou a cabeça de Livia na dobra de seu braço enquanto baixava o rosto para olhar para ela.

– Eu lhe daria tudo que você desejasse. Levaria você para qualquer lugar do mundo. Qualquer coisa que você me pedisse...

– A bebida acabaria se colocando entre nós em algum momento.

Livia começou a se perguntar se seria loucura da parte dela recusar um pedido de casamento de Gideon, quando a maior parte das mulheres teria agradecido de joelhos. Um sorriso trêmulo cruzou seus lábios ao ver a expressão dele. Claramente Gideon não era um homem acostumado a ser rejeitado, seja por que motivo fosse.

– Vamos só aproveitar o tempo que temos juntos agora. Retornarei a Stony Cross em poucos dias, mas até lá...

– Em poucos dias? Não, fique mais e volte comigo.

Ela balançou a cabeça.

– Não ficaria bem viajarmos juntos... as pessoas comentariam.

– Não dou a menor importância – disse ele, com um toque de desespero na voz. – Por favor, me aceite como eu sou, Livia.

– Se gostasse um pouco menos de você, talvez eu fosse capaz disso.

Livia permaneceu de olhos fechados enquanto ele roçava os lábios nas pálpebras delicadas, no rosto quente, na ponta do nariz dela.

– Mas não vou me sujeitar à tortura de perdê-lo pouco a pouco, até você acabar se matando ou se transformando em alguém que não reconhecerei mais.

Gideon recuou e olhou para ela com uma expressão mal-humorada.

– Me diga ao menos uma coisa: você me ama?

Livia permaneceu em silêncio, sem saber se sua resposta tornaria as coisas melhores ou piores.

– Eu preciso saber – disse Gideon, torcendo os lábios em uma expressão de desprezo por si mesmo ao ouvir a súplica na própria voz. – Se vou mudar a minha vida por você, tenho que ter alguma esperança.

– Não quero que você mude a sua vida por mim. Você terá que tomar a mesma decisão dia após dia... e deve fazer isso apenas por você. Caso contrário, acabará se ressentindo de mim.

Livia percebeu que Gideon queria muito questioná-la, mas acabou se acomodando ao lado dela, passando o braço frouxamente por sua cintura.

– Não quero perder você – sussurrou.

Ela acariciou as costas dele e suspirou.

– Gideon, eu tenho estado à deriva por muito tempo, desde a morte de Amberley. Agora finalmente estou pronta para começar a viver de novo. Você apareceu bem no momento em que eu precisava e, por isso, sempre me lembrarei de você com carinho e gratidão.

– Carinho? – repetiu ele, torcendo mais uma vez os lábios. – Gratidão?

– Não vou admitir sentir nada mais do que isso, certo? Seria uma forma de coação.

Gideon resmungou baixinho e se ergueu acima dela.

– Talvez eu deva testar a sua determinação.

– Fique à vontade para tentar – disse Livia.

Mas, em vez de soar como um flerte, a frase pareceu melancólica, e ela se pegou envolvendo o corpo de Gideon com os braços e as pernas, como se de algum modo fosse capaz de protegê-lo dos fantasmas dentro dele.

Aline suspirou ao pegar outra folha de papel na gaveta da escrivaninha e secar a ponta da pena com um pedaço de feltro branco. Havia quase uma dúzia de cartas empilhadas à sua frente, de amigos e parentes que já deviam estar aborrecidos com a demora dela em responder. No entanto, não é possível simplesmente jogar algumas frases no papel em uma resposta rápida. Escrever cartas era uma arte que exigia atenção aos detalhes. Era preciso reportar as últimas novidades com estilo e talento... e, na ausência de eventos dignos de nota a serem comunicados, era preciso usar a criatividade para escrever uma resposta divertida, ou mais filosófica.

Aline franziu a testa para as três cartas que já escrevera. Até ali, descrevera alguns pequenos contratempos domésticos, passara adiante algumas fofocas escolhidas com cuidado e até comentara sobre o clima.

– Como você se tornou habilidosa em falar sobre tudo menos a verdade – comentou consigo mesma, com um sorriso zombeteiro.

Mas ela duvidava que as notícias reais seriam bem recebidas por seus parentes... *Arrumei um amante recentemente e já tivemos dois encontros íntimos muito tórridos, na floresta e no gabinete do meu quarto. Minha irmã, Livia, está gozando de boa saúde e está em Londres no momento, provavelmente rolando na cama com um americano que vive bêbado...*

Ao imaginar como a carta seria recebida por sua severa prima Georgina, ou pela tia-avó Maude, Aline conteve um sorriso.

A voz do irmão, na porta, foi uma interrupção bem-vinda.

– Santo Deus. Você deve estar sem absolutamente nada para fazer se acabou recorrendo às cartas.

Ela levantou os olhos para Marcus com um sorriso brincalhão.

– Falou a única pessoa na face da terra que é mais negligente com a correspondência do que eu.

– Desprezo todos os aspectos dessa atividade – admitiu Marcus. – Na verdade, a única coisa pior do que escrever cartas é receber uma... Deus sabe por que alguém pensaria que estou interessado nos detalhes da vida alheia.

Ainda sorrindo, Aline pousou a pena e olhou de relance para a minúscula mancha de tinta na ponta do seu dedo.

– Deseja algo, meu caro? Eu lhe imploro, faça alguma coisa para me resgatar desse tédio insuportável.

– Não é preciso implorar. O resgate está a caminho... ou ao menos uma distração conveniente.

Ele mostrou a ela a carta lacrada que tinha na mão, e uma expressão estranha percorreu seu rosto.

– Chegou uma encomenda de Londres. Veio com isto.

– De Londres? Se forem as ostras que encomendamos, chegaram com dois dias de antecedência...

– Não são ostras.

Marcus caminhou em direção à porta e convidou-a com um gesto a acompanhá-lo.

– A encomenda é para você. Venha até o saguão de entrada.

– Muito bem.

Aline tampou com cuidado o frasco de vidro lapidado com a cola que estivera usando para lacrar os envelopes e fechou a caixa com as lâminas de cera vermelha. Quando estava tudo em ordem, ela se levantou da escrivaninha e seguiu Marcus até o saguão de entrada. O ar estava carregado com a fragrância de rosas, como se todo o saguão tivesse sido banhado em um perfume caro.

– Santo Deus! – exclamou, estacando ao ver os imensos buquês de flores que estavam sendo trazidos de uma carroça do lado de fora.

Eram montanhas de rosas brancas, algumas ainda em botões bem fechados, outras totalmente desabrochadas. Dois lacaios haviam sido recrutados para ajudar o cocheiro da carroça, e os três não paravam de entrar e sair, trazendo buquê após buquê envolvido em um papel rendado branco.

– São quinze dúzias – disse Marcus bruscamente. – Duvido que reste uma única rosa branca em Londres.

Aline não conseguia acreditar na rapidez com que seu coração estava batendo. Ela se adiantou lentamente, pegou uma única rosa de um dos buquês, segurou-a com carinho entre os dedos e inclinou a cabeça para inalar o luxuoso perfume. As pétalas eram como seda fria roçando em sua pele.

– Há mais uma coisa – avisou Marcus.

Aline seguiu o olhar do irmão e viu o mordomo orientando outro criado para que abrisse um enorme caixote de madeira cheio de pacotes do tamanho de tijolos, envolvidos em papel marrom.

– O que é isso, Salter?

– Com a sua permissão, milady, vou descobrir agora mesmo.

O mordomo idoso desembrulhou um dos pacotes com extremo cuidado. Ele abriu o papel marrom encerrado e revelou um pão de mel profundamente perfumado, acrescentando uma nota pungente de especiarias ao aroma das rosas.

Aline levou a mão à boca para conter uma gargalhada enquanto uma emoção que ela ainda não conseguia identificar fazia seu corpo inteiro estremecer. O presente a preocupava demais e, ao mesmo tempo, ela estava loucamente feliz com a extravagância daquilo.

– Pães de mel? – perguntou Marcus, incrédulo. – Por que diabo McKenna lhe mandaria um caixote cheio de *pães de mel*?

– Porque eu gosto – foi a resposta ofegante de Aline. – Como você sabe que são de McKenna?

Marcus lançou um olhar significativo para a irmã, como se só um idiota não fosse deduzir aquilo.

Aline teve certa dificuldade para abrir o envelope e retirar de dentro dele a folha de papel dobrada. Estava coberta por uma caligrafia ousada e prática, sem floreios:

Nem quilômetros de deserto sem fim, montanhas altas e escarpadas,
Nem o mar de azul infinito
Nem palavras, ou lágrimas, ou medos silenciosos
me impedirão de voltar para você.

Não estava assinado... não era necessário. Aline fechou os olhos ao sentir o nariz arder e lágrimas quentes se acumularem em seus olhos. Ela pressionou os lábios contra o papel, sem se importar com o que Marcus pensava.

– É um poema – disse ela com a voz trêmula. – Péssimo...

O poema era a coisa mais encantadora que ela já lera. Aline segurou-o junto ao rosto, então usou a manga do vestido para secar os olhos.

– Deixe-me ver.

Na mesma hora, ela enfiou o poema no corpete.

– Não, é um assunto pessoal.

Ela engoliu para tentar aliviar o aperto na garganta, desejando conseguir conter aquela onda absurda de emoção.

– McKenna – sussurrou –, você acaba comigo...

Marcus deixou escapar um suspiro tenso e entregou um lenço à irmã.

– O que eu posso fazer? – perguntou, abalado diante das lágrimas de uma mulher.

A única resposta que Aline foi capaz de dar foi a que ele mais detestaria ouvir.

– Não há nada que você possa fazer.

Aline achou que ele estava prestes a passar os braços ao redor dela, em um abraço reconfortante, mas os dois foram distraídos pela chegada de um visitante que entrou no saguão na esteira dos criados ocupados. Adam, lorde

Sandridge, vinha andando lentamente, com as mãos enfiadas nos bolsos. Ele observou a proliferação de rosas com uma expressão perplexa.

– Presumo que sejam para você – disse para Aline, tirando as mãos dos bolsos ao se aproximar dela.

– Boa tarde, Sandridge – falou Marcus, com um ar mais sério, ao trocar um aperto de mãos com o recém-chegado. – Chegou em ótima hora, já que acredito que lady Aline está precisando de alguma distração agradável.

– Então devo me esforçar para ser agradável e ainda conseguir distraí-la. Ele se inclinou graciosamente sobre a mão de Aline.

– Vamos passear no jardim – convidou ela, dando a mão a ele.

– Excelente ideia.

Adam estendeu a mão para um dos buquês que estavam em cima da mesa de entrada, arrancou um perfeito botão marfim e enfiou-o na lapela. Então estendeu o braço para Aline e saiu com ela pelas portas francesas que davam para os fundos da casa.

Os jardins cintilavam com a magia do verão, com canteiros de miosótis, erva-cidreira e lírios-do-dia de um amarelo vibrante que pontuava outros canteiros onde rosas se misturavam a clematites vermelho-escuras. Longas fileiras de pulmonárias prateadas se estendiam por entre grandes vasos de pedra que continham um arco-íris de papoulas orientais. Adam e Aline desceram os degraus do terraço e seguiram pela trilha sinuosa de cascalho que passava pelas sebes de teixos cuidadosamente aparadas. Adam era uma dessas raras pessoas que se sentiam confortáveis com o silêncio, e esperou pacientemente que ela falasse.

Sentindo-se mais calma com a serenidade do jardim e a presença tranquila de Adam, ela deixou escapar um longo suspiro.

– As rosas são de McKenna – disse por fim.

– Imaginei – respondeu Adam em um tom irônico.

– Ele também mandou um poema.

Ela tirou o papel de dentro do corpete e entregou a ele. Adam era a única pessoa na face da terra que Aline permitiria ler algo tão íntimo. Ele parou no meio do caminho, desdobrou o papel e leu as poucas linhas.

Quando olhou para a amiga, pareceu entender a mistura sutil de dor e prazer nos olhos dela.

– Muito tocante – falou com sinceridade, e devolveu o papel a ela. – O que você vai fazer a respeito?

– Nada. Vou mandá-lo embora, como planejei desde o início.

Adam pensou nas palavras dela com cuidado, pareceu inclinado a dar sua opinião, mas logo pensou melhor e apenas deu de ombros.

– Se é o que você acha melhor, que seja.

Mais ninguém que Aline conhecia daria uma resposta dessa. Ela pegou a mão dele, segurou com força e os dois continuaram a caminhar.

– Adam. Uma das coisas que mais adoro em você é que nunca tenta me aconselhar sobre o que fazer.

– Abomino conselhos... nunca funcionam.

Eles deram a volta ao redor da fonte da sereia, que jorrava água letargicamente em meio a canteiros carregados de esporinhas.

– Pensei na possibilidade de contar tudo a McKenna – confidenciou Aline –, mas as coisas não vão terminar bem, não importa como ele reaja.

– Por quê, meu bem?

– No momento em que eu mostrar as minhas cicatrizes a McKenna, ou ele vai achá-las horríveis demais para aceitar ou, pior, vai ficar com pena de mim e se sentir pressionado a me pedir em casamento por obrigação ou por honra... e vai acabar se arrependendo e desejando se livrar de mim. Eu não conseguiria viver dessa maneira, Adam, olhando todas as manhãs nos olhos de McKenna e me perguntando se aquele seria o dia em que ele me deixaria para sempre.

Adam deixou escapar um som baixo de carinho.

– Estou tomando a decisão errada? – perguntou ela.

– Nunca defino esses assuntos em termos de certo e errado – retrucou Adam. – A meu ver, basta que façamos a melhor escolha possível dentro das circunstâncias e evitemos nos questionar para o bem da nossa sanidade.

Aline não conseguiu evitar comparar o amigo com Marcus, que acreditava tão fortemente em decisões absolutas – certo e errado, bom e mal – e sua boca se curvou em um sorriso agridoce.

– Adam, meu caro, pensei muito no seu pedido de casamento ao longo dos últimos dias...

– Sim?

Eles pararam e ficaram se encarando, de mãos dadas.

– Não posso aceitar – disse Aline. – Seria injusto tanto comigo quanto com você. Até acho que se não posso ter um casamento de verdade, eu deveria me sentir feliz com uma imitação de casamento. Mas, ao mesmo tempo, acho que prefiro manter uma amizade verdadeira e sincera com você a ter um casamento de mentira.

Ao ver a infelicidade nos olhos da amiga, Adam puxou-a para um abraço apertado.

– Minha menina querida – murmurou –, minha proposta se estende indefinidamente. Serei seu amigo sincero até a morte. E se você mudar de ideia sobre o casamento, basta estalar os dedos – disse ele, e deu um sorriso sarcástico. – Descobri que, quando não podemos ter o que desejamos, às vezes imitações podem ser muito atraentes.

Capítulo 17

Livia passou aproximadamente sete noites em Londres, e voltou para casa com embrulhos de compras suficientes para dar credibilidade à sua alegação de que havia ido fazer uma expedição de compras. As convidadas de Stony Cross tiveram grande prazer ao ver algumas dessas aquisições: um chapéu pequeno, de copa alta, enfeitado com penas tingidas... luvas bordadas nos punhos... xales de renda, cashmere e seda... uma pilha de modelos e amostras de tecidos mandados pela modista que estava fazendo os vestidos para ela.

Obviamente, Susan Chamberlain perguntou se Livia tinha visto o Sr. Shaw e McKenna em Londres, e Livia respondeu com uma despreocupação jovial.

– Ah, sim, a minha acompanhante, a Sra. Smedley, e eu passamos uma noite muito agradável na companhia deles no Teatro Capitol. Ficamos em um camarote com uma excelente vista do palco... Fomos transportadas para dentro do espetáculo!

No entanto, por mais casuais que fossem as maneiras de Livia, suas declarações foram recebidas com sobrancelhas arqueadas e significativas trocas de olhares. Ao que parecia, todos desconfiavam que houvesse mais naquela história do que o que estava sendo contado.

Aline soubera dos detalhes da visita a Londres assim que Livia voltara. Ela fora até o quarto da irmã, que se trocava e vestia as roupas de noite, e as duas se sentaram na cama com suas taças de vinho. Aline se encostou em uma das enormes colunas entalhadas enquanto Livia se recostou nos travesseiros.

– Estive com ele todas as noites – contou à irmã, o rosto ruborizado. – Sete noites no mais absoluto paraíso.

– Ele é um bom amante, então? – perguntou Aline, sem conter certa curiosidade lasciva.

– O amante mais maravilhoso, empolgante, o mais...

Incapaz de encontrar superlativo exato, Livia suspirou e tomou um gole de vinho. Olhou para Aline por cima da borda da taça e balançou a cabeça, encantada.

– Como é estranho que ele seja tão diferente de Amberley e, ainda assim, também me agrade tanto. Talvez ele seja até melhor, de certa forma.

– Você vai se casar com ele? – perguntou Aline

Ela sentiu uma estranha pontada no peito – em parte, de felicidade pela irmã, mas ao mesmo tempo se dando conta de como a América era distante. Para ser honesta consigo mesma, precisava admitir que uma vozinha invejosa no fundo da mente perguntava por que ela, Aline, também não podia ter o que mais queria.

– Na verdade, ele me pediu em casamento – disse Livia, e surpreendeu Aline ao acrescentar em uma voz triste: – E eu o recusei.

– Por quê?

– Você sabe por quê.

Aline assentiu, encontrando o olhar de Livia enquanto toda uma conversa silenciosa acontecia entre as duas. Ela deixou escapar um longo suspiro, baixou os olhos e passou a ponta do dedo ao redor da borda da taça.

– Tenho certeza de que você tomou a decisão certa, meu bem, embora também saiba que não deve ter sido fácil.

– Não, não foi.

As duas ficaram sentadas em silêncio por algum tempo, até Livia dizer:

– Você não vai perguntar por McKenna?

Aline baixou os olhos para a taça.

– Como ele estava?

– Silencioso. Um pouco distraído. Nós... falamos de você.

Um alerta soou na mente de Aline quando ela percebeu o toque de culpa na confissão cautelosa da irmã. Ela levantou os olhos rapidamente, o rosto tenso.

– Como assim, falaram de mim?

Livia bebeu um longo gole de vinho.

– Na verdade, ficou tudo bem – comentou, na defensiva. – Ao menos não deu *errado*, embora eu não tenha certeza de como ele reagiu a...

– Livia, *fale logo*! – ordenou Aline, gelada de ansiedade. – O que você contou a ele?

– Não muito – disse Livia, e voltou a olhar para a irmã, na defensiva. – Eu finalmente tomei coragem para pedir desculpas pelo que fiz a vocês anos atrás. Você sabe, quando contei ao papai sobre...

– Livia, você não devia ter feito isso – disse Aline.

Ela estava furiosa e com medo demais para gritar, a garganta apertada. Suas mãos tremiam tão violentamente que o vinho ameaçava derramar.

– Não há razão para ficar aborrecida, Aline – declarou Livia, deixando a irmã ainda mais furiosa. – Eu não quebrei a promessa que fiz a você... não comentei nada sobre o seu acidente, ou sobre as cicatrizes. Só contei a McKenna que nosso pai manipulou todos nós e... bem, eu acabei mencionando que você o mandou embora para protegê-lo, porque papai havia ameaçado fazer mal a ele...

– *O quê?* Eu nunca quis que McKenna soubesse disso. Meu Deus, Livia, o que você fez?

– Eu só contei a ele uma pequena parte da verdade.

Livia parecia dividida entre o desafio e o arrependimento; seu rosto estava muito vermelho.

– Peço desculpas se a aborreci. Mas, como dizem, a honestidade é a melhor política, e nesse caso...

– *Eu* nunca disse isso! – explodiu Aline. – Essa é a máxima mais egoísta, mais mal utilizada que existe, e com certeza não é a melhor política nessa situação. Meu Deus, Livia! Você não percebe como acabou dificultando as coisas para mim? Como vai ser muito mais sofrido me afastar novamente de McKenna agora que ele sabe...

Ela se interrompeu subitamente.

– *Quando* você contou a ele?

– Na segunda noite que passei em Londres.

Aline fechou os olhos, aflita. As flores haviam chegado dois dias depois daquilo. Então era aquele o motivo pelo qual McKenna mandara os presentes e o poema.

– Livia, tenho vontade de matá-la – sussurrou.

A irmã mais nova evidentemente resolveu partir para a ofensiva, porque falou em um tom decidido:

– Não vejo o que há de tão terrível em tirar do caminho um dos obstáculos entre você e McKenna. A única coisa que você precisa fazer agora é contar a ele sobre as suas pernas.

Aline respondeu com um olhar gelado.

– Isso nunca vai acontecer.

– Você não tem nada a perder contando a verdade a McKenna. Aline, você sempre foi a pessoa mais corajosa que conheço. Mas agora que finalmente tem uma chance de ser feliz está jogando tudo fora por medo e teimosia...

– Nunca fui corajosa – retrucou Aline. – Não há coragem alguma em meramente tolerar uma situação por não ter alternativa. O único motivo pelo qual não me joguei no chão todos os dias durante os últimos doze anos, gritando e me debatendo, é que eu sempre soube que, quando me levantasse, nada teria mudado. As minhas pernas nunca deixarão de ser repulsivas. *Você* mal consegue se forçar a olhar para elas... Como ousa sugerir que estou sendo covarde por não querer expô-las a McKenna?

Aline se levantou da cama e deixou a taça de lado.

– Você não passa de uma hipócrita, Livia... Parece esperar que McKenna me aceite apesar dos meus defeitos, quando se recusa a fazer o mesmo em relação ao Sr. Shaw.

– Isso não é justo – protestou Livia, indignada. – São situações inteiramente diferentes. As suas cicatrizes não se comparam nem remotamente ao hábito de beber de Gideon Shaw... E como ousa sugerir que estou sendo tacanha ao recusá-lo?

Aline foi em direção à porta, espumando de raiva.

– Me deixe em paz. E não ouse dizer mais uma palavra sequer a McKenna sobre *nada*.

Ela mal se conteve para não bater a porta quando saiu.

As irmãs Marsdens sempre haviam convivido em relativa harmonia. Talvez isso se devesse à diferença de idade de sete anos entre as duas, o que fazia Aline assumir um papel maternal em relação à irmã mais nova. Nas raras ocasiões no passado em que haviam discutido, o modo de resolverem a situação sempre havia sido se evitarem por algum tempo até acalmarem os ânimos, enquanto tentavam fingir que nada havia acontecido. Se a briga tivesse sido particularmente feia, Aline e Livia procuravam, cada uma por sua vez, a Sra. Faircloth, que sempre as lembrava de que não havia nada mais importante do que o laço entre irmãs. Daquela vez, no entanto, Aline não recorreu à governanta, e achava que Livia também não o faria. Os motivos da briga eram excessivamente pessoais. Por isso Aline tentou se comportar como se nada tivesse acontecido, tratando Livia em um tom educado e rígido, que era o melhor que conseguia fazer. Ela supunha que deveria ceder o bastante para pedir desculpas... mas sempre tivera dificuldade em se desculpar, e era provável que engasgasse ao tentar. Livia também não parecia inclinada a estender a proverbial bandeira branca, embora, na opinião de Aline, obviamente fosse a culpada pelo desentendimento. Depois de três dias, Aline e Livia haviam conseguido chegar a um estado de normalidade no trato de uma para com a outra, embora ainda restasse certa frieza entre elas.

Na noite de sábado, Marcus deu uma festa ao ar livre, que logo foi ameaçada por nuvens que se acumulavam acima da cabeça de todos. O céu escureceu e algumas gotas de alerta caíram sobre os convidados, fazendo com que as tochas que iluminavam o jardim se agitassem em protesto. As pessoas começaram a entrar em casa enquanto Aline ia de um lado para outro, dando orientações aos criados que corriam para recolher a comida, os copos e cadeiras, a fim de levar tudo para o salão de visitas. No meio de toda aquela agitação, ela viu algo que a fez estacar. Livia conversava com Gideon Shaw, que, ao que parecia, havia retornado de Londres. Estavam parados perto da porta, Livia encostada na parede, rindo de algum comentário que ele fizera, o rosto cintilando, as mãos presas atrás do corpo como se estivesse se contendo para não tocá-lo.

Se houvesse alguma dúvida na mente de Aline de que Livia amava Gideon Shaw, ela teria desaparecido naquele instante. Só vira a irmã daquele jeito na presença de um único homem. E, embora a expressão no rosto de Shaw não fosse visível do ângulo em que Aline estava, a inclinação protetora de seu corpo em direção ao de Livia deixava tudo muito claro. *Que pena*, pensou Aline. Era óbvio que, não importava quais fossem as diferenças entre os dois, eles haviam encontrado um no outro alguma coisa absolutamente necessária.

Aline estava distraída com os próprios pensamentos quando sentiu um calor estranho se espalhar por cada centímetro da sua pele, até a raiz dos cabelos. Petrificada, ela ficou imóvel enquanto as pessoas passavam apressadas por ela, buscando abrigo da tempestade que se aproximava cada vez mais. O ar parecia vivo e carregado de energia, deixando-a arrepiada.

– Aline.

Uma voz grave soou atrás dela. Aline baixou os olhos por um momento, se concentrando com firmeza no chão, enquanto o mundo parecia oscilar em seu eixo. Quando finalmente conseguiu se virar, viu McKenna a poucos metros de distância.

Era difícil acreditar que pudesse precisar tanto de outro ser humano, que o anseio por alguém fosse capaz de deixá-la à beira do delírio. Ela precisou fazer um esforço para respirar e seu coração parecia saltar, desajeitado, atrás dos pulmões. Os dois ficaram parados na beira do jardim como duas estátuas de mármore enquanto os convidados se desviavam deles para entrar em casa.

Ele sabe, pensou Aline, com os nervos à flor da pele. McKenna estava diferente. Alguma coisa dentro dele parecia ter mudado e afastado toda a sua reserva. Ele a encarou como costumava fazer quando os dois eram mais jovens, e seus olhos cintilavam com um anseio flagrante. Esse olhar provocava nela uma sensação que só ele podia trazer, uma espécie de empolgação onírica que parecia despertar todos os sentidos de Aline.

Enquanto ela permanecia muda e imóvel, uma gota fria de chuva caiu em seu rosto e deslizou até o canto da boca. McKenna se aproximou lentamente, ergueu a mão, capturou a gota de chuva com o polegar e esfregou a umidade entre os dedos, como se aquilo fosse um elixir precioso. Aline recuou instintivamente, afastando-se dele e do próprio anseio insaciável. McKenna se adiantou na mesma hora, pousou uma das mãos nas costas dela e puxou-a lentamente para que os dois ficassem escondidos atrás da sebe de teixos.

Sem conseguir olhar para ele, Aline baixou a cabeça no instante em que McKenna a puxou para mais perto. Ele se moveu com muito cuidado, trazendo-a para junto de seu corpo até o rosto dela estar próximo ao seu colarinho. O aroma delicioso da pele dele provocou uma pontada de dor sob as costelas dela que rapidamente se transformou em um fluxo cálido que a percorreu por inteiro. A sensação de estar ali, com as mãos dele em seu corpo – uma nas costas, a outra na nuca – ia além do prazer sexual. Era como uma benção. Uma completude. O calor do toque dele penetrou sua pele até a medula. A coxa dele a pressionava de leve entre as pernas, como se ele soubesse da urgência que vinha se acumulando na carne tenra. McKenna abraçou-a e simplesmente manteve-a em seus braços, a boca colada à têmpora dela, o hálito quente aquecendo a sua pele. Seus corpos estavam muito próximos, mas ainda não próximos o bastante. Aline abriria mão com prazer do resto da vida que tinha em troca de mais uma noite de pura intimidade, para poder sentir o corpo dele, pele com pele, coração com coração.

– Obrigada – sussurrou Aline depois de um longo tempo.

– Por quê? – perguntou ele, movendo os lábios com delicadeza pela testa dela.

– Pelos presentes – respondeu ela, em uma voz fraca. – Achei lindos.

McKenna permaneceu em silêncio, inspirando o perfume do cabelo dela. Em uma tentativa desesperada de se autopreservar, Aline tentou começar uma conversa.

– Correu tudo bem em Londres?

Para seu alívio, McKenna respondeu.

– Sim.

Ele afastou a cabeça dela, mantendo a mão em sua nuca.

– Garantimos os direitos de atracação da Somerset Shipping e todos os investidores em potencial se comprometeram com o negócio.

– Inclusive meu irmão?

Aquilo provocou um rápido sorriso nele.

– Ele deu indícios de que vai participar com os outros.

Aline deixou escapar um suspiro de alívio.

– Isso é bom.

– Agora que tudo está acertado, preciso voltar para Nova York. Há muito a ser feito, muitas decisões a serem tomadas.

– Sim, eu...

Antes de terminar a frase, ela levantou os olhos para ele, ansiosa.

– Quando você vai embora?

– Terça-feira.

– Tão cedo? – perguntou ela em um sussurro.

– Os Chamberlains, os Cuylers e o resto do grupo querem continuar viajando pela Europa. Primeiro Paris, depois Roma. Mas Shaw e eu precisamos voltar para Nova York.

Aline absorveu a informação em silêncio. Se o navio iria partir na terça-

-feira, então McKenna e Shaw provavelmente iriam embora de Stony Cross em dois dias. Ela não conseguia acreditar que o perderia tão rápido.

A chuva começou a cair mais forte, até gotas se acumularem nos cachos negros e densos de McKenna e escorrerem, cintilando.

– É melhor entrarmos – falou Aline, e estendeu a mão para tirar algumas gotas dos cachos negros.

McKenna segurou a mão dela, envolvendo seus dedos e levando-os aos lábios.

– Quando podemos conversar? – perguntou ele.

– Estamos conversando.

– Você sabe o que eu quero – disse McKenna em um murmúrio baixo.

Aline desviou os olhos para a sebe além dos ombros largos. Sim, ela sabia exatamente o que ele pretendia conversar, e daria tudo para evitá-lo.

– De manhã cedo, antes de os hóspedes acordarem – sugeriu. – Vamos nos encontrar nos estábulos, e de lá podemos caminhar para algum lugar...

– Certo.

– Amanhã, então – disse ela, e abaixou a cabeça enquanto passava por ele para entrar em casa.

McKenna alcançou-a com facilidade e puxou-a para mais perto. Então pousou a mão atrás do coque de tranças e puxou a cabeça dela para trás antes de capturar seus lábios. Aline suspirou várias vezes enquanto a língua de McKenna explorava o interior macio de sua boca, preenchendo-a da forma como queria preencher seu corpo.

Ao sentir o desejo crescente de Aline, McKenna segurou-a pelos quadris e deslizou os joelhos por entre as pernas dela. Então puxou-a para junto do corpo até o coração de Aline disparar loucamente e sua pele parecer arder por inteiro, mesmo com as gotas frias de chuva encharcando seu rosto e seus cabelos. Tateando para se equilibrar, ela agarrou os ombros de McKenna, que agora pressionava beijos e palavras indistintas contra os lábios abertos dela. Ele a puxou mais para a frente até ela estar cavalgando sobre a perna dele, e usou as mãos para erguê-la e abaixá-la em um ritmo delicioso. Com aquela fricção firme, no lugar exato onde o corpo dela se tornava cada vez mais quente e intumescido... o prazer disparou rapidamente, e ela se contorceu contra ele com um gemido de negação.

McKenna soltou-a, a respiração entrecortada. E ali, parados na chuva como dois loucos inebriados, os dois se encararam. McKenna então tirou o casaco, segurou-o acima da cabeça de Aline como um guarda-chuva improvisado e gesticulou indicando que ela entrasse com ele.

– Vamos – murmurou. – Se ficarmos parados aqui, acabaremos sendo atingidos por um raio.

Os lábios dele se curvaram em um sorrisinho torto antes de acrescentar com ironia:

– Não que eu fosse perceber...

Capítulo 18

Pouco depois das duas da manhã, Livia se esgueirou para dentro do alojamento dos solteiros, que estava imerso na escuridão, e foi agarrada logo na entrada. Ela reprimiu um gritinho de surpresa e se viu puxada contra o corpo alto de um homem. Gideon usava um roupão de seda. Livia relaxou nos braços dele e retribuiu seus beijos com ardor, misturando sua língua à dele. Gideon beijou-a como se eles tivessem passado meses, não apenas alguns dias, separados.

– Por que demorou tanto? – perguntou Gideon, apertando-a com força em seus braços antes de puxá-la para o quarto.

– Esse negócio de se esgueirar pela propriedade não é fácil com a casa cheia de hóspedes – protestou Livia. – Tive que esperar até ter certeza de que ninguém me veria saindo escondida nessa direção. Ainda mais quando já estamos sob suspeita.

– Estamos? – Ele parou ao lado da cama e começou a abrir o vestido dela.

– Ora, é *óbvio* que sim, depois que eu escapuli para Londres quando você, por acaso, também estava lá. E ainda há o modo como você me olha, que praticamente anuncia que já fomos para a cama juntos. Para um homem supostamente tão sofisticado, você é terrivelmente óbvio.

– Terrivelmente – concordou ele, levando a mão dela ao seu corpo excitado.

Livia se afastou com uma risadinha e tirou o vestido, sob o qual estava completamente nua. Gideon foi pego de surpresa e prendeu a respiração, o olhar fixo nela.

– Eu vim preparada – falou ela, presunçosa.

Gideon balançou a cabeça como se para clareá-la, despiu o roupão e se aproximou dela. Suas mãos deslizaram pelas curvas dos quadris de Livia como se ela fosse uma escultura de valor inestimável.

– Na verdade, eu também. Trouxe algo de Londres.

As mãos dele envolveram os seios dela, e os polegares roçaram levemente os mamilos.

– Embora você talvez não goste – acrescentou.

Curiosa, Livia passou os braços ao redor do pescoço de Gideon, que a levantou no colo e a levou para a cama. Ele a deixou em cima do colchão, então se inclinou para beijar a pele macia entre os seios enquanto pegava alguma coisa na mesa de cabeceira. Livia ficou surpresa quando ele lhe entregou um pacotinho embrulhado em um papel fino, que guardava um objeto que ela não conhecia. Era uma espécie de anel elástico, coberto por uma pele fina e transparente. Ao olhar o objeto mais de perto, Livia se sentiu enrubescer ao compreender de que se tratava.

– Ah... isto é um...

– Exatamente.

Gideon deu de ombros e pareceu ligeiramente envergonhado.

– Correndo o risco de parecer presunçoso, achei que talvez houvesse uma chance de termos mais uma noite juntos.

– Presunçoso, realmente – concordou Livia, com uma severidade zombeteira, segurando o contraceptivo na palma da mão.

– Já tinha visto um desses?

– Não, embora tenha ouvido falar a respeito.

O rubor dela ficou mais intenso.

– Parece uma ideia estranha, e não particularmente romântica – disse Livia.

– Uma gravidez indesejada também não é nada romântica – retrucou Gideon com sinceridade, afastando as cobertas enquanto se juntava a ela na cama. – Não me importaria engravidá-la, contanto que você desejasse.

A ideia de carregar um filho dele no ventre... Livia desviou os olhos, incapaz de se impedir de desejar algo que provavelmente nunca aconteceria. Gideon puxou-a para junto do corpo, debaixo das cobertas, e a beijou com carinho.

– Quer tentar usar?

– Acho que sim – respondeu ela, em dúvida, segurando o objeto contra a luz do lampião e olhando através da membrana transparente.

Livia sentiu o corpo de Gideon se sacudir com uma risada contida.

– Não vai doer – disse ele. – E você talvez aprecie o fato de que, quando um homem usa um desses, demora muito mais para atingir o clímax.

– Ah, é? Por quê? A sensibilidade diminui?

– Exatamente – respondeu ele com um sorriso irônico. – É mais ou menos como tentar jantar tendo o guardanapo entre o garfo e a boca.

Livia devolveu o contraceptivo a ele.

– Não use, então. Vamos fazer do jeito de sempre.

Gideon balançou a cabeça, decidido.

– Não confio mais em mim para fazer isso. Está se tornando impossível recuar no momento em que mais quero permanecer dentro de você. Agora vamos... me ajude a colocar isto. Sempre digo que precisamos tentar tudo ao menos uma vez.

Livia seguiu timidamente as instruções que ele murmurava: desenrolou o contraceptivo ao longo da extensão rígida da ereção dele, ajustando-o para deixar uma parte frouxa no topo.

– Parece bem apertada – comentou.

– Supostamente, deve ser assim mesmo, senão deslizaria.

Ela o soltou e se deitou de costas no colchão.

– E agora?

– Agora? – repetiu ele, o corpo cobrindo o dela. – Vou fazer amor com você como venho imaginando há cinco noites.

Livia semicerrou os olhos enquanto ele abaixava a cabeça sobre seus seios, desenhando com a língua padrões intrincados na pele. Gideon capturou o mamilo na boca e provocou-o com gentileza com os dentes, lambendo-o até ele ficar rígido e escuro. Então passou para o outro seio, tratando-o da mesma forma até Livia estar gemendo e se contorcendo sob seu corpo. Gideon fez amor com ela com ternura e habilidade, atento a cada movimento, a cada tremor de seu corpo. Ele parou por um breve momento para pegar alguma coisa na mesa de cabeceira. Livia o ouviu tirar a tampa de um pote, então sentiu a mão de Gideon deslizar por entre suas coxas para espalhar uma camada sedosa de creme. Ainda com muita gentileza, ele deixou a ponta do dedo deslizar pela carne macia e fez movimentos circulares ao redor da entrada do corpo dela.

– Gideon – disse ela, agitada –, estou pronta.

Ele sorriu e seguiu manipulando lentamente o corpo dela.

– Você está impaciente demais.

– Estou impaciente porque estou *pronta*... Nossa, por que você sempre tem que demorar tanto?

– Porque adoro torturá-la.

Ele se inclinou para beijar o pescoço dela enquanto enfiava os dedos por entre os pelos úmidos que cobriam seu sexo. Para conseguir suportar aquela exploração torturante, Livia levantou as mãos para alcançar a cabeceira da cama e segurou os cilindros de madeira com força. Gideon se ajoelhou entre as coxas dela e passou um pouco mais do unguento escorregadio, penetrando-a mais fundo com os dedos.

Livia por fim não conseguiu mais se conter e se pegou implorando, quase em desespero:

– Gideon, por favor, agora, *por favor*...

Ela se interrompeu quando ele a penetrou cuidadosamente, preenchendo-a até ela gemer de alívio.

– Tudo bem? – perguntou Gideon, apoiando um braço de cada lado da cabeça dela. – Não está desconfortável, está?

Livia desceu o corpo sobre o dele em resposta, ardendo de prazer. Gideon sorriu para aquele rosto tenso de paixão e descansou o polegar levemente sobre o ponto mais sensível do sexo úmido, acariciando-a ali enquanto começava a arremeter mais fundo, balançando o corpo. Livia se perdeu em uma onda de alívio.

– Livia... – chamou Gideon muito tempo depois, aconchegando-a junto ao peito enquanto brincava com os cachos finos dos cabelos dela. – E se eu decidir não voltar para Nova York?

Foi como se a mente dela se esvaziasse. Livia se perguntou se Gideon realmente acabara de dizer o que ela achava que ele havia dito, e se levantou da cama para acender uma lamparina. Gideon permaneceu deitado de lado, o lençol meio jogado em cima dos quadris.

Livia voltou para a cama e se virou para encará-lo enquanto prendia o lençol embaixo dos braços.

– Você está pensando em ficar em Londres? – perguntou. – Por quanto tempo?

– Pelo menos por um ano. Para administrar o escritório de lá e cuidar de desenvolver o nosso negócio no mercado continental. Eu seria tão útil aqui quanto em Nova York, se não mais.

– Mas toda a sua família está em Nova York.

– Outro bom motivo para eu estar aqui – retrucou Gideon com ironia. – Está claro que um período de separação será benéfico tanto para eles quanto para mim. Estou cansado de fazer o papel de patriarca... Eles podem muito bem aprender a resolver seus malditos problemas sozinhos.

– E quanto às fundições, aos seus empreendimentos imobiliários...

– Vou autorizar McKenna a tomar qualquer decisão na minha ausência. Ele já provou que está pronto para assumir essa responsabilidade... e confio mais nele do que em qualquer um dos meus irmãos.

– Pensei que você não gostasse de Londres.

– Adoro Londres.

Livia achou divertida a mudança de opinião dele, já que ela mesma o ouvira dizer o oposto na semana anterior, e teve que disfarçar um sorriso.

– Por que você se apaixonou tão repentinamente por Londres?

Gideon acariciou o cabelo dela e prendeu uma mecha sedosa atrás da orelha. Então olhou bem fundo nos olhos dela; a luz da lamparina lançava pontos dourados em meio às profundezas azuis.

– Porque fica perto de você.

Livia fechou os olhos enquanto as palavras a enchiam de uma esperança incerta e temerosa. A força dos seus sentimentos pareceu preencher todo o quarto.

– Gideon – falou –, nós já conversamos sobre isso...

– Não estou pedindo para vê-la nem para cortejá-la – apressou-se a dizer ele. – Na verdade, insisto em *não* vê-la por pelo menos seis meses, até eu descobrir se sou capaz de parar de beber de uma vez por todas. Não é um processo agradável, pelo que ouvi dizer... Por algum tempo, certamente não serei uma boa companhia. Portanto, por essa e por outras razões, será melhor ficarmos separados.

Livia ficou perplexa ao se dar conta do que ele estava tentando fazer, a magnitude do esforço que aquilo iria requerer.

– O que você quer de mim? – perguntou ela, depois de algum tempo.

– Que você me espere.

Mais um isolamento autoimposto, pensou Livia, e balançou a cabeça com relutância.

– Não posso mais permanecer isolada em Hampshire, senão vou enlouquecer. Preciso frequentar a sociedade, conversar, rir, visitar lugares...

– É claro. Não quero que você fique enterrada em Stony Cross. Mas não deixe que outros homens... isto é, não se comprometa a se casar com ninguém, nem se apaixone por um maldito visconde...

A expressão de Gideon se fechou diante da ideia.

– Só peço que permaneça solteira por seis meses. Não é pedir muito, certo?

Livia considerou o pedido com a testa franzida, pensativa.

– Não, é claro que não. Mas se você vai fazer isso por mim...

– Eu estaria mentindo se não admitisse que em parte, sim, é por você – falou ele com franqueza. – No entanto, é por mim também. Estou cansado de cambalear pela vida em uma bruma eterna.

Livia passou a palma da mão pela linha forte do braço dele.

– É possível que, ao emergir dessa névoa, você não me queira mais – disse ela. – Suas percepções talvez sejam diferentes... suas necessidades podem mudar...

Ele pegou a mão dela e entrelaçou os dedos dos dois.

– Nunca vou deixar de precisar de você.

Livia abaixou os olhos para as mãos unidas deles.

– Quando está planejando começar?

– Está se referindo à diabólica condição de sobriedade? Lamento dizer que já comecei. Não bebo nada alcoólico há doze horas. Amanhã de manhã estarei fedendo, tremendo, com um humor de cão, e depois de amanhã, provavelmente, já terei assassinado alguém – disse Gideon, sorrindo. – Por isso é bom que eu esteja indo embora de Stony Cross.

Sem se deixar iludir pelas maneiras irreverentes dele, Livia se aconchegou ao seu peito e pressionou os lábios na altura do coração.

– Gostaria de poder ajudá-lo – disse baixinho, esfregando o rosto nos pelos de um tom dourado escuro. – Gostaria de poder sofrer parte disso por você.

– Livia...

A voz de Gideon saiu embargada de emoção, e ele passou a mão com gentileza pelo cabelo dela.

– Ninguém pode me ajudar nisso. É uma cruz que só eu posso carregar... afinal, sou o único responsável por ela. Mas há uma coisa que você pode fazer para tornar tudo um pouco mais fácil... algo que vai me ajudar a passar pelos piores momentos...

Ela se afastou para levantar os olhos para ele.

– O quê?

Gideon fez uma pausa e deixou escapar um suspiro tenso.

– Sei que você não vai admitir que me ama... e entendo. Mas, levando em consideração que vou encarar seis meses de inferno, não pode me dar só uma coisinha?
– O quê?
Ele a encarou com uma expressão especulativa.
– Um piscar de olhos.
– Um o quê?
– Se você me ama... apenas pisque para mim. Uma vez. Um piscar *significativo*. Não precisa dizer as palavras, basta...

A voz dele se perdeu quando seus olhares se encontraram, e Gideon encarou Livia com a determinação ardente de uma alma perdida que vislumbrara o lar à distância, no horizonte.

– Só pisque para mim – sussurrou ele. – Por favor, Livia...

Ela não teria acreditado que fosse possível amar de novo daquela forma. Talvez algumas pessoas considerassem aquilo uma deslealdade a Amberley, mas não ela. Amberley iria querer que ela fosse feliz, que tivesse uma vida plena. Livia achava até que ele teria aprovado Gideon Shaw, um homem que estava se esforçando tanto para superar seus defeitos... Um homem cálido, humano, acessível.

Gideon ainda estava esperando. Livia sustentou seu olhar e sorriu. Então, muito lenta e determinadamente, fechou os olhos, voltou a abri-los e olhou para ele através de um borrão quente e vibrante de esperança.

Aline estava exausta depois de uma noite sem dormir e se viu dominada por um medo frio enquanto caminhava até os estábulos, onde prometera encontrar McKenna. Havia ensaiado vezes sem conta uma lista de objeções, argumentos e contra-argumentos... mas quando testara as palavras em voz alta, não pareceram nada convincentes nem para ela própria.

Stony Cross estava adormecida exceto pelos criados que trabalhavam dentro da casa, ocupados com baldes de carvão e jarros de água quente, e pelos que trabalhavam nos estábulos e nos jardins. Aline passou por um aprendiz de lacaio que havia sido incumbido de empurrar o aparador de grama para a frente e para trás no gramado verde aveludado, enquanto outro rapaz o seguia para recolher a grama cortada com um ancinho e um carrinho de mão pequeno. Nos estábulos, os cavalariços estavam ocupados limpando as calhas, distribuindo feno e tirando o esterco das baias. Os aromas familiares de feno e cavalos saturavam o ar com um agradável cheiro de terra.

McKenna já estava lá, esperando perto do quarto de selas. Aline se sentiu tentada a correr para ele, na mesma medida em que teve vontade de sair em disparada na direção oposta. Os dois estavam muito conscientes de que aquela era uma das raras ocasiões em que uma única conversa poderia alterar o curso do futuro.

– Bom dia – conseguiu dizer Aline.

McKenna olhou para ela de um modo que deixou ambos em um estado de tensão silenciosa. E lhe ofereceu o braço.

– Vamos até o rio.

Aline soube na mesma hora aonde ele a levaria... ao lugar em que os dois sempre ficavam a sós. O lugar perfeito para se despedirem, pensou ela, desolada, e aceitou o braço de McKenna. Os dois caminharam em silêncio enquanto os tons de lavanda da aurora davam lugar a um amarelo pálido e sombras longas e suaves cruzavam o jardim. As juntas dos joelhos de Aline estavam rígidas, como sempre acontecia pela manhã antes de as cicatrizes serem alongadas por uma atividade física moderada. Ela se concentrou em caminhar o mais fluidamente possível. McKenna diminuiu o passo para acompanhar o dela.

Os dois finalmente chegaram à clareira perto da água, onde uma ave sarapintada deu várias voltas ao redor dos juncos que reluziam antes de subitamente se abrigar em meio a eles. Aline se sentou em uma pedra grande e plana e arrumou a saia com cuidado. McKenna, que estava de pé a poucos metros de distância, se abaixou para pegar alguns seixos e lançou um por um na água com movimentos ágeis do pulso. Ela o observou, se deleitando com o corpo alto, as linhas fortes do perfil, a elegância dos movimentos. Quando McKenna se virou para olhar para ela por cima do ombro, seus olhos turquesa tinham um tom tão vívido em contraste com o rosto bronzeado que a cor parecia quase artificial.

– Você sabe o que vou perguntar – disse ele, em voz baixa.

– Sim – respondeu Aline, em uma tensão crescente –, mas, antes que você fale mais alguma coisa, preciso dizer que eu nunca...

– Aline, escute primeiro – murmurou ele. – Tenho algumas coisas a lhe dizer. Por mais difícil que seja, serei sincero com você, senão acabarei me arrependendo pelo resto da vida.

Aline se sentiu esmagada por uma infelicidade profunda. Honestidade... a única coisa que ela não poderia dar a ele em troca.

– Vou recusá-lo, não importa o que você diga.

O hálito parecia cáustico em sua garganta, como se ela tivesse engolido ácido.

– Por favor, McKenna, poupe-nos de um desconforto desnecessário...

– Não vou poupar nenhum de nós – disse ele, irritado. – É agora ou nunca, Aline. Depois que eu partir amanhã, não voltarei mais.

– Para a Inglaterra?

– Para você.

McKenna se sentou na beirada de uma pedra perto da dela, inclinou-se para a frente e apoiou os braços nas coxas. Ele abaixou a cabeça, e a luz do sol refletiu nos cachos negros. Então levantou os olhos e fitou-a com uma expressão penetrante.

– Ser mandado para esta propriedade foi a maldição da minha vida. Desde o primeiro instante em que a vi, senti uma ligação entre nós... um vínculo que jamais deveria ter existido e que jamais deveria ter se perpetuado... assim como eu via as estrelas no céu e sabia que jamais poderia tocá-las. Mas nós éramos jovens demais e eu estava com você com tanta frequência que era impossível preservar essa distância. Você era minha amiga, minha companheira... e mais tarde passei a amá-la mais profundamente do que qualquer homem já amou uma mulher. Isso nunca mudou, embora eu tenha mentido para mim mesmo por anos.

Ele fez uma pausa e respirou fundo.

– Por mais que eu queira negar, sempre vou amar você. E por mais que eu deseje ser alguma outra coisa, a verdade é que sou um plebeu, um bastardo, e você é uma filha da nobreza.

– McKenna – começou ela, profundamente infeliz –, por favor, não...

– O meu propósito verdadeiro ao voltar para Stony Cross era encontrar você. Acho que isso ficou bastante óbvio, já que não havia nenhuma razão prática para nos aproveitarmos da hospitalidade do seu irmão. Para ser mais claro, não havia a menor necessidade de eu sequer vir à Inglaterra, já que Shaw seria perfeitamente capaz de lidar com a situação sozinho, deixando-me em Nova York. Mas eu precisava provar que o que sentia por você não era real. Eu havia me convencido de que jamais amara você... de que, na verdade, você representava todas as coisas que eu nunca poderia ter. Achei que ter um *affair* com você dissiparia essa ilusão, que você acabaria sendo como qualquer outra mulher.

McKenna ficou em silêncio por um momento enquanto os gritos do mesmo pássaro de antes enchiam o ar.

– Então eu planejava voltar para Nova York e arrumar uma esposa. Um homem na minha posição, mesmo sem um nome e uma família, pode se casar bem lá. Seria fácil conseguir uma mulher disposta a ser minha noiva. Mas agora que reencontrei você, finalmente me dei conta de que nunca foi uma ilusão. Amar você tem sido a coisa mais real da minha vida.

– Não – sussurrou Aline, os olhos ardendo.

– Estou lhe pedindo, com toda a humildade de que sou capaz, que se case comigo e venha para a América. Depois que Westcliff se casar, não vai mais precisar de você como anfitriã. Você não terá um lugar de verdade em Stony Cross. Mas como minha esposa você seria a rainha da sociedade nova-iorquina. Tenho uma fortuna, Aline, e a perspectiva de triplicá-la nos próximos anos. Se você for para Nova York comigo, farei tudo o que estiver em meu poder para que seja feliz.

Ele falava em um tom muito baixo, muito cuidadoso, o tom de um homem que estava fazendo a aposta mais perigosa da vida.

– Obviamente seria um sacrifício para você deixar a sua família, os seus amigos e o lugar onde você viveu desde que nasceu. Mas você poderia voltar para visitá-los... A travessia leva apenas doze dias. Você poderia começar uma vida inteiramente nova comigo. Diga quais são as suas condições, Aline... basta pedir.

A cada palavra que ele falava, Aline sentia o desespero se retorcer dentro de si. Mal conseguia respirar por causa do nó que apertava seu peito.

– Você precisa acreditar em mim quando digo que seria impossível sermos felizes juntos. Gosto de você, McKenna, mas eu...

Ela hesitou e arquejou, ainda sentindo o peito dolorido, antes de se forçar a continuar.

– Não amo você dessa forma. Não posso me casar com você.

– Você não tem que me amar. Aceitarei o que você puder me dar, seja o que for.

– Não, McKenna.

Ele se aproximou, agachou-se diante dela e pegou uma das mãos frias e suadas. O calor da pele dele era impressionante.

– Aline – disse ele com dificuldade –, eu amo você o bastante por nós dois. E deve haver alguma coisa em mim que valha a pena amar. Se ao menos você estivesse disposta a tentar...

A necessidade de contar a verdade era enlouquecedora. Enquanto ela se permitia a loucura de cogitar aquela possibilidade, seu coração batia tão descompassadamente que chegava a doer, e toda a pele dela parecia pinicada por gelo. Ela tentou imaginar que mostrava a ele as cicatrizes desfiguradas ali mesmo, naquele momento. Mas não. *Não.*

Aline se sentia como uma criatura selvagem apanhada em uma rede, se esforçando em vão para se livrar dos filamentos do passado que a aprisionavam mais a cada movimento.

– Isso não é possível.

Ele apertou com força a seda macia do vestido dela.

– Por quê?

A pergunta foi feita com rispidez, mas havia uma vulnerabilidade por trás do tom dele que deixou Aline com vontade de chorar.

Ela sabia o que McKenna queria, do que ele precisava... uma parceira que se submetesse de bom grado a ele, dentro e fora da cama. Uma mulher que tivesse a sabedoria de se orgulhar de todas as coisas que ele era, que não se importasse com o que ele nunca poderia vir a ser. Ela poderia ter assumido esse papel no passado, mas naquele momento era impossível.

– Você não é da minha classe social – disse ela. – Nós dois sabemos disso.

Aquela era a única coisa que ela poderia dizer para convencê-lo. McKenna até podia se considerar um americano agora, mas havia nascido na Inglaterra e jamais conseguiria se livrar completamente da consciência de classe que permeara todos os aspectos da sua existência desde os 18 anos. Um comentário como aquele vindo dela era a derradeira traição. Aline desviou os olhos, pois não queria ver a expressão dele. Ela estava morrendo por dentro, seu coração parecia ter se transformado em cinzas.

– Santo Deus, Aline – disse ele em um sussurro rouco.

Ela lhe deu as costas. Ficaram assim por um bom tempo, os dois se debatendo com emoções não reveladas, a fúria alimentando o desalento.

– Meu lugar não é ao seu lado – falou Aline em uma voz rouca. – O meu lugar é aqui, com... com lorde Sandridge.

– Você não vai conseguir me convencer de que o escolheria, não a mim... não depois do que aconteceu entre nós, maldição! Você me deixou tocá-la, abraçá-la, de um modo que jamais permitiu que ele fizesse.

– Eu consegui o que queria – ela se forçou a dizer. – E você também. Depois que partir, verá que foi melhor assim.

McKenna quase esmagou a mão dela, tamanha a força com que a segurava. E pousou o rosto ali, colado à parte macia da palma da mão.

– Aline – sussurrou, despindo-se impiedosamente de todo o orgulho –, tenho medo do que me tornarei se você não me aceitar.

A garganta e a cabeça de Aline doíam. Ela finalmente começou a chorar, as lágrimas escorrendo pelo rosto. Ela puxou a mão da dele, quando tudo o que queria era colocar a mão dele em seus seios.

– Você vai ficar bem – disse Aline com a voz trêmula, passando a manga do vestido pelo rosto molhado de lágrimas enquanto se afastava sem olhar para trás. – Você vai ficar bem, McKenna... Volte para Nova York. Não quero você.

A Sra. Faircloth arrumou uma fileira de taças de cristal raras na estante em seus aposentos privados, onde os bens mais frágeis da casa eram mantidos trancados. A porta havia sido deixada semiaberta, e ela ouviu alguém se aproximar em um passo lento, quase relutante. Ela se afastou da estante, olhou de relance para a porta e viu a silhueta do corpo grande de McKenna ali, o rosto na sombra. Uma tristeza profunda a dominou quando ela se deu conta de que ele provavelmente viera para uma última conversa em particular.

Ao se lembrar do convite de McKenna para ir com ele para a América, a Sra. Faircloth teve consciência de um desejo oculto e discreto de aceitá-lo. *Velha tola*, repreendeu a si mesma, sabendo que era tarde demais para uma mulher da idade dela considerar a possibilidade de se afastar de suas raízes. Ao mesmo tempo, a perspectiva de viver em outro país havia despertado em seu sangue uma inesperada sensação de aventura. *Teria sido maravilhoso*, pensou, melancólica, experimentar alguma coisa nova quando já se aproximava do ocaso dos seus dias.

No entanto, jamais deixaria lady Aline, a quem amava tão profundamente havia tanto tempo. Tomara conta de Aline da infância à vida adulta, compartilhando cada alegria e cada tragédia da vida da jovem. Embora também gostasse muito de Livia e de Marcus, a Sra. Faircloth era obrigada a admitir, mesmo que só para si mesma, que Aline sempre fora a sua favorita. Naquele tempo em que Aline estivera tão próxima da morte, a governanta sentira o desespero de uma mãe perdendo a própria filha... e nos anos seguintes, enquanto assistia a Aline lutando com seus medos secretos e sonhos partidos, o laço entre elas se tornara mais forte do que nunca. Enquanto Aline precisasse dela, não havia a menor possibilidade de a Sra. Faircloth deixá-la.

– McKenna – disse a governanta, e convidou-o para entrar no quarto.

Quando o rosto dele foi iluminado pela luz baixa do lampião, a expressão que a Sra. Faircloth viu ali a perturbou. Fez com que se lembrasse da primeira vez que o vira, um pobre bastardo órfão de olhos azul-esverdeados e frios. Apesar da ausência de expressão, a fúria e a dor o envolviam como um manto invisível, profundas demais, absolutas demais para que ele conseguisse verbalizá-las. Ele ficou parado, olhando para ela, sem saber do que precisava, tendo chegado ali apenas porque parecia não haver outro lugar para ir.

A Sra. Faircloth sabia que só poderia haver uma razão para que McKenna estivesse com aquela expressão. Ela fechou rapidamente a porta – os criados de Stony Cross sabiam que não deveriam incomodar a governanta quando a porta estava fechada, a menos que se tratasse de uma situação catastrófica. Então estendeu os braços para ele em um gesto maternal. McKenna se abrigou ali na mesma hora, pousou a cabeça no ombro macio e chorou.

Aline jamais se lembraria completamente do resto daquele dia, apenas recordava que havia conseguido cumprir mecanicamente o papel de anfitriã, conversando e até mesmo sorrindo, sem perceber de verdade quem estava ao seu lado ou o que estava dizendo. Livia tentou corajosamente lhe dar cobertura, desviando toda a atenção para si em uma exibição efervescente de encanto. Quando repararam na ausência de McKenna no último jantar do grupo, Gideon Shaw explicou com tranquilidade o motivo.

– Ah, McKenna está colocando as coisas em ordem antes de sua partida amanhã... e preparando longas listas para mim, eu temo.

Antes que mais perguntas pudessem ser feitas, Shaw surpreendeu a todos com a informação de que, em vez de voltar para Nova York com McKenna, ficaria em Londres para cuidar do escritório recém-estabelecido.

Mesmo em seu estado de torpor, Aline se deu conta da importância da notícia. Ela lançou um olhar rápido para Livia, que parecia excessivamente concentrada em cortar uma batata em porções minúsculas. No entanto, aquele pretenso desinteresse foi desmentido pelo rubor que coloriu o rosto de Livia. Shaw ficaria em Londres por causa dela, percebeu Aline, e se perguntou que tipo de arranjo ele e a irmã teriam feito. Ela desviou os olhos para Marcus, na cabeceira da mesa, e viu que o irmão se perguntava a mesma coisa.

– Londres tem sorte por ser favorecida com sua permanência, Sr. Shaw – comentou Marcus. – Posso lhe perguntar onde vai residir?

Shaw respondeu com o sorriso cuidadoso de um homem que descobrira recentemente algo inesperado sobre si mesmo.

– Vou ficar no Rutledge até começarem as obras no hotel. Depois disso, encontrarei um lugar adequado para alugar.

– Permita-me oferecer ajuda em relação a essa última parte – falou Marcus com educação e um olhar calculista.

Ele claramente desejava exercer o máximo de controle possível sobre a situação que se desenrolava.

– Posso dar uma palavrinha com as pessoas certas para lhe garantir uma situação que o agrade.

– Disso eu não tenho a menor dúvida – comentou Shaw.

O brilho jovial em seu olhar deixava claro que ele tinha plena noção das verdadeiras intenções de Marcus.

– Mas você *precisa* voltar para Nova York! – bradou Susan Chamberlain, encarando, furiosa, o irmão. – Meu Deus, Gideon, você não pode simplesmente abandonar suas responsabilidades dessa forma egoísta! Quem vai cuidar dos negócios da família, tomar decisões e...

Ela se interrompeu quando subitamente se deu conta de quem seria.

– *Não!* Você não vai colocar aquele *estivador* como o chefe de fato da família Shaw, seu bêbado lunático!

– Estou absolutamente sóbrio – informou Shaw, em uma voz tranquila. – E os documentos já foram preparados e assinados. Lamento, mas não há muito que você possa fazer a respeito, irmã. McKenna tem um relacionamento sólido com todos os nossos parceiros de negócios, e também tem todas as informações sobre as nossas contas, nossos fundos de investimento e contratos. Você não precisa fazer nada, basta dar rédea solta a ele.

Susan Chamberlain parecia ferver de indignação quando pegou sua taça de vinho e bebeu com raiva enquanto o marido tentava acalmá-la, murmurando.

Gideon Shaw continuou a comer calmamente, como se estivesse alheio ao tumulto que causara. Mas quando estendeu a mão para um jarro de água, lançou um olhar rápido na direção de Livia, que curvou brevemente os lábios em um sorriso.

– Espero que tenhamos o prazer de vê-lo de vez em quando, Sr. Shaw – murmurou Aline.

O belo americano voltou sua atenção para a anfitriã, agora com uma expressão enigmática.

– Seria um prazer para mim também, milady. No entanto, temo que estarei totalmente ocupado com o trabalho por um longo tempo.

– Entendo – disse Aline, baixinho, enquanto compreendia aos poucos a situação.

Ela pegou o próprio copo de água em um movimento lento e ergueu-o em um brinde silencioso de encorajamento. Shaw agradeceu com um breve aceno de cabeça.

Aline não era tão covarde a ponto de se esconder no quarto para evitar McKenna... embora a ideia tivesse seus atrativos. As palavras baixas que ele dissera na véspera a haviam aniquilado. Aline sabia como fora inexplicável sua rejeição, sem lhe deixar escolha a não ser acreditar que ela não o amava. A ideia de encará-lo naquela manhã era insuportável... mas Aline achava que deveria ao menos ter coragem de se despedir dele.

O saguão de entrada e o pátio do lado de fora estavam cheios de criados, além dos hóspedes que partiam. Havia uma fileira de carruagens na entrada da casa sendo carregadas com malas, caixas e baús. Aline e Marcus se deslocavam em meio a toda a agitação, cumprimentando os hóspedes e acompanhando-os até suas carruagens. Livia não estava à vista, o que levou Aline a suspeitar de que se despedia de Gideon Shaw a sós.

Pelo que Livia lhe revelara durante a breve conversa que haviam tido naquela manhã, Aline deduziu que os dois tinham decidido não se ver durante vários meses, para permitir a Shaw o tempo e a privacidade de que precisava para superar o hábito da bebida. Mas eles haviam combinado que se corresponderiam durante aquele tempo de separação, o que significava que o relacionamento continuaria através da pena e do papel. Aline sorrira quando Livia lhe contara, achando aquilo divertido e tocante.

– Acho que vocês dois começaram na ordem inversa – disse. – Normalmente, um envolvimento romântico começa com trocas de cartas e caminha aos poucos para uma intimidade maior...

– Começamos na cama e terminamos com a correspondência – concluiu Livia com ironia. – Ora, nenhum Marsden parece fazer as coisas da forma usual, não é mesmo?

Aline ficou feliz ao ver que ela e a irmã mais nova pareciam estar novamente em bons termos.

– Tem razão. Vai ser interessante ver em que vai dar esse relacionamento limitado à troca de cartas por um período tão longo.

– De certa forma, estou ansiosa por isso – comentou Livia, pensativa. – Quando a comunicação for apenas entre nossas mentes e nossos corações, sem qualquer aspecto físico, vai ser mais fácil discernir meus verdadeiros sentimentos pelo Sr. Shaw.

Ela sorriu e enrubesceu enquanto admitia, constrangida:

– Embora eu vá sentir falta desses aspectos físicos.

Aline desviou os olhos para um ponto distante do lado de fora de uma janela próxima, vendo a luz do dia se espalhar pelo terreno. Seu sorriso se tornou melancólico quando ela pensou na falta que também sentiria das alegrias encontradas nos braços de um homem.

– Vai dar tudo certo – garantiu Aline. – Tenho grandes esperanças em relação a você e ao Sr. Shaw.

– E quanto a você e McKenna? Há motivos para ter alguma esperança em relação a vocês? – perguntou Livia, e franziu a testa ao ver a expressão da irmã. – Ah, não se incomode... eu não deveria ter perguntado. Prometi a mim mesma que não diria mais nada sobre esse assunto e, de agora em diante, me manterei em silêncio, mesmo que isso me mate.

Os pensamentos de Aline foram trazidos de volta ao presente quando ela saiu da casa e percebeu que só havia um lacaio ali, Peter, que estava tendo dificuldade em levantar um baú enorme para colocá-lo na traseira de uma carruagem. Apesar de sua constituição musculosa, a peça pesada, com ferragens de metal, estava levando a melhor sobre o rapaz. O baú deslizava de sua posição precária, ameaçando derrubar Peter.

Dois hóspedes, o Sr. Cuyler e o Sr. Chamberlain, perceberam o dilema do criado, mas não lhes ocorreu a ideia de oferecer ajuda. Afastaram-se do veículo ao mesmo tempo e continuaram a conversar enquanto observavam o esforço e a dificuldade de Peter. Aline olhou rapidamente ao redor, procurando outro criado para ajudar. Antes que pudesse chamar alguém, McKenna surgiu do nada, andou rapidamente até a traseira da carruagem e apoiou o baú no ombro. Os músculos dos braços e das costas esticaram as costuras do paletó enquanto ele empurrava o baú para o lugar certo e o mantinha firme até Peter amarrar as faixas de couro ao redor.

Cuyler e Chamberlain desviaram os olhos, como se os constrangesse ver uma pessoa do grupo deles ajudando um criado em uma tarefa subalterna. A própria força física acima da média de McKenna pareceu contar pontos contra ele, traindo um passado em que exercera tarefas que jamais deveriam fazer parte da rotina de um cavalheiro. Finalmente o baú foi preso com firmeza e McKenna recuou, cumprimentando o criado com um breve aceno de cabeça. Enquanto o observava, Aline não conseguiu evitar pensar que, se McKenna não tivesse ido embora de Stony Cross, ele provavelmente estaria no lugar de Peter, trabalhando como criado. E aquilo não teria tido qualquer importância para ela. Aline o teria amado não importava para onde ele fosse, ou o que fizesse, e atormentava-a pensar que ele jamais saberia disso.

McKenna sentiu o olhar dela, levantou os olhos, mas voltou a desviá-los no mesmo instante. Ele enrijeceu o maxilar e ficou parado em uma contemplação silenciosa antes de finalmente voltar a encará-la. Sua expressão provocou um arrepio frio em Aline... tão retraída e gelada... e ela percebeu que os sentimentos dele haviam se transformado em uma hostilidade proporcional ao amor que sentia.

Logo McKenna iria odiá-la, pensou Aline, desolada, se já não fosse esse o caso.

McKenna endireitou os ombros e se aproximou dela, mas parou a certa distância. Eles ficaram parados ali, em um silêncio tangível, enquanto grupinhos de pessoas conversavam e se deslocavam ao redor. Uma das coisas mais difíceis que Aline fez na vida foi erguer o queixo naquele momento e encarar McKenna. As íris daquele verde-azulado exótico estavam quase obscurecidas pelo negro das pupilas. Ele parecia pálido sob o bronzeado saudável, e a vitalidade costumeira fora sufocada sob uma expressão de absoluta amargura.

Aline abaixou os olhos.

– Eu lhe desejo tudo de bom, McKenna – sussurrou por fim.

Ele permaneceu imóvel.

– E eu lhe desejo o mesmo.

Mais silêncio, esmagando-a até ela quase sucumbir sob o seu peso.

– Espero que você faça uma travessia segura e agradável.

– Obrigado.

Aline ofereceu a mão a ele em um gesto desajeitado. McKenna não se moveu para pegá-la. Ela sentiu os dedos tremerem. No momento em que começou a recolher a mão, ele pegou-a e levou os dedos aos lábios. O toque de sua boca era frio e seco contra a pele dela.

– Adeus – murmurou.

Aline sentiu a garganta se fechar enquanto permanecia parada ali, trêmula e em silêncio, mantendo a mão suspensa no ar depois que ele a soltou. Então fechou os dedos bem devagar, cerrou-os contra o abdômen e deu as costas cegamente. Sentiu o olhar de McKenna enquanto se afastava. Quando começou a subir o curto lance de escada que levava ao saguão de entrada, o tecido cicatricial mais grosso repuxou a parte de trás do seu joelho em uma queimação persistente e irritante que levou lágrimas de raiva aos seus olhos.

Capítulo 19

Depois que o último hóspede partiu, Aline colocou um vestido confortável de ficar em casa e foi até a sala de estar da família. Ali, se enrodilhou no canto de um sofá macio e ficou olhando para o nada pelo que pareceram horas. Apesar de o dia estar quente, ela tremia sob uma manta que estendera para aquecer o colo, sentindo os dedos dos pés e das mãos gelados. A seu pedido, uma criada acendeu a lareira e serviu uma xícara de chá bem quente, mas nada parecia conseguir levar aquele frio embora.

Aline ouviu os sons dos cômodos sendo arrumados, os passos dos criados nas escadas, a casa sendo devolvida à ordem agora que todos os hóspedes finalmente haviam partido. Ela também tinha coisas a fazer: o inventário do que precisava ser feito na casa, uma reunião com a Sra. Faircloth para resolver quais cômodos deveriam ser fechados e o que precisavam comprar no mercado. No entanto, Aline parecia não conseguir se arrancar do estupor que se abatera sobre ela. Sentia-se como um relógio com o mecanismo quebrado, paralisado, inútil.

Ela cochilou no sofá até o fogo quase apagar na lareira e os raios de sol que entravam pelas cortinas entreabertas serem substituídos pela luz do pôr do sol. Um som baixo a acordou e ela se espreguiçou, relutante. Ao abrir os olhos injetados, viu que Marcus entrara na sala. Ele ficou parado perto da lareira, como se a irmã fosse um quebra-cabeça que não soubesse resolver.

– O que você quer? – perguntou Aline, franzindo a testa e esfregando os olhos, esforçando-se para endireitar o corpo no sofá.

Marcus acendeu uma lamparina e se aproximou.

– A Sra. Faircloth me disse que você não comeu o dia todo.

Aline balançou a cabeça.

– Só estou cansada. Comerei alguma coisa mais tarde.

O irmão franziu a testa.

– Você parece péssima.

– Obrigada – respondeu ela com ironia. – Como eu disse, estou cansada. Preciso dormir, só isso...

– Aparentemente, você dormiu a maior parte do dia... e isso não lhe fez bem algum.

– O que você quer, Marcus? – perguntou Aline com uma ponta de irritação.

O irmão demorou a responder. Ele enfiou as mãos nos bolsos do paletó enquanto parecia pensar no que dizer. Por fim, baixou os olhos para os joelhos da irmã, escondidos sob as camadas de musselina azul.

– Vim lhe pedir uma coisa – falou, em uma voz rouca.

– O quê?

Ele indicou os pés dela com um gesto tenso.

– Posso vê-las?

Aline o encarou sem entender.

– As minhas pernas?

– Sim.

Marcus se sentou em uma ponta do sofá, o rosto sem expressão.

O irmão nunca pedira aquilo antes. Por que iria querer ver as pernas dela agora, depois de todos aqueles anos? Aline não conseguia imaginar o motivo, e estava exausta demais para examinar as muitas camadas de emoção que sentia a respeito do assunto. Com certeza não faria mal mostrar as cicatrizes a ele, pensou. Antes de se permitir pensar duas vezes, ela descalçou os sapatos. As pernas estavam nuas por baixo do vestido. Ela pousou-as em cima das almofadas e hesitou antes de suspender a saia e a anágua até a altura dos joelhos.

A não ser por um brevíssimo arquejo, Marcus não demonstrou qualquer reação. Seus olhos escuros examinaram desde as cicatrizes de textura fibrosa, passando pelas áreas de pele devastada e áspera, até chegar à brancura imaculada e incongruente dos pés. Enquanto observava as feições impassíveis do irmão, Aline só se deu conta de que estava prendendo a respiração quando sentiu os pulmões arderem. Então deixou escapar um lento suspiro e sentiu-se um tanto surpresa por ter sido capaz de confiar em Marcus àquele ponto.

– Não são bonitas – disse ele por fim. – Mas também não são tão ruins quanto eu esperava.

Ele estendeu a mão e cobriu as pernas dela com a saia.

– Imagino que as coisas que não vemos com frequência são piores na nossa imaginação do que na realidade.

Aline encarou com curiosidade o irmão superprotetor e cabeça-dura, que com frequência a irritava e a quem ela aprendera a amar tanto. Quando eram crianças, Aline e Marcus haviam sido pouco mais do que dois estranhos um para o outro, mas desde a morte do pai o irmão se provara um homem honrado e carinhoso. Como ela, era profundamente independente, e também muito reservado. Ao contrário dela, era sempre absolutamente honesto, mesmo quando a verdade era dolorosa.

– Por que você quis vê-las agora? – perguntou Aline.

Ele a surpreendeu com um sorriso autodepreciativo.

– Nunca soube muito bem como lidar com o seu acidente, a não ser pelo fato de desejar desesperadamente que nunca tivesse acontecido. Não consigo evitar a sensação de que fracassei com você de alguma forma. Ver as suas pernas, saber que não há nada que eu possa fazer para que melhorem, é difícil como o diabo para mim.

Ela balançou a cabeça, perplexa.

– Santo Deus, Marcus, de que forma você poderia ter evitado que um acidente acontecesse? Não acha que isso é levar o seu senso de responsabilidade longe demais?

– Escolhi amar muito poucas pessoas neste mundo – murmurou ele –, mas você e Livia estão entre elas... e eu daria a minha vida para poupar vocês de um único momento de dor que fosse.

Aline sorriu para ele, sentindo que se abria uma brecha bem-vinda no entorpecimento que a dominara. Por mais que não quisesse, não conseguiu evitar fazer uma pergunta crítica, mesmo se esforçando para esmagar o fio tênue de esperança dentro de si.

– Marcus – perguntou, hesitante –, se você amasse uma mulher, cicatrizes como essas o impediriam de...

– Não – interrompeu ele com firmeza. – Eu não deixaria que me impedissem.

Aline se perguntou se aquilo era mesmo verdade. Era possível que o irmão estivesse mais uma vez tentando protegê-la, poupar seus sentimentos. Mas Marcus não era do tipo que mentia por gentileza.

– Não acredita em mim? – perguntou ele.

Ela o fitou, insegura.

– Quero acreditar.

– Você está errada ao presumir que a perfeição seja algo que eu exija em uma mulher. Eu aprecio a beleza física como qualquer outro homem, mas isso dificilmente é uma exigência. Seria hipocrisia da minha parte, já que não sou belo.

Aquilo pegou Aline de surpresa, e ela fitou com atenção as feições largas e equilibradas do irmão, o maxilar forte, os olhos negros astutos, as linhas retas das sobrancelhas.

– Você é atraente – apressou-se a dizer. – Talvez não da mesma forma que o Sr. Shaw... mas poucos homens são belos como ele.

O irmão deu de ombros.

– Acredite em mim, Aline, isso não importa. Eu nunca encarei a minha aparência, ou qualquer aspecto que falte nela, como alguma forma de impedimento. E isso me dá uma perspectiva muito equilibrada do tema da beleza física... uma perspectiva que alguém com a *sua* aparência raramente consegue ter.

Aline franziu a testa, se perguntando se estava sendo criticada.

– Deve ser extraordinariamente difícil – continuou Marcus – para uma mulher linda como você achar que uma parte de si é motivo de vergonha e que deve ser escondida. Você nunca fez as pazes com o que aconteceu, não é?

Aline recostou na lateral do sofá e balançou a cabeça.

– Odeio essas cicatrizes. Nunca vou deixar de desejar não tê-las. E não há nada que eu possa fazer para mudá-las.

– Assim como McKenna nunca vai poder mudar suas origens.

– Se está tentando traçar um paralelo, Marcus, saiba que não vai funcionar. As origens de McKenna nunca tiveram qualquer importância para mim. Não há nada que me faria deixar de amá-lo, ou de querê-lo...

Ela se interrompeu abruptamente quando compreendeu o argumento que o irmão estava querendo provar.

– Não acha que ele se sentiria da mesma forma a respeito das suas pernas?

– Não sei.

– Pelo amor de Deus, vá contar a verdade a ele. Agora não é hora de deixar seu orgulho levar a melhor.

As palavras dele provocaram nela uma súbita indignação.

– Isso não tem nada a ver com orgulho!

– É mesmo? – perguntou Marcus, encarando-a com uma expressão sarcástica. – Você não consegue suportar a ideia de deixar que McKenna saiba que você não é perfeita. O que é isso se não orgulho?

– Não é tão simples – protestou Aline.

Ele torceu os lábios com impaciência.

– Talvez o problema não seja tão simples... mas a solução é. Comece agindo como a mulher madura que você é e reconheça que tem defeitos, Aline. Dê ao pobre diabo uma oportunidade de provar que ele consegue amá-la independentemente desses defeitos.

Arquejando de ultraje, Aline desejou esbofetear o irmão.

– Você é um sabichão insuportável!

Marcus deu um sorriso melancólico.

– Vá atrás de McKenna, Aline. Ou juro que eu mesmo contarei tudo a ele.

– Você não seria capaz!

– Já tenho uma carruagem pronta para pegar a estrada – informou ele. – Partirei para Londres em cinco minutos, com ou sem você.

– Pelo amor de Deus – explodiu Aline –, você nunca se cansa de dizer a todo mundo o que fazer?

– Na verdade, não.

Aline se sentiu dividida entre a vontade de rir e a irritação com a resposta.

– Até hoje, você se esforçou para desencorajar o meu relacionamento com McKenna. Por que mudou de ideia agora?

– Porque você tem trinta e um anos e é solteira, e me dei conta de que essa talvez seja a minha única oportunidade de me livrar de você.

Marcus sorriu e abaixou a cabeça para evitar o arremedo de soco que ela tentou acertar nele, então estendeu os braços para abraçá-la com força.

– E porque eu quero que você seja feliz – murmurou contra os cabelos dela.

Aline pressionou o rosto contra o ombro do irmão e sentiu os olhos marejados.

– Eu tinha medo de que McKenna a magoasse – continuou Marcus. – Acredito que tenha sido essa a intenção dele a princípio, mas, no fim, acho que ele não conseguiu levar esse plano adiante. Mesmo acreditando que você o traíra, ele não conseguiu se impedir de amá-la. Quando McKenna foi embora hoje, parecia de certa forma... menor. E eu finalmente me dei conta de que ele sempre correu um risco maior com você do que você com ele. Na verdade, fiquei com pena do desgraçado, porque todo homem sente um terror mortal de se magoar dessa forma.

Marcus pegou um lenço.

– Tome, pegue isso antes que arruíne o meu paletó.

Aline assoou o nariz com força e se afastou dele. Sentia-se terrivelmente vulnerável, como se o irmão estivesse estimulando-a a saltar de um penhasco.

– Você lembra que uma vez me disse que não gostava de correr riscos? Ora, eu também não gosto.

– Pelo que me lembro, eu me referi a riscos *desnecessários* – retrucou Marcus, com gentileza. – Mas esse parece ser um risco necessário, certo?

Aline o encarou sem piscar. Por mais que tentasse, não conseguia negar a ânsia incontrolável que a acompanharia pelo resto da vida, independentemente da escolha que fizesse naquele momento. Nada terminaria quando McKenna deixasse a Inglaterra. Ela não encontraria mais paz no futuro do que encontrara ao longo dos últimos doze anos. A mera ideia a deixava nauseada, apavorada, mas também estranhamente eufórica. Um risco necessário...

– Irei para Londres – disse ela, a voz apenas um pouco trêmula. – Só vou precisar de alguns minutos para me trocar e vestir as minhas roupas de viagem.

– Não há tempo para isso.

– Mas não estou vestida para sair em público.

– Aline, mesmo se sairmos agora talvez não tenhamos tempo de alcançar o vapor antes que ele parta.

Estimulada pelas palavras dele, Aline se colocou de pé e calçou novamente os chinelos.

– Marcus, você precisa fazer com que eu chegue lá a tempo!

Apesar do conselho de Marcus de que ela deveria tentar dormir durante a viagem para Londres, Aline passou a maior parte da noite desperta. Enquanto olhava através do interior escuro da carruagem, perguntando-se se conseguiriam alcançar McKenna antes que o navio dele, o *Britannia*, partisse para a América, suas entranhas pareciam se contorcer. De tempos em tempos, o silêncio era quebrado pelo som dos roncos do irmão, que cochilava no assento oposto.

Em algum momento antes do amanhecer, a exaustão a dominou. Aline adormeceu sentada, com o rosto encostado na cortina de veludo que protegia o interior da carruagem. Ainda flutuando em um vazio sem sonhos, teve dificuldade para despertar ao sentir a mão de Marcus em seu ombro.

– O quê...? – balbuciou, piscando e gemendo enquanto ele a sacudia com delicadeza.

– Abra os olhos. Estamos nas docas.

Aline se sentou, desajeitada, enquanto Marcus batia na porta da carruagem. O lacaio, Peter, um tanto desalinhado, abriu a porta pelo lado de fora. Na mesma hora, uma curiosa mistura de odores encheu a carruagem. Malte e peixe, misturado com carvão e tabaco. O grito das gaivotas se juntava a vozes humanas, que berravam "Fundear e inclinar o cabo" e "Carga geral", e outros termos igualmente incompreensíveis. Marcus desceu da carruagem e Aline prendeu uma mecha de cabelo atrás da orelha enquanto se inclinava para observá-lo.

O cenário nas docas era como um enxame em atividade, com uma floresta interminável de mastros que se estendia dos dois lados do canal. Havia barcos a carvão e a vapor, e navios mercantes incontáveis. Multidões de estivadores corpulentos e ensopados de suor usavam ganchos presos nas mãos para mover fardos, caixas, barris e pacotes de todo tipo até os depósitos próximos. Havia uma fileira de guindastes de ferro enormes, em movimento constante, sendo cada longo braço de metal operado por uma dupla de homens enquanto descarregavam a carga do porão de um navio para o porto. Era um trabalho brutal, para não mencionar o perigo. Ela mal conseguia acreditar que McKenna já ganhara a vida daquela forma.

No extremo das docas, uma fornalha perto dos depósitos estava sendo usada para queimar tabaco estragado, a longa chaminé lançando fumaça azul no céu.

– Eles chamam aquilo de cachimbo da rainha – explicou Marcus com ironia, seguindo a direção do olhar dela.

Quando olhou para a fileira de depósitos dos dois lados do porto, Aline viu um enorme vapor de madeira, com mais de 60 metros de cumprimento.

– Aquele é o *Britannia*?

Marcus assentiu.

– Vou procurar algum funcionário que possa tirar McKenna do navio.

Aline fechou os olhos com força, tentando imaginar o rosto de McKenna quando falassem com ele. No humor em que estava, provavelmente não receberia bem a notícia.

– Talvez eu deva subir a bordo – sugeriu.

– Não – foi a resposta imediata do irmão. – Eles vão levantar âncora logo, logo... Não vou correr o risco de ter você atravessando o Atlântico como clandestina.

– Vou fazer McKenna perder a partida do navio – disse Aline. – E ele vai me matar.

Marcus deixou escapar um som de impaciência.

– O navio provavelmente vai zarpar enquanto estamos parados aqui, discutindo. Você quer conversar com McKenna ou não?

– Sim!

– Então fique na carruagem. Peter e o cocheiro vão tomar conta de você. Logo estarei de volta.

– Ele pode se recusar a desembarcar – falou Aline. – Eu o magoei muito profundamente, Marcus.

– Ele vai desembarcar, Aline – garantiu o irmão com uma convicção tranquila. – De uma forma ou de outra.

Um sorriso hesitante curvou os lábios de Aline, apesar de sua aflição. Ela viu Marcus se afastar, preparado para uma batalha física, se necessário, com um adversário que era quase uma cabeça mais alto do que ele.

Ela se recostou no banco da carruagem, abriu a cortina e ficou olhando pela janela, vendo um policial das docas andar de um lado para outro, passando pelas fileiras de barris de açúcar em pilhas de seis ou oito. Enquanto esperava, ocorreu a Aline que ela devia estar com a aparência de quem tinha atravessado uma sebe de espinhos, com as roupas amassadas e os cabelos desalinhados. Nem sequer usava sapatos adequados. Certamente estava longe da imagem da dama elegante visitando a capital, pensou, melancólica, olhando para os chinelos de tricô enquanto remexia os dedos dentro deles.

Alguns minutos se passaram e Aline começou a se sentir abafada e com calor na carruagem. Chegou à conclusão de que o cheiro das docas era melhor do que a perspectiva de ficar sentada em um veículo fechado onde não entrava nem uma brisa. Começou a bater na porta para chamar Peter. No momento em que os nós dos seus dedos tocaram o painel de madeira, a porta foi aberta com uma violência que a pegou de surpresa. Aline ficou paralisada, a mão parada no meio do caminho. McKenna apareceu na porta da carruagem, os ombros bloqueando a luz do sol.

Ele segurou-a pelo braço como se estivesse salvando-a de uma queda inesperada. O toque urgente doeu e fez Aline se encolher, pensando que McKenna lhe parecia um estranho. Ela achava impossível acreditar que aquele homem de feições duras já a abraçara e beijara com tanta ternura.

– Qual é o problema? – perguntou ele, em uma voz áspera. – Você já foi a um médico?

– O quê? – perguntou Aline, o encarando e sem entender nada. – Por que eu precisaria de um médico?

McKenna estreitou os olhos e soltou-a abruptamente.

– Você não está doente?

– Não... Por que você acharia que eu...?

Quando ela finalmente compreendeu o que estava se passando, olhou furiosa para o irmão, que estava parado pouco além.

– Marcus! Você não deveria ter dito isso!

– Se eu não tivesse feito isso, ele não teria vindo – declarou Marcus sem o menor sinal de remorso.

Aline lhe lançou um olhar letal. Como se a situação já não fosse difícil o bastante, o irmão agora conseguira deixar McKenna mais hostil. Ainda parecendo muito tranquilo, Marcus se afastou da carruagem para permitir que os dois tivessem um mínimo de privacidade.

– Desculpe – disse Aline a McKenna. – Meu irmão enganou você... eu não estou doente. Estou aqui porque preciso desesperadamente conversar com você.

McKenna encarou-a com uma expressão dura.

– Não há mais nada a ser dito.

– Há, sim – insistiu ela. – Anteontem você me disse que falaria honestamente comigo ou se arrependeria pelo resto da vida. Eu deveria ter feito o mesmo, e lamento muito não ter tido coragem para isso. Mas viajei a noite toda para chegar aqui antes que você deixasse a Inglaterra. Então estou pedindo... pedindo não, estou implorando que você me dê a chance de explicar o meu comportamento.

McKenna balançou a cabeça.

– Estão prestes a recolher a prancha de embarque. Se eu não voltar a bordo em cinco minutos, vão levar todos os meus baús e documentos pessoais... tudo a não ser a roupa que tenho no corpo.

Aline mordeu a parte interna da boca, tentando conter o desespero crescente.

– Então vou subir a bordo com você.

– E vai atravessar o Atlântico sem nem uma escova de dentes? – zombou.

– Vou.

McKenna lhe lançou um olhar longo e duro. Ele não deu qualquer indicação do que estava pensando, nem mesmo se estava levando em consideração o pedido dela. Aline se perguntou se ele estaria prestes a rejeitá-la e buscou desesperadamente as palavras certas, a chave que derreteria o autocontrole gélido dele... até perceber a veia que latejava violentamente na têmpora de McKenna. A esperança cresceu em seu peito. Ele não era indiferente a ela, por mais que tentasse fingir.

E Aline pensou que talvez o único bálsamo para o orgulho ferido de McKenna fosse sacrificar seu próprio orgulho. Ela baixou a guarda, relutante, e falou com mais humildade do que jamais falara na vida.

– Por favor. Se ainda sente alguma coisa por mim, por menor que seja, não volte para aquele navio. Juro que nunca mais lhe pedirei nada. Por favor, deixe que eu lhe conte a verdade, McKenna.

Outro longo silêncio se estendeu, e o maxilar de McKenna ficou rígido a ponto de fazer um músculo no rosto dele saltar.

– Maldição – disse ele baixinho.

Aline percebeu com um alívio estonteante que ele não iria rejeitá-la.

– Vamos para a residência da família aqui em Londres? – ousou sussurrar ela.

– Não... de forma nenhuma quero seu irmão pairando ao nosso redor. Ele pode ir para a residência Marsden enquanto você e eu conversamos nos aposentos de Shaw no Rutledge.

Aline teve medo de dizer qualquer outra palavra, para não correr o risco de acabar fazendo com que ele mudasse de ideia. Ela assentiu e se acomodou na carruagem, sentindo o coração disparar no peito.

McKenna deu instruções ao cocheiro e entrou no veículo. Foi seguido na mesma hora por Marcus, que não pareceu muito satisfeito com o plano, já que queria que a situação permanecesse sob seu controle. Ainda assim, não protestou, apenas se sentou ao lado de Aline e cruzou os braços.

O silêncio era denso e pesado enquanto a carruagem se afastava das docas. Aline se sentia terrivelmente desconfortável, as pernas rígidas e coçando, as emoções em polvorosa, a cabeça doendo. Não ajudava o fato de McKenna parecer tão caloroso e compreensivo quanto um bloco de granito. Aline não sabia o que diria a ele, como contaria a verdade sem provocar pena ou desprezo.

Como se sentisse a preocupação da irmã, Marcus apertou a mão dela em um gesto encorajador. Aline levantou os olhos e viu que McKenna havia percebido o gesto sutil. Seu olhar desconfiado foi do rosto de Marcus para o dela.

– Você pode muito bem começar a explicar agora – disse ele.

Aline olhou para ele com uma expressão contrita.

– Eu prefiro esperar, se você não se importa.

– Tudo bem – disse McKenna, em um tom sarcástico. – Afinal, eu tenho tempo, não é mesmo?

Marcus ficou rígido ao ouvir o tom de voz do outro homem.

– Escute aqui, McKenna...

– Está tudo bem – interrompeu Aline, cutucando a lateral do corpo do irmão com o cotovelo. – Você já ajudou bastante, Marcus. Agora posso dar conta da situação sozinha.

O irmão franziu a testa.

– Ainda assim, não aprovo que você vá para um hotel sem nenhum membro da família ou criado como acompanhante. Vão comentar a respeito, e você não...

– Fofocas são a minha menor preocupação, Marcus – interrompeu Aline.

Ela aumentou a pressão do cotovelo contra as costelas dele, até Marcus grunhir e ficar em silêncio.

Depois do que pareceram horas, chegaram ao Rutledge Hotel. A carruagem parou na ruazinha atrás de uma das quatro acomodações privadas. Aline estava em agonia, tamanha a ansiedade com o desenrolar da situação, quando McKenna desceu da carruagem e ajudou-a a descer. Ela se virou e olhou para o irmão. Ao ver o desamparo nos olhos de Aline, Marcus assentiu para tranquilizá-la, pouco antes de se dirigir a McKenna em uma voz dura.

– Espere. Quero dar uma palavrinha com você.

McKenna ergueu uma sobrancelha e se afastou com Marcus. Ele encontrou o olhar do conde com uma expressão de curiosidade fria.

– O que é agora?

Marcus se virou de costas para Aline e falou bem baixinho, para que ela não escutasse.

– Espero sinceramente ter subestimado você, McKenna. Seja qual for o resultado dessa conversa com a minha irmã, quero lhe assegurar uma coisa: se fizer mal a ela de algum modo, você vai pagar com a sua vida. E estou falando literalmente.

Irritado ao extremo, McKenna balançou a cabeça e murmurou algumas palavras pesadas. Caminhou até Aline, então, e puxou-a até a entrada dos fundos, onde o criado já batera na porta. O valete de Gideon Shaw apareceu na porta com uma expressão de surpresa indisfarçada.

– Sr. McKenna – exclamou. – Imaginei que, a esta altura, o seu navio já teria partido...

– Já partiu – foi a resposta seca de McKenna.

O valete pareceu confuso e se esforçou para recuperar a compostura.

– Se está procurando o Sr. Shaw, senhor, saiba que ele está no escritório da empresa...

– Quero usar os aposentos dele por alguns minutos – disse McKenna. – Cuide para que não sejamos incomodados.

Com um tato admirável, o valete nem sequer desviou os olhos na direção de Aline.

– Sim, senhor.

McKenna guiou Aline bruscamente para dentro da acomodação, belamente mobiliada em madeira escura, as paredes cobertas por um papel elegante, cor de ameixa, em relevo. Foram para a sala de estar, com o quarto visível logo além. As pesadas cortinas de veludo haviam sido abertas para revelar o forro de renda embaixo, cor de chá, que filtrava a luz do sol que entrava no quarto.

Aline não conseguia controlar o nervosismo, e começou a tremer tão violentamente que seus dentes batiam. Ela cerrou o maxilar e se sentou em uma grande poltrona de couro. Depois de uma longa pausa, McKenna fez o mesmo, acomodando-se em uma poltrona próxima e encarando-a com frieza. Um antigo relógio de carruagem francês tiquetaqueava no console da lareira, marcando a tensão que rasgava o ar.

A mente de Aline pareceu se esvaziar. Na carruagem, ela havia conseguido pensar em uma explicação bem-estruturada, mas todas as frases tão cuidadosamente preparadas subitamente desapareceram. Ela umedeceu os lábios com a ponta da língua, nervosa.

O olhar de McKenna se desviou para a boca de Aline, e ele franziu a testa.

– Ande logo com isso, pode ser?

Aline respirou fundo, soltou o ar lentamente e esfregou a testa.

– Sim. Desculpe. Só não sei bem como começar. Estou feliz por finalmente ter a oportunidade de lhe contar a verdade, só que... é a coisa mais difícil que eu já fiz na vida.

Ela desviou os olhos para a lareira vazia e segurou com força os braços da poltrona.

– Sabe, McKenna, devo ser uma atriz melhor do que imaginei se consegui convencê-lo de que me importo com a sua posição social. Porque nada poderia estar mais distante da verdade. Eu nunca dei a mínima para as circunstâncias do seu nascimento... de onde você veio, ou quem você é... Poderia ser um mendigo e ainda assim eu não me importaria.

Ela cravou as unhas no couro já gasto. E fechou os olhos.

– Eu amo você, McKenna. Sempre amei.

Não se ouvia nada na sala além do tiquetaquear do relógio. Quando continuou a falar, Aline teve a estranha sensação de estar se ouvindo à distância.

– Meu relacionamento com lorde Sandridge não é o que parece. Qualquer aparência de interesse romântico entre nós é uma farsa... uma farsa que serviu muito bem tanto a lorde Sandridge quanto a mim. Ele não me deseja fisicamente e jamais poderia desenvolver qualquer atração desse tipo por mim, porque ele...

Aline fez uma pausa, constrangida.

– As inclinações de Alex se limitam a outros homens. Ele me pediu em casamento como um arranjo que poderia ser prático para ambos... uma união entre amigos. Não vou dizer que não achei a proposta atraente, mas eu a recusei pouco antes de você voltar de Londres.

Aline abriu os olhos e baixou a cabeça, sentindo a abençoada sensação de entorpecimento abandoná-la. Agora se sentia em carne viva, exposta e apavorada. Aquela era a parte mais difícil: se mostrar vulnerável para um homem que tinha o poder de destruí-la com uma única palavra. Um homem que estava justificadamente furioso pelo modo como ela o tratara.

– A doença que eu tive muito tempo atrás... – disse ela, em uma voz rouca.

– Você estava certo ao suspeitar que eu menti a respeito. Não foi uma febre. Eu fui atingida pelo fogo... fui gravemente queimada. Eu estava na cozinha com a Sra. Faircloth quando uma panela com óleo caiu sobre a cesta de ferro que guardava o carvão. Não me lembro de mais nada. Me contaram que minhas roupas pegaram fogo e que fui imediatamente engolida pelas chamas. Eu tentei correr... um lacaio me derrubou no chão e bateu nas minhas roupas para apagar o fogo. Ele salvou a minha vida. Você deve se lembrar dele, William; acho que era segundo lacaio quando você ainda estava em Stony Cross.

Ela fez uma pausa para respirar fundo. Seus tremores haviam cedido um pouco e ela finalmente foi capaz de firmar a voz.

– Minhas pernas ficaram completamente queimadas.

Aline arriscou um olhar para McKenna e viu que ele já não estava mais recostado na cadeira. Havia se inclinado ligeiramente para a frente, e todo o corpo grande parecia dominado por uma súbita tensão, os olhos azul-esverdeados ardendo no rosto muito pálido.

Ela desviou mais uma vez o olhar do dele. Se continuasse olhando para McKenna, não conseguiria terminar.

– Eu vivi um pesadelo do qual não conseguia acordar – continuou. – Quando não estava em agonia com a dor das queimaduras, estava dopada com morfina. As feridas infeccionaram e contaminaram meu sangue, e o médico disse que eu não viveria nem mais uma semana. A Sra. Faircloth soube de uma mulher que diziam ter habilidades especiais de cura. Mas eu não queria melhorar. Eu queria morrer. Então a Sra. Faircloth me mostrou a carta...

Ela ficou em silêncio enquanto se lembrava. Aquele momento havia ficado gravado permanentemente na sua memória, quando algumas poucas palavras rabiscadas em um papel a haviam arrancado das garras da morte.

– Que carta? – ouviu McKenna perguntar em uma voz sufocada.

– A única que você mandou para ela... pedindo dinheiro, porque você precisava abandonar o posto de aprendiz e fugir do Sr. Ilbery. A Sra. Faircloth leu a carta para mim... e ouvir as palavras que você havia escrito me fez perceber... que enquanto houvesse uma chance de você estar neste mundo, eu queria continuar vivendo.

Aline parou subitamente de falar, cega pelas lágrimas, e piscou várias vezes para clarear a visão.

McKenna deixou escapar um som rouco, foi até a poltrona dela e agachou-se. Sua respiração estava acelerada como se ele tivesse acabado de receber um golpe no peito.

– Eu nunca pensei que você voltaria – disse Aline. – Nunca quis que você soubesse do meu acidente. Mas quando você voltou a Stony Cross, decidi que estar perto de você, mesmo que só por uma noite, valia qualquer risco. Foi por isso que...

Aline hesitou, enrubescendo profundamente.

– Na noite da feira no vilarejo...

Ainda com a respiração pesada, McKenna levou as mãos à bainha do vestido dela. Aline o deteve rapidamente, segurando-o pelo pulso em um movimento convulsivo.

– Espere!

McKenna ficou imóvel, os músculos do ombro muito tensos.

– Cicatrizes de queimadura são muito feias, McKenna – sussurrou ela. – E as minhas pernas estão cobertas de cicatrizes. A perna direita é especialmente feia; grande parte da pele foi destruída. As cicatrizes enrijecem e se contraem, e às vezes é difícil esticar o joelho.

McKenna absorveu aquilo por um momento, então tirou os dedos de Aline do seu pulso e descalçou os chinelos dela, um depois do outro. Aline se esforçou para conter uma onda de náusea, sabendo exatamente o que ele estava prestes a ver. Ela engoliu convulsivamente, enquanto lágrimas quentes faziam sua garganta arder. Ele enfiou as mãos por debaixo da saia dela e deslizou-as ao longo das coxas tensas, passando pelo tecido das calçolas até encontrar o cadarço na cintura. Aline ficou muito pálida, então muito vermelha, ao senti-lo puxar a roupa de baixo.

– Por favor... – murmurou ele.

Ela obedeceu, sem jeito, erguendo os quadris enquanto McKenna abaixava as calçolas de baixo pelas pernas dela. A bainha da saia foi levantada até acima das coxas, deixando o ar frio atingir a pele exposta. A ansiedade fez o suor brotar no rosto e no pescoço dela, e Aline usou a manga do vestido para enxugar o rosto e o lábio superior.

McKenna se ajoelhou diante dela, segurou um dos pés gelados em sua mão quente e roçou o polegar pelas pontas rosadas dos dedos dos pés dela.

– Você estava calçada quando aconteceu – disse ele, fitando a pele clara e macia dos pés de Aline e traçando a linha das veias azuladas e delicadas no arco de um deles.

A transpiração fez os olhos de Aline arderem quando ela voltou a abri-los e olhou para o topo da cabeça de cabelos escuros dele.

– Estava.

Todo o corpo dela se sobressaltou quando McKenna deslizou as mãos até os tornozelos.

Ele se deteve.

– Dói quando eu toco?

– N-Não.

Aline secou novamente o rosto e arquejou ao sentir os dedos dele continuarem a lenta exploração.

– É só que... a Sra. Faircloth é a única pessoa que eu já permiti que tocasse em minhas pernas. Em alguns pontos não tenho sensibilidade alguma... e em outros a pele é sensível demais.

A visão das mãos deslizando pelas panturrilhas maltratadas era quase mais do que ela era capaz de suportar. Petrificada e infeliz, Aline ficou olhando enquanto os dedos dele passavam por cima das cicatrizes ásperas e avermelhadas.

– Eu gostaria de ter sabido – murmurou McKenna. – Deveria ter estado ao seu lado.

Aquilo fez Aline ter vontade de chorar, e ela cerrou o queixo para impedi-lo de tremer.

– Eu queria que você tivesse estado lá – admitiu ela, a voz embargada. – Ficava chamando por você. Às vezes, achava que você estava ali, me abraçando... mas a Sra. Faircloth disse que eram delírios de febre.

As mãos de McKenna ficaram imóveis. As palavras dela pareceram provocar um tremor nos ombros largos, como se ele tivesse ficado arrepiado. Depois de algum tempo, ele voltou a deslizar as palmas das mãos ao longo das coxas dela, abrindo-as, deixando os polegares roçarem na parte interna.

– Então foi isso que nos manteve separados – falou McKenna, a voz falhando. – Por isso você não me quis na sua cama, e por isso recusou o meu pedido de casamento. E por isso eu tive que ouvir de Livia a verdade sobre o que o seu pai fez, em vez de ouvi-la de você.

– Sim.

McKenna ficou de joelhos e apoiou as mãos, uma de cada lado, na poltrona em que Aline estava sentada, o rosto a poucos centímetros do dela.

Aline se preparara para ver pena, compaixão, repulsa... mas nunca imaginara que veria raiva no rosto dele. Não esperara ver o brilho de fúria primitivo nos olhos de McKenna, o rosto desesperado de um homem que fora levado quase além dos limites da sanidade.

– De que acha que eu estava falando quando disse que amo você? Pensou que eu daria alguma importância para as suas cicatrizes?

Espantada com a reação dele, Aline respondeu apenas com um aceno de cabeça.

O rosto dele ficou ainda mais vermelho.

– Meu Deus, Aline... E se a situação fosse o inverso, e se fosse eu que tivesse me ferido? Você teria me abandonado?

– Não!

– Então por que esperou menos do que isso de mim?

O desabafo explosivo fez com que Aline se encolhesse na poltrona. McKenna se inclinou para a frente, acompanhando o movimento dela, e sua fúria agora se misturava à angústia.

– *Maldição*, Aline!

Ele segurou o rosto dela entre as mãos trêmulas, de dedos longos; os olhos marejados cintilavam.

– Você é a minha outra metade – falou, em uma voz rouca. – Como pôde pensar que eu não iria querê-la? Você colocou nós dois em um inferno sem qualquer razão!

Obviamente ele não compreendia a origem do medo dela. Aline segurou com força os pulsos grandes e firmes dele, engolindo convulsivamente.

McKenna a encarou com uma expressão de preocupação ardente e furiosa.

– O que foi?

Ele manteve uma das mãos na lateral do rosto de Aline enquanto com a outra, afastava os cabelos dela da testa.

– Uma coisa era fazer amor comigo quando você não sabia sobre as minhas pernas. Mas agora que você sabe... vai achar difícil, talvez até impossível...

Os olhos de McKenna cintilaram de um modo que a alarmou.

– Você está duvidando do meu desejo por você?

Aline abaixou a saia depressa, sentindo-se profundamente aliviada quando viu as pernas cobertas de novo.

– As minhas pernas são horríveis, McKenna.

Ele soltou um palavrão que a sobressaltou e segurou a cabeça dela entre as mãos, forçando-a a encará-lo. Sua voz era selvagem quando voltou a falar.

– Passei os últimos doze anos em um estado de tormento constante, querendo você em meus braços e achando que isso jamais seria possível. Eu a quero por milhares de outros motivos que não as suas pernas, e... *não*, maldição, na verdade não a quero por nenhum motivo específico exceto você ser quem você é. Quero estar bem dentro de você e ficar horas assim... dias... semanas. Quero dormir pela manhã, no meio do dia e ao cair da noite ao seu lado. Quero as suas lágrimas, os seus sorrisos, os seus beijos... o cheiro do seu cabelo, o sabor da sua pele, o toque do seu hálito no meu rosto. Quero ver você na minha última hora de vida... quero estar nos seus braços quando der o meu último suspiro.

McKenna balançou a cabeça, encarando-a como um condenado que contempla o rosto do seu algoz.

– Aline – sussurrou –, você sabe o que é o inferno?

– Sim – respondeu ela, as lágrimas se derramando de seus olhos. – Tentar existir com o coração batendo em algum lugar fora do meu corpo.

– Não. É saber que você tem tão pouca fé no meu amor que teria me condenado a uma vida de agonia – retrucou ele, o rosto subitamente contorcido. – E isso é pior do que a morte.

– Eu sinto muito – disse ela em uma voz embargada. – McKenna...

– Não sente o bastante.

Ele pressionou o rosto úmido no dela, a boca roçando as faces e o queixo em beijos febris e desajeitados, como se quisesse devorá-la.

– Nem de longe. Você disse que teve que viver sem o seu coração... O que acharia de perder a sua alma também? Eu amaldiçoei cada dia que tive que viver sem você, e cada noite que passei com outra mulher, desejando que fosse você nos meus braços...

– Não... – pediu Aline em um gemido.

– Querendo – continuou ele, em um tom determinado – encontrar algum modo de impedir que as lembranças que eu tinha de você me devorassem até não sobrar nada dentro de mim. Eu não encontrava paz em lugar nenhum. Nem nos meus sonhos...

McKenna se interrompeu e devorou-a com beijos desesperados e trêmulos. O sabor das lágrimas dele, da sua boca, deixaram Aline desorientada e quente, a cabeça girando em um redemoinho de prazer. McKenna parecia dominado por uma paixão que beirava a violência; sua respiração estava entrecortada, e suas mãos a apertavam com uma força que ameaçava deixar marcas na pele delicada de Aline.

– Pelo amor de Deus – disse ele com a veemência de um homem que tivera que passar por coisas demais –, nos últimos dias eu sofri os tormentos do inferno, e para mim basta!

Subitamente, Aline se viu sendo puxada da poltrona e erguida junto ao peito dele, como se não pesasse nada.

– O que está fazendo? – perguntou em um arquejo.

– Levando você para a cama.

Ela se contorceu e se debateu nos braços dele, perguntando-se, desesperadamente, como poderia explicar a McKenna que aquilo iria requerer uma adaptação lenta, não uma imersão completa e imediata.

– Não, McKenna, eu ainda não estou pronta para isso. Primeiro quero conversar...

– Estou farto de conversa.

– Eu não posso – insistiu ela, ainda mais aflita. – Preciso de algum tempo. E estou *exausta*... não durmo direito há dias, e...

– Aline – interrompeu McKenna, em uma voz tensa –, nem as forças combinadas do céu e do inferno me impediriam de fazer amor com você neste exato momento.

Aquilo não deixava muito espaço para questionamentos. Aline voltou a tremer e sentiu uma nova onda de suor umedecer seu rosto.

McKenna colou a boca ao rosto trêmulo dela.

– Não tenha medo – sussurrou. – Não comigo.

Mas Aline não conseguia evitar. O hábito de privacidade e isolamento se arraigara demais ao longo de doze anos. E saber que McKenna não lhe permitiria recuar ou se esconder de forma alguma fez com que o coração dela disparasse violentamente enquanto ele a carregava para o quarto ao lado em passadas firmes e determinadas. Ao alcançarem a cama, McKenna a colocou de pé e se inclinou para puxar a colcha de brocado. Enquanto Aline fitava a amplidão branca do lençol liso e recém-lavado, seu estômago pareceu afundar.

McKenna alcançou os botões do vestido dela e seus dedos se moveram com agilidade para abrir o corpete. Depois que o vestido caiu no chão, ele se dedicou a tirar a camisa de baixo dela, pela cabeça. Aline ficou arrepiada, parada ali nua e trêmula diante dele. Precisou reunir toda a sua força de vontade para não tentar se cobrir e esconder as partes discrepantes do seu corpo.

McKenna roçou os nós dos dedos na curva do seio dela, despois deslizou a mão até o abdômen tenso. Massageou a pele fria, então passou os braços ao redor dela com extremo cuidado, sussurrando baixinho palavras indecifráveis junto aos cabelos desalinhados dela. Aline segurou as lapelas do paletó dele e descansou o rosto ali. Os gestos de McKenna eram imensamente gentis quando tirou os grampos dos cabelos dela e os deixou cair no chão acarpetado. Logo, as longas mechas estavam soltas, livres, fazendo cócegas nas costas de Aline com sua maciez pesada.

McKenna então levou a mão ao queixo de Aline, levantou seu rosto e moldou os lábios aos dela em um beijo longo e incendiário que a deixou de joelhos bambos. Aline se viu colada com firmeza junto ao corpo dele, e sentiu nas pontas dos seios o leve atrito do tecido do paletó. Ela não teve opção a não ser abrir os lábios, e McKenna logo exigiu mais, em um beijo quente, úmido e erótico, enquanto a língua explorava as profundezas de sua boca.

Em um movimento possessivo, Ele desceu a mão pelas costas dela até alcançar a curva das nádegas. Ao encontrar o ponto vulnerável logo abaixo da coluna, puxou-a mais para junto de si até Aline sentir o volume do membro rijo contido pela calça. Ele se roçou lentamente nela, como se para demonstrar o desejo ardente de sua carne de se juntar à dela. Aline arquejou baixinho, a boca ainda colada à dele. Sem lhe dar tempo para pensar, McKenna passou a mão pelas nádegas e por entre as coxas de Aline e, com uma das pernas, abriu as dela com habilidade. Ele a manteve presa junto ao corpo, enquanto usava os dedos para afastar as dobras íntimas de seu sexo, acariciando, expondo a maciez secreta até deixá-la aberta e vulnerável.

Com o corpo suspenso acima das mãos dele, Aline arqueou ligeiramente as costas enquanto McKenna deslizava dois dedos dentro dela. *Mais*, exigiu seu corpo, contorcendo-se para fazê-lo penetrar mais fundo. Ela queria McKenna por toda parte, colado a ela, dentro dela, preenchendo cada espaço vazio. Queria mais dele, e mais, sem deixar distância alguma entre os dois.

McKenna ajustou o corpo ao dela até seu membro se acomodar junto ao vértice entre as coxas. A fricção deliciosa correspondia perfeitamente à manipulação lenta de seus dedos. Ele a puxou mais contra si, roçando-a mais e mais contra seu membro muito rijo, acariciando-a dentro e fora em um ritmo lento mas constante. McKenna encostou o rosto nos cabelos de Aline e correu os lábios pelos fios até alcançar a raiz molhada de suor. Aline sentiu o corpo se enrijecer, pulsar, o prazer se intensificar até quase chegar ao clímax. A boca de McKenna capturou mais uma vez a dela e a língua penetrou-a gentilmente, em um beijo profundo que a encheu de prazer. Ah, sim... *ah, sim...*

Para sua frustração, McKenna afastou a boca e tirou os dedos de dentro do seu corpo bem no momento em que o alívio parecia iminente.

– Ainda não... – sussurrou ele enquanto Aline estremecia violentamente.

– Preciso de você... – disse ela, mal conseguindo falar.

Com os dedos úmidos, ele percorreu a linha tensa do pescoço dela.

– Sim, eu sei. E quando eu finalmente permitir que deixe esta cama, você vai ter entendido exatamente quanto *eu* preciso de *você*. Vai ter descoberto todas as maneiras como desejo você... e como você pertence completamente a mim.

McKenna pegou-a no colo e deitou-a sobre os lençóis bem passados. Ainda completamente vestido, ele se inclinou sobre o corpo nu dela. Então abaixou a cabeça e Aline sentiu os lábios dele tocarem o seu joelho.

Aquele era o último lugar onde ela queria sentir a boca dele, colada à sua cicatriz mais feia. Aline ficou gelada, protestou e tentou rolar para longe. McKenna manteve-a com facilidade onde estava, as mãos firmes em seus quadris. Ele prendeu-a contra o colchão enquanto voltava a correr a boca pelo joelho dela.

– Você não precisa fazer isso – disse Aline, se encolhendo. – Eu preferia que não fizesse... *sinceramente*, não há necessidade de provar...

– Quieta – ordenou McKenna com carinho.

E então continuou a beijar as pernas dela, aceitando as cicatrizes como a própria Aline nunca fora capaz de fazer. Ele tocou-a por toda parte, acariciando a pele retesada.

– Está tudo bem – murmurou ele, acariciando agora o abdômen dela, em movimentos circulares, para acalmá-la. – Eu amo você, Aline. Você inteira.

Ele correu o polegar ao redor do umbigo enquanto mordiscava a pele delicada da coxa.

– Abra-se para mim – sussurrou, e Aline enrubesceu violentamente. – Abra-se – pediu mais uma vez, e os beijos aveludados se aventuraram mais para cima.

Aline gemeu e abriu as pernas, sentindo o desejo dominá-la novamente. A boca de McKenna explorou a fenda exposta e a língua alcançou o ponto mais sensível do sexo dela antes de escorregar até a entrada de seu corpo com seu aroma salgado. Aline se sentiu pesada, como se seus sentidos estivessem despertando, totalmente concentrada nas arremetidas delicadas e excruciantes da língua de McKenna. Ele recuou para soprar gentilmente a carne úmida, então se ocupou do ponto mais sensível com a ponta da língua. Aline cerrou os punhos e jogou a cabeça para trás, erguendo o corpo e deixando escapar murmúrios suplicantes. Quando achou que não conseguiria mais suportar aquela tortura tão sofisticada, McKenna deslizou três dedos para dentro do corpo dela, invadindo com os nós firmes o canal escorregadio. Aline não conseguia pensar, não conseguia se mover, seu corpo inteiro estava imerso no prazer. A boca de McKenna voltou a encontrar a dela enquanto ele a penetrava com os dedos até ela deixar escapar um grito agudo e seu corpo se agitar em espasmos de êxtase.

McKenna deixou Aline ainda arquejando na cama e se levantou para tirar o paletó, o olhar fixo no dela. Ele se despiu diante dela, deixando a camisa de lado para revelar o torso muito musculoso e o peito coberto de pelos negros. O corpo grande claramente havia sido cultivado mais para a força do que para a elegância. Ainda assim, havia uma graciosidade inata nas linhas longas dos músculos e tendões, e na largura dos ombros. McKenna era um homem que fazia as mulheres se sentirem seguras e, ao mesmo tempo, deliciosamente dominadas.

Ele se juntou a ela na cama, passou a mão grande pela sua nuca e se acomodou em cima dela, forçando suas pernas a se abrirem. Aline prendeu a respiração enquanto se deixava invadir pela sensação do corpo nu de McKenna pressionado contra toda a extensão do dela: braços e pernas firmes e peludos, a largura impressionante do peito, e os lugares onde a pele sedosa se esticava sobre os músculos proeminentes. Ele segurou a coxa direita dela, ajeitando com cuidado o joelho para evitar que a cicatriz repuxasse.

Encantada, Aline levou a mão à lateral do rosto dele, acariciando a pele barbeada. Era um momento tão carregado de ternura que ela sentiu as lágrimas escorrerem por seu rosto.

– McKenna... nunca ousei sequer sonhar com isso.

Ele cerrou os olhos de cílios fartos e encostou a testa na dela.

– Eu, sim – disse ele, em uma voz rouca. – Sonhei milhares de noites que fazia amor com você. Nenhum homem na face da terra já odiou tanto quanto eu o nascer do sol.

Ele se inclinou para beijá-la nos lábios, no pescoço, nas pontas rosadas dos seios. A língua deslizou até os mamilos, provocando-os, e quando Aline estremeceu em resposta, ele abaixou a mão e guiou o membro rígido para dentro dela. Penetrou-a, preencheu-a, até os quadris dos dois estarem colados. Os dois arquejaram no momento em que seus corpos se uniram daquele jeito, a carne rígida imersa na maciez, na profundidade, na doçura insuportável da fusão de seus corpos.

Aline passou as mãos pelas costas de McKenna enquanto ele a segurava pelas nádegas, puxando-a para que acolhesse suas investidas firmes.

– Nunca duvide do meu amor – disse ele, em uma voz entrecortada.

Ela estremecia a cada arremetida úmida, e sussurrou obedientemente através dos lábios inchados de beijos.

– Nunca.

As feições de McKenna cintilavam com uma mistura de emoção e esforço físico.

– Nada na minha vida jamais se comparou ao que sinto por você. Você é tudo o que eu quero... tudo de que eu preciso... e isso não nunca vai mudar.

Ele deixou escapar um grunhido rouco quando sentiu chegar o clímax tão esperado.

– Por Deus... me diga que você sabe que... me diga que...

– Eu sei... – sussurrou Aline. – Eu amo você.

O êxtase a dominou mais uma vez, silenciando-a com uma intensidade aguda, fazendo com que sua carne se contraísse ao redor do calor pulsante do membro dele.

Quando tudo acabou, Aline mal teve consciência de McKenna usando uma ponta do lençol para secar a camada de suor e lágrimas que cobria o rosto dela. Depois de se aconchegar ao ombro dele, ela fechou os olhos. Estava saciada, exausta, dominada por um imenso alívio.

– Estou tão cansada, McKenna...

– Durma, meu amor – sussurrou ele, alisando os longos cabelos dela, afastando os cachos úmidos de suor da nuca. – Estarei aqui, tomando conta de você.

– Durma também – disse Aline, tonta de sono, pousando a mão no centro do peito dele.

– Não.

McKenna sorriu e deu um beijo suave na têmpora dela. Sua voz estava rouca, deslumbrada.

– Não quando ficar acordado é melhor do que qualquer coisa que eu poderia encontrar em um sonho.

~

Era fim da tarde quando Gideon voltou para os seus aposentos no Rutledge. Ele estava cansado, abatido, irritado e tão desesperado para beber alguma coisa que mal conseguia enxergar direito. Em vez de beber, havia tomado uma quantidade de café capaz de fazer flutuar uma barcaça de madeira. Ele também fumara até o cheiro do charuto começar a deixá-lo nauseado. Era uma experiência totalmente nova, aquela mistura de exaustão e profunda agitação. No entanto, se fosse levar em conta a alternativa, supunha que era melhor se acostumar com a sensação.

Quando entrou na casa, Gideon foi imediatamente recebido pelo valete, que tinha novidades surpreendentes para compartilhar.

– Senhor... parece que o Sr. McKenna não partiu para Nova York como esperado. Ele veio para *cá*, na verdade. Acompanhado por uma mulher.

Gideon encarou o valete sem entender. Analisou essa informação por um longo momento, franziu a testa e esfregou o queixo.

– Ouso perguntar: era lady Aline?

O valete assentiu uma vez.

– Ora, veja só! – disse Gideon baixinho, e o mau humor foi substituído por um sorriso lento. – Eles ainda estão aqui?

– Sim, Sr. Shaw.

O sorriso de Gideon se alargou enquanto ele especulava sobre a virada inesperada dos acontecimentos.

– Então ele finalmente conseguiu o que queria – murmurou. – Bem, só o que eu posso dizer é que é melhor McKenna levar aquele traseiro dele de volta para Nova York. *Alguém* precisa construir a maldita fundição.

– Sim, senhor.

Gideon seguiu na direção do quarto, imaginando por quanto tempo McKenna faria uso de seus aposentos. Ele parou diante da porta e ouviu um barulho vindo lá de dentro. Quando já se virava para se afastar, ouviu uma voz chamá-lo bruscamente.

– Shaw?

Gideon abriu uma fresta da porta com cuidado e enfiou a cabeça para dentro. Viu McKenna apoiado sobre um cotovelo, o peito e os ombros bronzeados contrastando com o branco imaculado dos lençóis. Não era possível ver muito de lady Aline, a não ser por algumas mechas de cabelo castanho-escuro caindo pela beirada do colchão. Ela estava aconchegada à dobra do braço dele, dormindo tão profundamente que McKenna puxou as cobertas sobre seu ombro nu em um gesto protetor.

– Vejo que perdeu seu navio, não é mesmo? – comentou Gideon, em um tom gentil.

– Foi preciso – retrucou McKenna. – Acabei descobrindo que estava deixando para trás algo importante.

Gideon encarou o amigo com atenção, espantado com a mudança que viu nele. McKenna parecia mais jovem e mais feliz do que Gideon jamais vira. Despreocupado, na verdade, com um sorriso relaxado no rosto e uma mecha de cabelo caída sobre a testa. Quando lady Aline se mexeu ao seu lado, seu sono tendo sido perturbado pelo barulho, McKenna se inclinou para acalmá-la com um murmúrio suave.

No passado, Gideon já vira McKenna com mulheres, em situações muito mais permissivas do que aquela. Mas, por alguma razão, a expressão vulnerável, terna e encantada do amigo pareceu absurdamente íntima, e Gideon sentiu um rubor nada familiar colorir seu rosto. Maldição... ele não enrubescia desde que tinha 12 anos.

– Bem – falou Gideon, em um tom categórico –, como você resolveu usar os meus aposentos, parece que terei que encontrar outra acomodação para passar a noite. É claro que não pensaria duas vezes em expulsar *você* daqui... mas por lady Aline abrirei uma exceção.

– Vá para a residência Marsden – sugeriu McKenna com um súbito brilho malicioso nos olhos.

Ele se voltava a toda hora para o rosto adormecido de Aline, como se achasse impossível ficar mais de alguns poucos segundos sem olhar para ela. – Westcliff está lá sozinho... Talvez ele aprecie a companhia.

– Ah, esplêndido – retrucou Gideon, mal-humorado. – O conde e eu podemos ter uma longa discussão sobre por que eu deveria ficar o mais longe possível da irmã mais nova dele. Não que isso importe, já que em seis meses Livia já terá me esquecido completamente.

– Duvido – declarou McKenna, e sorriu. – Não perca as esperanças, Shaw. Nada é impossível... Deus sabe que eu sou a prova disso.

Epílogo

O vento furioso de fevereiro soprava contra a janela da sala de estar, desviando a atenção de Livia da carta que tinha na mão. Ela estava aconchegada em um canto de um sofá, com uma manta de cashmere sobre o colo, e estremeceu de prazer diante do contraste entre o dia frio e úmido de inverno do lado de fora e o calor vivo da sala. Havia uma caixa de mogno aberta ao seu lado – uma parte da caixa guardava uma pilha organizada de cartas, e a outra, mais cartas, só que menos organizadas, amarradas de qualquer maneira com uma fita azul. A pilha menor era da irmã, Aline, que vinha mantendo uma correspondência surpreendentemente regular de Nova York, considerando sua conhecida negligência em relação a essa atividade específica.

A outra pilha de cartas tinha uma origem completamente diferente, e todas tinham sido escritas com a mesma letra masculina. Algumas brincalhonas, outras tocantes, ou informativas, ou ainda dolorosamente íntimas, aquelas cartas contavam a história de um homem que se esforçava para mudar, para melhorar. Também falavam de um amor que se aprofundara e amadurecera ao longo dos últimos meses. Livia tinha a sensação de que passara a conhecer um homem diferente do que conhecera em Stony Cross e, por mais que o Gideon original tivesse sido irresistível, o antigo libertino tornava-se um homem em quem ela podia confiar, com quem podia contar. Livia tocou a fita azul e acariciou a superfície acetinada com a ponta dos dedos, antes de voltar novamente a atenção para a carta de Aline.

... dizem que a população da cidade de Nova York vai chegar a meio milhão de pessoas nos próximos dois anos, e acredito piamente nisso, já que a cada dia chegam mais estrangeiros como eu. Essa mistura de nacionalidades

dá à cidade um aspecto maravilhosamente contemporâneo. Todos aqui parecem ter uma visão ampla e liberal dos assuntos e, algumas vezes, cheguei a me sentir realmente provinciana nas minhas opiniões. Finalmente comecei a me ajustar ao passo em que as coisas caminham por estes lados e peguei a mania dos nova-iorquinos de me aperfeiçoar. Estou aprendendo muitas coisas novas, e desenvolvi a habilidade de tomar decisões e de fazer compras com uma rapidez que vão fazer você achar graça quando nos reencontrarmos. Como pode imaginar, a Sra. Faircloth comanda com firmeza os empregados da casa e parece profundamente encantada com os mercados a oeste do vilarejo de Manhattan, onde é possível encontrar todas as variedades de produtos. Na verdade, é impressionante como a menos de quatro quilômetros de distância dos prédios altos, de oito andares, é possível encontrar uma área rural, com inúmeras fazendas em miniatura. Eu mal comecei a explorar esta cidade tão lindamente construída, e tenho prazer em dizer que normalmente consigo fazer mais em uma semana aqui do que fazia em um mês em Stony Cross.

Mas, para não enganá-la, devo confessar que McKenna e eu temos nossos dias de preguiça de vez em quando. Ontem fomos andar de trenó na Washington Square, com sinos prateados tilintando nos arreios dos cavalos, e depois passamos o restante do dia aconchegados diante da lareira. Eu proibi McKenna de trabalhar seja no que fosse, e obviamente ele me obedeceu, já que aqui a esposa é quem manda na casa (embora nós sabiamente mantenhamos as aparências, fingindo que a autoridade é toda do marido). Sou uma ditadora benevolente, é claro, e McKenna parece bastante satisfeito com o arranjo...

Livia sorriu e levantou os olhos da carta ao ouvir os sons de uma carruagem do lado de fora. O fato de a sala de estar ficar convenientemente na frente da casa lhe dava a vantagem de ver todas as idas e vindas pelo caminho de entrada. A chegada de uma carruagem preta, com quatro pessoas, não era nada incomum em Stony Cross Park. No entanto, quando olhou para os cavalos, cuja respiração saía em nuvens brancas por causa do frio, Livia sentiu uma ponta de curiosidade. Marcus não dissera nada sobre a chegada de convidados naquele dia – e era cedo demais para visitas.

Ela se levantou do sofá, passou a manta ao redor dos ombros e espiou pela janela. Um lacaio se encaminhou para a porta da frente enquanto outro abria a porta do veículo e se afastava. Uma figura alta e esguia saiu da carruagem, dispensando o uso do degrau e descendo com facilidade. O homem usava um paletó preto e um chapéu elegante, embaixo do qual era possível ver o brilho do cabelo loiro.

Uma onda de profunda empolgação fez Livia prender a respiração. Ela ficou olhando para ele sem piscar enquanto calculava rapidamente: sim, haviam se passado quase seis meses. Mas Gideon deixara claro que não a procuraria a menos que tivesse certeza de que poderia ser o tipo de homem que achava que ela merecia. *E voltarei cheio de intenções honradas*, escrevera ele, *o que é uma pena para você.*

Gideon estava ali, ainda mais belo do que antes, se isso era possível. As linhas de tensão e cinismo que antes marcavam seu rosto já não se viam mais e as olheiras também tinham desaparecido. Ele parecia tão vibrante e vigoroso que o coração de Livia disparou ao vê-lo.

Embora ela não tivesse se movido, ou deixado escapar qualquer som, algo chamou a atenção de Gideon para a janela. Ele a encarou através dos painéis de vidro, parecendo fascinado ao vê-la. Livia devolveu o olhar, tomada por um anseio profundo. Ah, estar novamente nos braços dele, pensou, tocando a janela com a ponta dos dedos e deixando círculos úmidos na camada fina de gelo.

Um sorriso foi se abrindo lentamente no rosto de Gideon, e seus olhos azuis cintilaram. Ele balançou a cabeça e levou a mão ao peito, como se a mera visão dela fosse mais do que conseguia suportar.

Livia abriu um sorriso cintilante e inclinou a cabeça para o lado, indicando a porta da frente. *Rápido!*, disse apenas com o movimento dos lábios.

Gideon assentiu e lhe lançou um olhar carregado de promessas enquanto se afastava da carruagem.

Assim que ele saiu de vista, Livia jogou a manta em cima do sofá e notou a carta da irmã meio amassada ainda entre os dedos. Ela alisou o papel e depositou um beijo cuidadoso nele. O restante da carta poderia esperar.

– Mais tarde, Aline – sussurrou. – Agora, tenho que cuidar do meu próprio final feliz.

E então, rindo a ponto de perder o ar, Livia deixou a carta cair dentro da caixa de mogno e saiu correndo da sala.

CONHEÇA A SÉRIE AS QUATRO ESTAÇÕES DO AMOR, DE LISA KLEYPAS

Segredos de uma noite de verão

Como qualquer moça de sua idade, Annabelle Peyton nutre a esperança de encontrar um grande amor, mas, sem um dote para oferecer, não pode se dar a esse luxo.

Certa noite, em um dos bailes da temporada, ela conhece três outras jovens que também sonham se casar. Juntas, as quatro dão início a um plano: usar todo o seu charme e sua astúcia para encontrar um marido para cada uma, começando por Annabelle.

No entanto, o admirador mais intrigante dela, o rico Simon Hunt, só parece interessado em levá-la a prazeres irresistíveis em seu quarto – e não ao altar. Annabelle está decidida a recusar esse arranjo, só que, depois de se entregar aos beijos do rapaz, fica cada vez mais difícil resistir à sedução.

No primeiro livro da série As Quatro Estações do Amor, Annabelle sai em busca de um marido, encontra amizades verdadeiras e desejos intensos e – o mais importante – aprende que o amor pode ser um jogo muito perigoso.

Era uma vez no outono

A jovem e obstinada Lillian Bowman sai dos Estados Unidos em busca de um marido da aristocracia londrina. Contudo nenhum homem parece capaz de fazê-la perder a cabeça. Exceto, talvez, Marcus Marsden, o arrogante lorde Westcliff, que ela despreza mais do que a qualquer outra pessoa.

Marcus é o típico britânico reservado e controlado. Porém, algo na audaciosa Lillian faz com que ele saia de si. Os dois simplesmente não conseguem parar de brigar.

Então, numa tarde de outono, um encontro inesperado faz Lillian perceber que, sob a fachada de austeridade, há o homem apaixonado com que sempre sonhou. Mas será que um conde vai desafiar as convenções sociais a ponto de propor casamento a uma moça tão inapropriada?

Neste segundo livro da série As Quatro Estações do Amor, Lisa Kleypas nos apresenta um homem de hábitos rigorosos, uma mulher disposta a quebrar tabus e uma deliciosa batalha entre razão e sentimentos na busca do amor verdadeiro.

Pecados no inverno

Do quarteto de amigas, Evangeline Jenner é a mais tímida. E será a mais rica quando receber a herança do pai acamado. Mas Evie não se importa com o dinheiro: só quer estar com ele em seus últimos dias.

Isso só será possível se ela escapar dos tios que a criaram. Para conseguir a liberdade, sua única alternativa é se casar – e rápido. Assim, ela foge para a residência do devasso lorde St. Vincent e lhe propõe casamento.

Para um aristocrata sem posses, essa é uma excelente proposta, afinal é difícil conquistar uma moça rica quando se tem a reputação de Sebastian.

No entanto, Evie impõe uma condição: uma vez consumado o casamento, eles nunca mais dormirão juntos. Se ele realmente a deseja em sua cama, terá que se esforçar mais na sedução... ou entregar o coração pela primeira vez na vida.

No terceiro livro da série As Quatro Estações do Amor, Lisa Kleypas nos apresenta o relacionamento de duas pessoas muito diferentes, mas igualmente obstinadas. Quem disse que os cafajestes não podem amar?

Escândalos na primavera

Daisy Bowman sempre preferiu um bom livro a qualquer baile. Talvez por isso esteja na terceira temporada social sem encontrar um marido. Mas seu pai lhe dá um ultimato: se não arranjar logo um pretendente, terá que se casar com Matthew Swift, o braço direito dele na empresa.

Daisy fica horrorizada com a possibilidade de viver para sempre com alguém tão sério e controlador. Então, com a ajuda das amigas, decide se casar com qualquer um.

Ela só não contava com o charme de Matthew nem com a ardente atração entre eles. Será que o homem ganancioso de quem se lembrava é na verdade tão romântico quanto os heróis de seus livros? Ou é só um interesseiro com algum segredo escandaloso muito bem guardado?

Escândalos na primavera é um presente para os leitores de Lisa Kleypas, que podem ter certeza de uma coisa: embora as estações do ano sempre terminem, a amizade desse quarteto é eterna.

Uma noite inesquecível

O Natal está se aproximando e Rafe Bowman acaba de chegar a Londres para uma união arranjada com Natalie Blandford. Com sua beleza e físico imponentes, ele tem certeza de que a dama logo cairá a seus pés.

No entanto, seus modos americanos e sua péssima reputação deixam Hannah, a prima da moça, chocada. Determinada a proteger Natalie, ela vai tornar a tarefa de cortejar a jovem muito mais difícil do que Rafe esperava.

Hannah, porém, logo começa a se importar mais do que gostaria com Rafe, que por sua vez, passa a apreciar um pouco demais a companhia de Hannah. E quando Daisy, Lillian, Annabelle e Evie decidem agir como cupidos, quem sabe o que pode acontecer?

Uma noite inesquecível é marcado pelos diálogos espirituosos e personagens memoráveis que consagraram Lisa Kleypas como uma das autoras de romances de época mais aclamadas pelo público. Nesta continuação da série As Quatro Estações do Amor, os mais cínicos se tornam românticos e até os mais tímidos suspiram, arrebatados de paixão.

CONHEÇA OS LIVROS DE LISA KLEYPAS

De repente uma noite de paixão
Mais uma vez, o amor
Onde nascem os sonhos
Um estranho nos meus braços

Os Hathaways
Desejo à meia-noite
Sedução ao amanhecer
Tentação ao pôr do sol
Manhã de núpcias
Paixão ao entardecer
Casamento Hathaway (e-book)

As Quatro Estações do Amor
Segredos de uma noite de verão
Era uma vez no outono
Pecados no inverno
Escândalos na primavera
Uma noite inesquecível

Os Ravenels
Um sedutor sem coração
Uma noiva para Winterborne
Um acordo pecaminoso
Um estranho irresistível
Uma herdeira apaixonada
Pelo amor de Cassandra
Uma tentação perigosa

Os Mistérios de Bow Street
Cortesã por uma noite
Amante por uma tarde
Prometida por um dia

Clube de apostas Craven's
Até que conheci você
Sonhando com você

editoraarqueiro.com.br